LAS
NAVES
QUEMADAS

Bibliotheca
del Fénice

J.J. ARMAS MARCELO

LAS
NAVES
QUEMADAS

EDITORIAL ARGOS VERGARA, S. A.

Primera edición: febrero de 1982

© J. J. Armas Marcelo, 1982
    Edición en lengua castellana, propiedad de
    Editorial Argos Vergara, S. A.
    Aragón, 390 - Barcelona-13 (España)

ISBN: 84-7178-374-6
Depósito Legal: B. 3.425-1982

Impreso en España por Gráficas Instar, S. A.
Constitución, 19 - Barcelona-14

Printed in Spain

A Rosa
A Juan
Por todo

"There was a psychological reason also for the destruction of the ships: without means of retreat, the soldiers would have to fight desperately."

MAURICE COLLIS

"Sólo quedaron sobre las ruinas del dios, sagrados, los profanadores."

JOSÉ ANGEL VALENTE

PRIMERA PARTE

AB URBE CONDITA

Hubieron de transcurrir algunos años anárquicos, alborotados, casi interminables, que parecieron haberse quedado dormidos como lentos relojes olvidadizos de medir el tiempo, desde que los rejonistas invadieran con indeciso pie las solitarias arenas de las playas de Salbago, para que la vida allí, en aquella isla despoblada que había sido descubierta por mor del delirio del capitán Juan Rejón, cobrara trazos de cierta normalidad cotidiana y flotara en todo el territorio un orden razonable y una elemental administración de las personas y las cosas.

Desde los primeros momentos, las calles de la ciudad que habrían de fundar fueron trazadas al albur, sin ningún esquema previo, sin oficio ni beneficio, por los transmigrados que iban estableciéndose en Salbago como un magma indefinido. Seguían el caprichoso impulso de una díscola voluntad que habría ya de perseguirlos para siempre. Hicieron caso omiso de las sabias instrucciones que había dictado el maestro arquitecto Herminio Machado, educado en las más importantes escuelas italianas, prematuramente envejecido a causa de los sinsabores y los definitivos fracasos de sus sueños más cultivados —el frustrado levantamiento de las murallas de una ciudad a la que nadie pondría coto ni brida, el apresurado trazado de las calles que casi siempre conducían a ninguna parte y, sobre todo, los inútiles esfuerzos realizados para la construcción de la Catedral, para la que se había elegido una hermosa piedra gris que, a los

13

pocos meses de ser cortada y racionalmente colocada en su sitio, se veía atacada y carcomida por un empecinado liquen amarillento que la deshacía y arruinaba—. Desde los tiempos de su fundación la ciudad fue de una fealdad insoslayable.

Después fue ya imposible corregir tantos defectos o castigar a los culpables del caos. Los errores perduraron hasta endurecerse y llegaron a convertirse en recia costumbre. Quedó una enorme explanada, la Plaza de Armas, donde se cumplieron las sumas penas que demandó en toda época y momento el Santo Oficio, mientras la ciudad crecía mastodóntica, desperdigada de cualquier manera, a imagen y semejanza de sus habitantes, que no cesaban de afluir en imparable aluvión hasta las costas de la isla. Las calles, serpenteantes y desequilibradas, se arrastraban sin control desde las arenas litorales hasta perderse en las innominadas montañas, en el inicio mismo de los bosques perdidos de la isla, vegetación salvaje y revuelta que terminaba justo en los sobrecogedores límites del Malpaís, desierta zona volcánica donde la vida había sido arrasada por el fuego milenario que sobre ella se había abatido depositando el semen estéril de una sequedad atroz. Un laberinto imperturbable.

Salbago se convirtió, mientras tanto, en lugar de paso, durante los años que sucedieron a la tremenda revolución de las artes de navegar. Sus puertos llegaron a ser no sólo un deseado descanso sino refugio obligado (de gran confianza de carena)para aquellas naves repletas de aventureros de todas las estirpes que, tras hacer gran acopio de alimentos y entretenerse algunos días en transacciones mercantiles, en la limpieza de fondos y en los obligatorios escarceos de los marineros por las calles inmundas del barrio de la Mancebía, continuaban viaje hacia una tierra perennemente sin descubrir, ausente aún de las rutas, prefigurada sólo como ilusión en las obsesionadas mentes de quienes perseveraban en el aventurero convencimiento de que, tras la inmensa barrera del mar, más allá de la inamovible línea del horizonte, existían otras tierras incógnitas, monstruosos continentes cuyas ubres aún vírgenes y cargadas de frutos preciosos y desconocidos esperaban la mano lujuriosa de los recién llegados.

Pero, en los nerviosos días del descubrimiento de la isla, los brillantes ojos de búho del judío Simón Luz remontaron la profundidad de las aguas y volaron sin estrépito sobre la espesa bruma vespertina del mar. Se clavaron después en la distancia, como zarpas de animal. Con acostumbrada suavidad, rozaron sus ojos móviles senos, mansos en apariencia, blanquecinos en las cimas, huidizos y lejanos, que las olas formaban en las escarpaduras de la cara del agua. Nictálope, experto zahorí, errático cual un fantasma enjaulado en las interminables noches sobre la cubierta de la nave, Simón Luz olisqueó la humedad distinta de la tierra largo tiempo perseguida, muchas horas antes de que el anteojo viniera a desanudar la angustiosa monotonía de la tripulación. La premonición rompió entonces las mallas de su mente analítica. Se le despertó en la piel el picor caliente de una urgente lujuria. Se le alojó en el alma el ardor de tanta ambición retenida.

Algunos años antes de que hubiera nacido la incontenible fiebre de los descubrimientos, no poseía el hebreo tal certeza con el compás ni el cabal conocimiento que de los mares hasta entonces tenebrosos había exhibido en las intrascendentes conversaciones de los marineros, hasta acabar por entusiasmar en alguna de ellas, con su extraña lucidez de expresión, al capitán Juan Rejón. Sus iniciales de cuna, sin embargo, habían sido

15

destacadas —por su ingeniera habilidad— como constructoras de barcos redondos en los portugueses puertos de Sagres, junto al Cabo San Vicente, donde los horizontes se cruzan y resquebrajan la lógica línea recta de los siglos.

Por eso estaba ahí ahora, sobre el alcázar de popa de la carabela castellana del capitán Rejón. Por eso musita ahora entre dientes Simón Luz, tierra firme, Rejón, es tierra firme. Los puños apretados, las uñas clavándose apenas sin dolor en las palmas de las manos ávidas, restallando en su interior cada sílaba igual que golpes, latigazos de júbilo que brotan desde sus labios. Rejón, por su parte, tiembla. La lengua seca se arrastra como una esponja por las rijosas paredes del paladar. Masca entre temblores el sabor a granada dulce del honor y la gloria.

Sí, capitán, es la Tierra Firme, le contestan a Rejón los ojos negros del experto piloto Bartolomé Larios. Tierra firme y nuestra, por fin.

Algunos años antes, mezclado entre jergas y algarabías berberiscas y de media luna, sumido en la aventura y el espejismo de la guerra, Juan Rejón no habría dado pábulo a aquella visión. Simplemente habría seguido de largo, ordenando continuar un viaje que sería inacabable. Pero hoy, casi en la maceración dolorosa de la incredulidad y el escepticismo —pertinaz hiedra adherida como ganglio gangrenoso al ritmo lento de sus continuos fracasos marineros—, debió rendirse Juan Rejón fascinado: abrió de nuevo las compuertas al soñado paisaje de la gloria y su ansiosa mirada se estrelló contra el oscuro lomo que sobresale a lo lejos, desde el espejo calmo del mar. Era esa, sin duda, su liturgia preferida durante los últimos días de singladura (la incertidumbre, mientras tanto, afilado pico rapaz gritándole la desesperación), aquéllos en los que la tallada cruz, desdeñosa o cansada como caballo encabritado contra su empecinado jinete, mareaba del revés las órdenes de Larios, demorándose y revolcándose en repetidos círculos concéntricos cuyas huellas eran sólo hendiduras instantáneas borradas sobre la superficie de ayer y de anteayer. Se arrebujaba entonces Rejón en el temblor de aquella fijeza imaginaria que, tatuada ya indeleblemente en las nerviosas arrugas de su rostro curtido por la sal marina, había esculpido con persecutorio afán en la tibia sordidez de los sombríos burdeles sevillanos, anónimo, esquinado y macilento el bucanero entre la mugre, el ensueño promiscuo de los avatares de cada día, el sopor del aguardiente ingerido y el desencanto de un constante oleaje, murmullo y presagio de tierras ignotas que flotan al alcance de sus manos. O en los hacinados despachos de los armadores esquivos (sobre todo para él), un casquivano mercado de sangre aventurera que tantos merodean como lobos hambrientos intercambiándose historias de tesoros y patrañas de ensueños, tierras de oro que actúan sobre sus almas como un brillante imán de especulaciones (ahí fue, en uno de esos días perdidos, donde descubrió al hebreo Luz, un profeta desquiciado que gritaba sobre sus portulanos descoloridos el lugar exacto de la inmensa isla escondida en mitad del Mar Tenebroso; ahí fue donde le cuadró descifrar la altivez de su mirada y la firme intuición de sus explicaciones). O en los inaguantables accesos de fiebre codiciosa que se le arrimaban al sudor de la mente después de los paseos vespertinos y solitarios a través de las caliginosas dársenas de los puertos andaluces: poner cuanto antes rumbo a la absurda quimera, sin importarle qué dimensión mentirosa llegaría a cobrar ésta en las vigilias extendidas, como piel reseca, sobre los corredores de la carabela, hacia territorios ausentes de los planisferios conocidos y que sólo él (olvidado de la más elemental cartografía, de las estrellas y relaciones al uso, haciendo caso omiso de las quejas de los expedicionarios, de sus pusilánimes lamentos, de los rezos gratuitos y superfluos, visajes y maldiciones, murmuraciones entrecortadas que se enroscan a su paso, desmemoriado ya en altamar de la magia de las agujas y alidadas, de astrolabios, sextantes y otros instrumentos de navegación cuyo conocimiento nunca le importó llegar a dominar, enceguecido y obcecado por las briznas del éter que a diario y con olor de tierra los vientos soplan con irónica placidez desde el más lejano e inalcanzable horizonte) veía dibujándose en esos mismos mapas marinos de la ensoñación (tan claros, tan explícitos, sin embargo, para el hebreo), fantasmagoría coloreada por el verde cotidiano del mar —negro reflejo de su profundidad—, el estrellado añil del cielo silencioso y el pardoscuro nunca divisado de la tierra firme, esgrimiendo el pirata como universal cosmogonía el fuego fatuo que brilla fugazmente en la frente de la febril intuición de los aventureros, el mismo que descansa aletargado pero ardiente en el fondo de tantos días y noches volatilizadas, esfumadas en la desilusión y en la verdosa superficie de las aguas o en el añil estrellado del cielo que les niega la gloria.

Insiste Rejón ante la repentina visión del anteojo. Duda todavía de la realidad y verdadera naturaleza del espectro, que sigue ahí, erguido ahora en su camino como un monstruo caprichoso e incalificable. Perplejo escudriña la límpida transparencia, cristal sin mácula que la luz vespertina le acerca hasta sus ojos enfebrecidos de ambición mostrándole las posibles dimensiones de la silueta flotante: una resuelta esfinge en el centro del mar, esmaltada en gris oscuro por los plateados reflejos del ocaso primaveral, un promontorio mágico flotando en un piélago rizado de ligerezas, ondulado en suavidades, retorcido sólo en albeadas pavesas de espuma al romper sobre sus orillas. Son playas de arenas amarillentas. Dóciles en casi todos los contornos, murmura para sí el corsario Rejón envuelto ahora en orlas de fascinación, enhiesto su cuerpo sobre el castillo de popa, junto a la sonrisa inmensamente abierta del judío Simón Luz. Acantilados de mediana altura, allá, Simón, en aquellas otras vertientes lejanas, accesibles a los pardillos. Ánimos de Rejón ahora a su alma ambiciosa, a sí mismo, mientras sus entrecortados labios musitan con fruición las oraciones de alegría aprendidas de memoria y largamente rumiadas hasta que llegara este preciso momento, la fiebre de nuevo recorriéndole el espinazo de descubridor de continentes, de hacedor de gestas, de conquistador de pueblos, de constructor de nuevas ciudades indestructibles como sus sueños.

—Salbago, Simón, exactamente donde tú lo habías imaginado.

—En el mismo lugar, capitán —repite el iluminado Simón Luz—. Isla o continente, ya da igual.

Acodado en la regala, paralizados todos los músculos del cuerpo, en continuo temblor, los ojos fijos en la tierra que logró hipnotizarlo, Rejón soporta imperturbable la colectiva ansiedad que se desborda como aceite hirviendo desde las encendidas miradas de la marinería, clavadas en los enérgicos gestos del rostro barbado del corsario, pendientes de sus muecas más nimias, que ya traslucen sin escrúpulos el halo brillante del vértigo que emana de los conquistadores y la lascivia irrefrenable, a duras penas contenida en su interior durante las largas angustias de la navegación, cuando la desesperanza arreciaba contra los esfuerzos de los hombres, trasegaba de un sorbo los deseos de tierra firme de los tripulantes y la línea gris del mar se quebraba antes de lo previsto por él mismo. Larios, entonces, echaba la vista al suelo ante la indómita perseverancia del capitán. Simón Luz, por su parte, jamás dejó entrever la duda que quizás algunas veces pudo llegar a atosigarle las entrañas. La superstición, un negro murciélago impertinente que sobrevolara las ansias de todos, situaba las naves bajo su mando único en una esquina perdida del océano misterioso y desconocido, en los confines de un mundo abisal y oscuro.

La boca seca de Rejón ya es casi sal. Juguetean entre sí, acariciándose, los dedos de sus manos, engarfiados, entrechocándose nerviosa, mutuamente. Los dedos se encuentran, se soban en aquel amuleto de los marineros griegos, una piedra verde, olivina, enmohecida por el tiempo y las leyendas de la mar que se incrustraron poco a poco en sus aristas y llegaron a convertirse en su verdadera esencia. Una piedra arrebatada en combate al pirata Spiriakós a cambio de su vida, junto a las costas de Orán. Los dedos enroscándose como garfios que resbalan sobre la encallecida piel de sus manos, guiños y señales que algo tienen que ver con el secreto rito del exorcismo pagano que subyace indescifrable en el alma del bucanero. Ahora busca, con esos nerviosos movimientos de sus dedos, alejar de él y de sus barcos el espejismo si lo fuera. Abomina de la temida leyenda de San Brandán, esparcida como semilla maldita que nada a través de los mares, los puertos y los siglos, escuchada con pánico por todos los marineros del mundo. Una ballena móvil que semeja tierra. El monje irlandés habría de decir misa y bendeciría una geografía inexistente que pasó a convertirse en la pesadilla de todos los navegantes perdidos. Un día cualquiera la tierra podría aparecer a babor y, horas más tarde, como si en ella hubiera trabajado la taumaturgia de un mecanismo desconocido, sin que para nada se hubiera torcido la derrota de la carabela, a estribor. O se enfilaba el rumbo en bolina, orzando hasta alcanzar las costas del espejismo. Luego, la visión aparecía repentinamente a popa, lejana ya del alcance de los aterrados aventureros, como si el barco hubiera atravesado —entre brumas invisibles— una tierra difusa y sólo aparente. Una inmensa ballena que arrastra sus pesados miembros resoplando como una maldición secular por todos los rincones atlánticos. Jasconius, había dicho Simón Luz en más de una ocasión, conocedor además de todos los mitos y leyendas, es su nombre y no se cansa de navegar por estas latitudes. Fluctúa. Se eleva por encima del horizonte y se sumerge al instante, a su entero capricho, debajo de las oscuras aguas. No queda ni su estela. Isla movediza, lengua voladora que despierta la calentura en las vísceras asustadas de los marineros enfermos, fantasmagórico paraje que se cubre de brumas cuando menos se espera y desaparece de la vista de los humanos.

"Cientos de marineros", siguió Simón Luz, "la han visto, capitán Rejón. Cientos también aseguran haber pisado esa tierra maldita que los portugueses llaman *Ilha Nova* y que está unida a la leyenda de las *Siete Ciudades*. Incluso he oído, capitán, que han bebido agua fresca en sus arroyos, seguido pisadas por sus senderos, huellas que exceden en el doble a las nuestras. Es una isla cuya superficie está plagada de cruces, como si se tratara de un cementerio marino que guarda muchos secretos. Todos coinciden en el relato de los temporales que se desatan sobre ella al final del día, cuando empieza a oscurecer, que los obliga a soltar amarras y hacerse a la mar abandonando a su suerte a la marinería que no ha llegado aún al barco. Yo mismo, capitán", insiste el judío, "he llegado a tener entre mis manos algunas copias deformadas del portulano de los Pizzigani, con el rótulo de la isla: Brandany. La faz fantasmal del monje recorre su geografía, bendiciendo al monstruo, que navega siempre de norte a sur. En medio capitán, tiene una ensilladura. Y en cada lado una montaña, igual que ciertos camellos del oriente. Nubes, fumosidades, brumazones y vientos la cruzan manteniéndola siempre cubierta como un fantasma cuya sombra sin nitidez se arrastra por el mar y se esparce por los horizontes".

De un momento a otro puede perder Rejón el control de la maraña de sus nervios, anudados ahora en la garganta. Líquidas son ya las reservas de sus músculos, agotados en la aventura (esa rígida frialdad que contamina exteriormente cada uno de sus compactos movimientos). Su rostro es una máscara acartonada, ficticia, a punto de saltar por los aires limpios de la nueva gloria que flota ya cerca de sus manos. La dureza ha desaparecido de sus facciones, merced al montón inusitado de sensaciones que se aglutinan, convulsionan y regurgitan en lo hondísimo de su ser, allá, en las turbias intrincaderas de sus entrañas, donde ni siquiera sus sentidos se atreven a llegar. La confusión lo embarga en esta tarde triunfal de su existencia corsaria. El sabor dulce de la granada, la acidez de esa misma dulzura, el triunfo sin parangón, el honor desmesurado, la gloria sin final. ¿Era ahora momento adecuado para recordar todos sus fracasos anteriores, de envolverse y dejarse llevar por la mentirosa leyenda de San Brandán? ¿Era ahora momento de entretenerse en supuestas y desmedidas ambiciones, sus sueños de conquista y descubrimiento de la Tierra Prometida, los años de desesperada espera, las repetidas expediciones a Arzila enrolado en el anonimato, como un mercenario más, el olor repugnantemente embriagador de los piratas berberiscos, todos los inútiles combates librados en la tierra y en la mar en beneficio y honor estúpido de los señores portugueses, a cambio de lo cual sólo había conseguido de ellos unas miserables monedas que para nada habían hecho olvidar los sinsabores y la sangre perdida, las heridas o la sed y que, por el contrario, echaron sobre sus espaldas la fama de pirata convencido e irreversible? Luchaba para ellos y ellos lo condenaban a vagar por los puertos con el estigma de la maldición. ¿No era hora hoy de hacer olvidar las menospreciadas cicatrices de su memoria, ahora, cuando la esperanza y el tesón quedaban plenamente demostrados y justificados?

Innumerables documentos, distintos y variados dibujos del mapamundi (torpemente trazadas sus líneas por manos que ni siquiera habían chapoteado en agua dulce), planisferios de dimensiones pueriles (que se quedaban siempre a medio camino, que acartonaban la ambición, perdida ya entre sueños y miedos, entre tibieza e indecisión), crónicas de viajes y cartas marineras que reseñaban rutas imaginarias e interminables en las que ya se habían perdido las huellas de las quillas más notables y atrevidas; estelas que siempre se cerraban silenciosas sobre sí mismas, replegadas hacia el vacío, vírgenes de nuevo las aguas como si jamás hubieran sido hendidas, mudos sus labios de espuma tras ser cortados por las carabelas, las fustas, las carracas, las galeras: ningún secreto remoto escondieron ni esconden aquellos insulsos garabatos para su determinación. Y tampoco nunca concedió ningún crédito a las especulaciones cultistas de los que pregonaban desde sus engalanados púlpitos una geografía que se embadurnaba en sus argumentos con la costra casi inexpugnable de la mentira, el embuste y la patraña elevadas a rango de dogma casi religioso. Ni el mallorquín Macià de

Viladestes (sólo buena voluntad de visionario anclado en la creencia en Dios), ni las extrañas líneas que marcaban cabos, promontorios, golfos, radas, regiones perdidas y estuarios de Angelino Dulcert (resabio dibujado por una experiencia más, igual o inferior probablemente a la de tantos), ni antes Ptolomeo (a quien los tiempos se habían encargado de colocar en su sitio, al borde del espantoso ridículo en sus apreciaciones informales y confusas, al fin y al cabo, pura intuición de geólatra cultivado), ni los planos errados e inconclusos de Valentín Fernandes; ni el mismo Estrabón, ni las desmenuzadas leyendas de los marineros nórdicos, inabordables en su imaginación (a los que, no obstante, Simón Luz concedía cierta autoridad en la materia de las aguas marinas); ni Giacomo Giroldi, ni Andrés Bianco. Una patraña todos sus rutilantes estudios, todos esos planos de un mar oculto y una geografía terrestre desconocida que para nada delataban la presencia escondida de la isla de Salbago, pendientes como estaban todos del invento de los continentes. Humo escrito sobre hipótesis que las verdaderas historias de la navegación iban demostrando como falsas, cortinas de viento barnizadas de erudición europea que, como telón de fondo, esgrimían un vacío de conocimiento. Y a todo este entresijo de locuras se había dado pábulo durante mucho tiempo en los salones de los glotones imperios europeos, afanosos por extender sus lujos y sus impotentes vanidades hasta nuevos mundos aún por encontrar. Sin embargo él, el llamado pirata Juan Rejón, mil veces despreciado y escupido en esos mismos salones reales, mil veces ninguneado en las antesalas de los despachos de los navieros y constructores de barcos, él y su obsesión de tierras nuevas y doradas iluminaban ahora su verdad: la firme tierra que ahora estaban viendo.

Gira Rejón levemente sus ojos, hasta alcanzar la faz sudorosa de júbilo del hebreo Simón Luz. Más allá, también sobre el alcázar de popa, junto al timón, vuelve a medir con su mirada la talla de la lealtad en el rostro de Bartolomé Larios (con él había estado en otra ocasión en Arzila, tantas veces al borde del cautiverio y la esclavitud, doblegando el miedo a la media luna que inundaba los mares; con él también ahora, a la hora de la gloria, a las puertas de la fama, estaba de nuevo Bartolomé Larios).

Pero aún es demasiado pronto para dar aviso al Obispo o al Deán, se dice Rejón. Es mejor gozar, aunque sea sólo durante unos breves instantes, de toda la superficie de la esfinge. Poseerla como verdadero dueño en toda su extensión, como si los ojos y la voluntad pudieran besar el áspero sabor a fruto sagrado y desconocido. Observarla con la sonrisa interior del líquido concupiscente que exhala con satisfactoria lentitud el pintor de Corte al finiquitar, tras el repetido trabajo de la espátula, el retrato empastado del señor. Le aturden los sentidos infinidad de picores. Jugos ácidos que jamás hasta hoy recorrieron su cuerpo afloran ahora a la piel para bañarse en el sudor y resbalar hasta el deseo, en el pálpito incesante donde la potencia del gozo ha superado ya con creces el sensato instante de la prudencia. Se licúan en placenteros escalofríos los pensamientos de Juan Rejón. Como los del marinero Hernando Rubio el *Pálido* (sus manos nerviosas asidas a las gúmenas de la jarcia del trinquete), cuyo destino de inquisidor nadie vislumbra todavía. Como los del maestre de campo Martín Martel que, sin imaginar su futura desgracia —la muerte solitaria a manos de las cucarachas y alimañas de la noche—, revuelve ya en su mente la mejor disposición de una hueste que sólo entraría en ficticio combate contra los esclavizados hombres del fenecido imperio azul. Como los del alférez Sotomayor. Como los del arquitecto Herminio Machado, que no ha cesado de plantar sobre la cubierta de la carabela los planos de una ciudad, de una catedral, de unas murallas y el trazado de unas calles que jamás llegarán a ser lo que él había imaginado. Como los del piloto Bartolomé Larios, vicioso visionario, inseparable sombra creyente de los sueños de Juan Rejón, hasta el punto de convertirse siempre en el doble del capitán pirata y hacer suyas (como propias convicciones) las alucinadas obsesiones del leonés. Como los de Tomás Lobo, brujo vizcaíno emboscado en el silencio y en la soledad del mal de ojo, enrolado por primera vez en las locas latitudes aventureras de los descubrimientos. Como los de Pedro Verde o los de Julián de Cabitos, directo ejecutor de las órdenes de Rejón. Como los pensamientos de todos los imberbes hidalgos y de los hambrientos patanes que navegan a bordo de la carabela de Juan Rejón y en las otras cinco que vienen detrás. Sin límite ninguno ahora atravesándole el pecho a Rejón la euforia. Hasta el vértigo, sin recato ni coto alguno, la sonrisa ambiciosa que se dibuja en el rostro radiante de todos.

De un momento a otro el temblor benigno comenzará a sacudirlo (definitivamente es tierra firme, Rejón) y los espasmos provocarán en él un grito unánime de los sentidos, histriónicas carcajadas de un salvajismo innato en su ser: una espumosa borrachera que metamorfosea su cuerpo curtido hasta hoy en tantas pírricas aventuras cuya inútil longitud se va borrando ya de su memoria.

Ya no será ni por un instante más el capitán mercenario Juan Rejón. Se esfumará definitivamente toda esa fama que le acompaña como un lastre pegajoso desde que se supo en las tierras de Castilla que estaba bajo estipendio y mando de los enemigos portugueses. Desde que ayudó a los piratas de Orán a desvirgar ciertas calas escondidas en las costas andaluzas y trazó los rumbos marinos para penetrar por sorpresa en la calma inocente de los blancos pueblos de Mallorca, estruendo que como rabo de serpiente arrastra la huella de un rumor maldito por donde va pasando su nombre escandaloso. Ya no más Rejón el violento, el torvo, el verdugo, el cruel, el imprudente, el corsario, el peligroso peregrino mil veces perdonado por la Corona, el aventurero que jamás cumplió la promesa jurada, el mentiroso, el ladrón, el marinero soñador y falsario, el pirata en quien nadie puede llegar a confiar bienes y dineros, mercaderías y negocios, señor Obispo Juan de Frías, excepción sola tú, que fiaste en mí para la aventura, que creíste en mi locura de tierra porque pensaste que en alta mar la fiebre devoraría mi voluntad y te harías más fácilmente el dueño de la derrota de esta carabela, tú que nada sabes de la mar. Y tú, falso, Deán Bermúdez, desecho innoble de lúgubres monasterios, de iglesias desvalijadas e indigentes gracias a tu inusitada avaricia. Que si vuestros consejos de leguleyos y confesores de tierra adentro hubiera seguido yo, Juan Rejón, desde el principio, vete a ver donde estaríamos todos ahora. De seguro anclados en las puertas de los infiernos, perdidos en los abismos de esta inmensidad azul y negra, vagando insomnes en este océano maldito por vuestras voces de gallinas cluecas, hinchándosenos los cuerpos ahogados en el fondo de las tinieblas y asomando nuestros rostros desfigurados en el espejo y la cara enemiga del agua.

¿Ves ahora, a la postre, tu humillación ante mis jóvenes hidalgos, ante mis anónimos pardillos, que están aquí porque yo les desperté la fiebre de la aventura y no por tus inútiles rezos? ¿No verás de una vez, Obispo, que te ha faltado la razón y el conocimiento suficientes para discernir sobre el mando de las cosas marineras, mundo impropio de ti, fraile alicorto y rezón, que has visto durante todo el viaje tormenta donde marejada y maldición donde búsqueda de esta tierra que ya hemos encontrado? ¿Ves que tus mapas, tus biblias, tus misales, breviarios y manuscritos conducen a error y huelen de antemano a ruta perdida?; ¿acaso no ves, inquisidor, que la tierra no termina nunca y que más allá de la inmensidad desconocida siempre hay un nuevo rincón que florece y que tras los mares no se oculta ningún abismo infernal, ni monstruosos seres que sólo habitan vuestra enferma imaginación, sino que flotan tierras sobrantes que esperan la audacia de la aventura que mueve toda nuestra sangre?; ¿ves ahora, por fin, Obispo? ¡Pero tú, orgulloso Juan de Frías, que pareces tener el cielo ganado de antemano, qué ibas a entretener tu sagrado tiempo de oraciones en historias y relatos de la mar, qué ibas a entender de sueños y navegaciones, de búsquedas, de desasosiegos, de fracasos y pálpitos que aquí, dentro del alma que has comprado con la mezquindad de tu dinero, te van marcando los pasos firmes que has de dar hacia la gloria de este mundo, la gloria de los hombres, Obispo!, ¡lo tuyo es el reclinatorio y las preces bisbiseadas estérilmente, el contratar la merced de lo que no crees para luego tragarte con todos nosotros la conquista y la historia en la que jamás conviniste como hombre, héroe con faldas! Si todo sale mal, culpas a los marineros. Si el éxito aparece, te lo apropias. Ahora, señor Obispo Juan de Frías, mientras tú empiezas a soñar con bautismos, evangelios, inquisiciones y catedrales, Juan Rejón ya es más ley que su imprudencia y su intuición, más verdad y vida que tu aparente recato de sepulcro blanqueado. Juan Rejón es buen puerto en quien ya se puede confiar sin dilaciones y tomaré por fin como mío el aire más limpio y transparente de esta tierra recién descubierta gracias a mi arrojo, a mi locura, a mi perseverancia. Que por ti, Obispo, ya habríamos estado de vuelta al Puerto de Santa María contando embustes para evitar así la burla de todos.

El corsario, en su silencioso monólogo, vomita un estruendo interior de gloriosa epilepsia, curtido como está en las altas geografías de los más sonoros fracasos. Mientras, el espeso y turbio líquido del placer se desliza lentamente por la espina dorsal, hasta alcanzar la médula y desde allí revolverle todo el cuerpo, consiguiendo una crispación total, un éxtasis que resuelve de una vez por todas los enigmas y las torpezas de viajero acostumbrado a encontrar, al final del camino azulverdoso, la nada vacía, el desencanto incoloro y la muerte. Todos los sentidos del capitán Rejón están ahora envueltos en la túnica dorada de la fascinación, en el eco de los espasmos de placer que aletean como incesantes mariposas en cada golpe de respiración, alborotado él, embriagado por el enérgico estupor que le enciende y apaga todo en su cuerpo, que le dibuja ante sus hombres una nueva silueta, aquélla que, perseguida como un molde definido, corona a los elegidos descubridores de las Españas.

El Pálido, Hernando Rubio, revolotea ahora al lado de Rejón. Observa codicioso, lujuriento. Los ojos a salirse de sus cuencas. Sus nervios estirados dibujándose en los músculos tensos. Enjuto, decrépito como un pájaro de tierra adentro que ha mojado su plumaje en aguas residuales, a punto siempre de desfallecer, el descubrimiento representa para él la redención y la supervivencia. Está ansioso de olor de hembra. Es una isla, capitán Rejón, proclama halagador el Pálido. Una isla para ti, señor, y para nosotros, los que te hemos seguido ciegamente hasta estos confines nuevos que ahora se pliegan a la conquista bajo tu mando, los que hemos desoído las falsas prédicas, hemos desechado las leyendas y todos los miedos que crecen en las vísceras como elementos de confusión.

Cojea ostensiblemente el marinero Hernando Rubio. El tendón engatillado y enfermo de su muslo izquierdo quiebra su prestancia natural y la gallardía del antiguo estudiante de medicina, rebajado ahora de su condición de hidalgo viejo. Su figura es ya sólo el remedo sombrío de aquella otra imagen joven y esbelta, rubia y risueña, que hace casi una cuarentena de días abordara con pie inexperto la cubierta de la carabela de Juan Rejón, allá, en el Puerto de Santa María, justo en el momento en el que el bucanero daba la orden de soltar las maromas de las bitas y desplegar las velas rumbo a lo que muchos (también, en su fuero interno, el Obispo Juan de Frías) murmuraban como viaje sin retorno. Zarpar definitivamente era también el sueño dorado de Hernando Rubio. Dejar atrás una tierra miserable y malagradecida, lateral, sombría, torva y cerrada, maniquea y cainita, para ir al encuentro de una dimensión distinta, a la búsqueda insaciable de otra vida en nuevas tierras aún por estrenar.

Si no hubiera sido Hernando Rubio un hombre débil, si hubiera calmado su inapagable sed de piel de hembra bañándose a diario en el agua bendita que derramaban las oraciones del Obispo, la tentación no se habría enroscado con aquella fuerza tenebrosa en su mente, en su alma, en las vacías concavidades de su estómago. No habría tenido que soportar los improperios de Rejón, el anatema del Obispo, la humillación de parte de quienes, por sangre y condición, son muy inferiores a él, que viene de viejos hidalgos y escuderos al servicio de Castilla y la unidad de las tierras españolas, que lleva las armas de su estirpe secular en las lujuriosas palmas de las manos. Y, sobre todo, no tendría que estar ahora renqueando junto a Juan Rejón, frente al Obispo Juan de Frías, fiador de la empresa, perdida ya la apuesta inicial, cuando sus sugerencias y consejos eran escuchados con suma atención y equilibrio, en silencioso respeto, por el capitán de la expedición. Habría llegado ahora a puerto firme con todo el bagaje honroso intacto y limpio, sin tener que apoyar su mano izquierda sobre la rodilla de la misma pierna, no sólo como terapia intelectual, sino también para mitigar el continuo dolor del músculo totalmente deshilachado. En apariencia, evitaba así esa mostrenca cojera de burro viejo que ya acompañará sus pasos para siempre.

Fue Tomás Lobo el culpable de su desventura marinera. El lo descubrió escondido, clandestino entre las sombras malolientes de los fondos interiores de la carabela, en lo más hondo y apartado de las bodegas, donde apenas llega la luz, donde a cada golpe impetuoso del mar sobre el maderamen crujiente de las cuadernas relinchan las ciegas cabalgaduras de los hidalgos, nerviosas, coceando la tablazón y convirtiendo las sentinas en podredumbre de sus heces. Echado ahí, soñador adocenado sobre una manta de arpillera que compró en los mercados gaditanos, descuidado del olor picante del estiércol que despiden los caballos, Hernando Rubio ejecuta como único sacerdote su misa personal. Asiste así a su propia ceremonia de placer, a su diario ritual de adoración. A la hora aletargada de la siesta de los marineros, desciende lentamente las escalas para penetrar en su mundo de sombras e idolatrías personales. La luz, que entra apenas por los portillos abiertos, es casi cenital en el vaivén del barco, hiere sus ojos por un instante y lo abisma nuevamente en la penumbra. Después escoge las silenciosas complicidades de las bodegas, sus huecos ruidos sordos, secos, la hediondez múltiple y ya para él familiar del sudor equino, la silueta informe de los bastimentos que tiene bajo su cuidado desde que los estibadores andaluces los ataran trabajosamente con aparejos y cabos a los garfios y argollas de hierro de las bodegas. Allí, en el revuelto silencio del fondo de los sollados, el Pálido ha ido transformándose en otro, abandonando su carácter juglar, ahuyentando de él la afabilidad, la sonrisa perenne de su rostro, el don de gentes. El vicio ha emponzoñado su cuerpo joven limitando su imaginación a suplir de este modo la obligada ausencia de la hembra, lo que duplica las desmedidas ansias del marinero acostumbrado hasta ahora a la promiscuidad y a la incontinencia. Su tez, antes brillante, se vuelve ahora transparente y esmerilada. La piel se arruga en sus gestos, se contrae en visajes, se avinagran acorchadas sus muecas, pálidas como la cera, blancas como el mármol. El inexpresivo rostro pierde su original brillo, desvaída la mirada de sus ojos verdes en los fosos marinos de la desilusión. Lívido y solitario, como una cariátide griega, el tripulante Hernando Rubio ha mordido el anzuelo de su inexperiencia cayendo de un solo golpe en las aguas pantanosas de la tentación que ahora, en la hora reposada de la siesta y el calor sofocante de la calma chicha, reclama todas las fuerzas de su vida, supeditadas ya a la insistencia del cumplimiento del rito. En las cavernas resinosas de sus pensamientos sin control, donde chapotean las primeras sombras del ceremonial, se resbalan revolcándose las risueñas formas femeninas, gorgonas de mil pechos florecientes cuyas vulvas fluctúan ante sus despavoridos ojos cerrados. Bailan para él sólo las figuras desnudas.

Para él sólo, inasibles, blandas, etéreas sombras de humo que cruzan la escena de ficción con toda rapidez para encerrarse de nuevo en la tramoya y volver a aparecer desnudas ante los ojos del Pálido, con la morbosa urgencia de los embustes, hasta despertar en el olfato los recuerdos del esmegma gelatinoso, el inextinguible efluvio del sexo de mujer. Esas mismas sombras lo acarician con sus manos de mil dedos sedosos, lo enervan con sus afiladas uñas, lo distorsionan, lo balancean cantándole en la oscuridad de la bodega melodías de cuna que se mezclan con quejidos de pasión y roces de placer, alejado de todos como un infecto leproso que se afana en su propia ruina. Vienen hasta sus ojos esos múltiples pechos que ya viera mil veces a la luz sobre la cara del agua, los botones enhiestos de miles de pezones como rosas abiertas a sus labios, pechos vírgenes que antes caminaron sobre el mar, entre la bruma y el espejismo llamativo de las sirenas, una voluptuosidad líquida en todas sus líneas, los cabellos cubriendo sus rostros exóticos o familiares. El chapoteo profundo del mar contra la parte exterior de las cuadernas no rompe su atención, sino que llega a sus oídos convertido en un murmullo subyugante de voces de hembra en celo que lo acucian y lo excitan.

Pero hace tiempo que el viejo brujo Tomás Lobo sospecha descaradamente de él. Envidia su repentino silencio, su recogido ensimismamiento. Más de una vez el Pálido ha entrevisto cómo se clavaban los ojos del brujo sobre sus espaldas hasta atravesarlo con la mirada. Lo acecha a toda hora en su trabajo, como si quisiera descifrar entre los pliegues de la palidez el secreto de Hernando Rubio.

—Se ha vuelto poco comunicativo —advierte el espía a Larios—. Está endemoniado y ha enmudecido. Nos trae mala suerte —rumia el vizcaíno raspando los oídos del piloto—. O trae desde el principio un secreto a bordo. Un secreto que nos ha de hundir a todos. Habría que condenarlo a que se fuera, señor, echarlo de nosotros. Un bote y pocas provisiones para que se seque en altamar y nos abandone el maleficio. Tómate esta hierba santa, señor, para que podamos atisbar tierra.

31

—No digas nada a nadie, Lobo —ordena Larios mientras bebe la infusión de hinojo caliente que le ofrece el brujo—. Vigílalo sin que llegue a notarlo. Y en cuanto lo sepas todo, házmelo saber a mí el primero. Es posible que tengas razón, brujo, y que estemos malditos por sus prácticas misteriosas.

En el fondo de ese mismo secreto laten, como un poso residual, los sentimientos inconfesables de Tomás Lobo, ni siquiera compartidos por Bartolomé Larios. Si quiere desvelar el misterio de Hernando Rubio, esquilmar si puede una parte de ese tesoro desconocido y vislumbrado entre sombras (examinar con todo placer y detenimiento su miembro deseado noche tras noche), compartir los sollozos encadenados al recuerdo y a la ausencia de la hembra, adorar también él, gavilán libidinoso, aquel otro animal salvaje que, espasmódico, se mueve agitadamente entre las manos del Pálido, al reclamar la cita, el imposible coito que jamás habrá de cumplirse en altamar, requiebros que desperdigan sus notas entre las sombras de las bodegas, mil sollozadas frases de inconcluso y atormentado conjuro; si quiere todo eso Tomás Lobo, arrano fisgón, voraz tras la pieza, tendrá que ver cómo masca finalmente Hernando Rubio el polvo ruin de la desesperación, una vez que la araña que se esconde en el alma del brujo extienda su red estratégica y bañe al Pálido con su veneno bilioso. Por eso espera escondido el momento de la entrada del antiguo estudiante en la penumbra del sollado. Como una intuición que se mueve a lo lejos, lo ve desde la oscuridad, entretenido en los preparativos del ritual. Acecha en silencio el clímax ascendente, el arqueado ejercicio del cuerpo lechoso y joven como una estrella abierta al firmamento. Está ya listo para interrumpirlo en esa misma postura, ridícula una vez descubierta, extraña y distorsionada segundos después de que la luz mínima que se filtra a través de los resquicios, entre las junturas del maderamen, se plasme sobre el glande lúbrico y brillante de Hernando Rubio y encienda destellos de luciérnaga —intermitencias instantáneas, diminutos reflejos de luz indirecta— en la espasmódica y lisa superficie de la piel fina del miembro que ama en silencio el hechicero. Echado el cuerpo del Pálido sobre la complicidad de la manta de arpillera, en el humedecido pavimento de las bodegas que él mismo ha convertido en capilla reservada para sus manipulaciones, hace equilibrios ahora el cuerpo joven y restriega su enfebrecida silueta contra las negras tablas del fondo de la nave. Lobo acaricia la arrugada geografía de sus testículos, la piel repentinamente endurecida por el deseo, su miembro en ristre un unicornio bramando por dispararse sobre su presa. Un hilillo de baboso placer corre barbilla abajo, entre las sombras, desde las comisuras de los labios del brujo, resecos por el deseo.

—¡Pálido de mierda!, ¡hereje! —grita Lobo desde la sombra, señalando a Rubio con su voz—. ¡Cabrón! ¿Acaso olvidas las enseñanzas de las homilías del Deán Bermúdez?, ¿te haces el loco?, ¿no sabes cómo condena el Obispo Frías el pecado de onanismo? Eres un hereje, Pálido de mierda, un ejemplo de pecado para todos. Cortarte las manos debería yo ahora mismo. Ahora perderás por fin —brillan desde el fondo la satisfacción y el rencor en los ojos de Lobo— el favor del capitán Rejón, a quien has engañado todo este tiempo abusando de su confianza. Yo soy brujo y de brujos procedo desde la noche de los tiempos en los que tu estirpe no era aún ni siquiera embrión de gusano. Por eso desprecio con holgura las ínfulas de falsa hidalguía de tu sangre enfermiza y la de tus descendientes. Ahora correré, óyeme bien, cubriré de voces de protesta tu secreto descubierto, pecador solitario. Desvelaré el misterio de tus tiempos encerrados en esta bodega, el sello de tus silencios, el origen de tu palidez. Todos querrán vengarse, harán de ti una peste. Querrán que abandones de una vez tu orgullo y tus falsos conocimientos de esa medicina que no sirve para nada, ¡pajillero de mierda!

La palidez de Hernando Rubio es ahora, petrificado en su rincón, pura transparencia. Un estertor de miedos impenetrables, jamás sentidos sobre sus huesos, envuelve de vergüenza el rostro encendido. El susto paraliza sus reflejos más elementales, el primer proceso de sus inmediatos movimientos, la capacidad de reacción. Yace aún en el suelo, apenas sin respiración, quebrado su cuerpo entero por la piedra de fuego del sonrojo, turbado, confuso por ese dolor que relampagueante y afilado ha empezado a morder el músculo aductor mayor del muslo izquierdo. Dominador de la pelea, insensible a todo, Tomás Lobo, triunfante casi, lo señala de nuevo con el dedo índice de su mano derecha extendida hacia adelante. Las gotas del líquido seminal, interrumpida de repente la eyaculación, son lágrimas heladas que huyen escurriéndose en riachuelos y enfriando las inútiles piernas de Hernando Rubio. Es el resto del cuerpo de un delito que no podrá jamás negar, ni siquiera intentando borrar sus huellas, como hace ahora al reaccionar con absoluta torpeza, con el borde del paño de arpillera.

—Ahora, Pálido, estás en mis manos. Todos se enterarán de tu condición de falso eremita. Lo has podido ocultar hasta hoy a los ojos de los demás, pero ya ni siquiera te estará permitido salvar el honor que nunca has merecido llevar sobre tu frente. Durante el resto de la travesía de Rejón, ya lo verás, durante la conquista de las tierras que descubriremos una vez que yo haya roto el maleficio que pesa sobre nosotros hasta ahora gracias a tus malas artes, llevarás la vergüenza y el escarnio. Te arrastrarás lleno de ceniza, como un perro por el puente y los cubículos de este barco los limpiarás uno a uno con tu lengua. No es una estratagema, Hernando Rubio. Tu suerte ha terminado. Estarás acabado e inútil para los menesteres de la guerra. Yo te lo digo y te maldigo para el resto de tus días, médico mentiroso...

El Pálido sigue ahí, oyendo la maldición del hechicero. Intenta tapar su desnudo con la arpillera, alejadas de sí las ropas por las manos diligentes del vizcaíno. Se llenan ahora de repentina lubricidad los gestos duros de Tomás Lobo. Dulcifica su voz. Ya huyeron de la mente de Hernando Rubio las curvas quimeras del sexo femenino y un mareo asfixiante domina todas las sensaciones. Se excita la respiración de Lobo y resopla de deseo su falo desorbitado bajo los ropajes que lo cubren.

—A no ser que quieras atenderme —continúa el vasco—. A no ser que atiendas sin tardanza mis ruegos. Porque de lo contrario te juro que todos van a enterarse. Y el primero tu capitán Juan Rejón. Incluso llegará hoy mismo la noticia a los severos oídos del Obispo don Juan de Frías, dueño de la expedición de los pardillos. Para él, ya lo sabes, no hay pecado más ominoso, ni en tierra ni en mar, que el que tú has cometido aquí a todas horas, ni más onerosa calamidad en este cascarón que tú has llenado de mierda que el onanismo del cual te muestras tan esclavo y solícito servidor. Jamás, óyeme bien, jamás volverá a pedirte que le leas esos rebuscados pasajes de la Biblia en tu lengua asquerosa, sacrílego como vendrás a resultar ahora para él, impuras tus manos que se refocilan en este placer solitario y detestable. ¿Lo vas entendiendo? Jamás volverá a pedirte, eso puedes darlo por seguro, que le rememores anécdotas de tus claustros salmantinos. O que traduzcas del latín esos versos de mierda que parecen alejar su abrumador aburrimiento. ¿Lo sigues entendiendo? Sólo si atiendes mis deseos quedará en el silencio de los dos el secreto, impune tu delito una vez que lo compartas conmigo.

Musita ahora Tomás Lobo en la oreja de Hernando Rubio. El empalagoso aliento del chamán se pega al rostro del Pálido: es un vómito negro de animal satánico desbordado por la lujuria. La vesánica aspiración que domina los sentidos de Tomás Lobo se refleja en la exasperación lujuriosa que asoma y hace presa en sus gestos. Se dibuja en sus facciones y contrasta con la actitud silenciosa, defensiva, recogida, del Pálido. Acobardado, ni siquiera puede intentar negar Hernando Rubio la evidencia, hundido en un mutismo tembloroso, dejándose clavar la punta de lanza del brujo en el fondo del honor herido (¿Para eso viniste hasta aquí, Hernando Rubio?, cavilando el marinero en el epicentro tormentoso de la discusión. ¿Para este terrible deshonor cruzaste las áridas tierras de Castilla y alcanzaste los olivares andaluces que se extienden rumorosos más allá de los desfiladeros de Despeñaperros hasta llegar a los puertos de aguas sucias y malolientes? ¿Para eso escapaste de Salamanca, de sus aulas aburridas, del vino triste de las noches frías, de las disecciones de cadáveres? ¿Para esta fortuna liquidaste el puritanismo de tus costumbres, emputeciste la buena crianza de hidalgo estudioso, las disciplinas universitarias, y cambiaste de nombre, conquistador de mentiras?).

—Tienes que hacérmelo a mí también, Hernando —reclama el brujo agarrándose de sus hombros con suavidad, el apestoso aliento junto al miedo del rostro del marinero Rubio.

Lobo mira con deseo desatado el miembro cansado y fláccido que, casi oculto entre repentinas rugosidades, descansa palpitante aún entre los muslos lechosos del Pálido.

—Tienes que hacérmelo —zarandea, mientras repite la orden, el cuerpo tullido del marinero, una vez que cae en la cuenta de que Hernando Rubio está totalmente poseído por el terror que desorbita sus facciones. El mismo Lobo luce ya totalmente transfigurado.

Olvídate entonces, Hernando Rubio, de la multitud agradable de aquellos rostros de hembra que hace sólo unos instantes halagaban de blandos placeres tus pensamientos, más allá del mar, y tus emociones elementales. Olvídate de las añoradas formas de mujer, los cuerpos femeninos mil veces repetidos y distintos, de sus olores deseados. Concéntrate en ese dolor creciente que se acumula en tus enervados tendones e impide tus movimientos. Olvídate, en fin, de tus supuestos antecedentes de hidalguía...

—Tú me gustas, me gustaste desde siempre y no puedo vivir ya sin tenerte —agitándose Tomás Lobo junto al cuerpo del Pálido, acariciando el brujo el rostro del muchacho que enrojece de vergüenza—. Házmelo ya, Hernando, házmelo...

De nuevo es el asco y el odio creciendo como basca concentrada en los intestinos de Hernando Rubio, ascendiendo a través de los miles de tubillos corporales, revolviendo las vísceras. Su pecho exhala aire fétido y el cuerpo empieza a reaccionar para ordenar, como un trozo de metal imantado, los pedazos dispersos de su ser. Se oscurece entonces la mirada hasta ahora asustadiza y el puño derecho del Pálido recupera por un instante toda la fuerza de su cuerpo joven al caer directo, cerrado del todo, como una roca fría que enciende en su roce fuego de yesca, como un látigo ácido y restallante, sobre el rostro demudado de Tomás Lobo aplastándole la barba hirsuta y descomponiendo sus gestos. Tomás Lobo retrocede asustado y viene a dar contra los bastimentos, inmóviles y silenciosos testigos que asisten al duelo desigual en la oscuridad de las esquinas de la bodega. Hernando Rubio siente que el músculo destrozado en su pierna es torre vigía del movimiento que parece haberse dormido para siempre allá adentro. Sabe también que las iras del brujo Lobo han quedado reduplicadas tras la violenta negativa que ha dado por respuesta imprevista a los requerimientos amorosos del vizcaíno. Le pateará tal vez el rostro Tomás Lobo aprovechándose de su parálisis momentánea. Se atreverá a destrozarle el pecho sin que el marinero vomite una sílaba de auxilio. A él, más que a nadie, le interesa el silencio, que la cámara oscura y olvidada de la bodega sea el único testigo falaz de la lucha. Es peor el remedio del grito o el recurso de la rebeldía. Es mejor el silencio. Lobo ha vuelto a ser el mismo marrano agresivo. Se sobrepone al golpe y se soba despreciativo la palma sucia de su mano —aquélla que, por un momento, llegó a tocar la piel tersa del Pálido, la que ha sentido en sus casi insensibles callosidades de campesino la suavidad de la epidermis deseada— por el rostro reciamente abofeteado por Hernando Rubio.

—Señor —denuncia el brujo—, señor Larios. Ya sé de qué la inmensa palidez del marinero. Es un onanista, un pajillero —toda la rabia del despecho escondiéndose en la acusación—. Tiene el vicio anidado en la médula. Lo descubrí solazándose en lo hondo de la bodega, donde reposan los caballos y el olor del estiércol y los excrementos es insoportable —reza la hipocresía de Lobo—. Supuse, al principio, que se escaqueaba del trabajo y la maniobra, hundiéndose en los fondos de las sentinas para vomitar el sueño en las oscuridades, lejos de nuestros ojos. Más tarde la intuición me llevó a elucubrar, a hacerlo sospechoso de bestialismo… ¿Sería capaz de atreverse a fornicar con las yeguas de los hidalgos para satisfacer su insana tentación? Pero no, de eso no estoy seguro, aunque también pudiera ser. Hoy he descubierto que emponzoña su rostro y sostiene su maldición sobre las inocentes cabezas de los marineros que ya culpan al capitán Rejón de errores no cometidos. Es una vergüenza para el señor Obispo. Y para el propio capitán Juan Rejón, que dispensó para él su confianza cifrando demasiadas ilusiones en el Pálido, mientras éste no ha hecho otra cosa durante la travesía que traicionar sus órdenes...

Tampoco el silencio en los labios de Bartolomé Larios durará demasiado, opacada su intransigente estatura tras el timón, ocultos ya los lunares oscuros de su biografía de furtivo capitán de otras aventuras piratas, envidioso bucanero que no va a dejar un instante sin dar la noticia al propio Rejón.

—Bestialismo, señor. Con las yeguas. Esa es la verdadera causa del mal de la piel que hemos notado en Hernando Rubio. Se frota con las bestias para satisfacer su placer en el fondo infecto del barco, capitán. Tenía para él que nadie iría hasta allí para espiarlo, porque nadie es capaz, capitán Rejón, sino un enfermo, de soportar por las buenas esos olores infernales. Siempre os negásteis a que los hombres descansaran del sol y la maniobra en los sollados. Mientras tanto, él bajaba libremente por causa del trabajo de los bastimentos. Nadie podía sospechar nada.

La carabela de Rejón, luego de tantos días, surca ya mares en cuya superficie se entrecruzan interrogantes intermitencias y colores turbulentos y desconocidos. Rostros quizás entrevistos por algún marinero sobre la misma cara del agua. Reflejos sonrientes o gestos que amenazan, presagios y signos de insondables agüeros. Imágenes de santos de altares que semejan ahogados, que aparecen en el espejo marino. Demonios escandalosos que se carcajean y gritan llamando a los marineros para que los acompañen al fondo del mar y celebrar allí sus desconocidas orgías. Caminan inciertos, sin dejar la más mínima huella los barcos ni permitir que puedan seguir una ruta concreta, una vez que el viento y el caprichoso discurrir del movimiento de las corrientes va atrayendo los miedos. Los bancos de niebla aparecen repentinos en la madrugada, surgiendo de la nada como restos de la noche, y envuelven en sombras a las carracas de Juan Rejón hasta muy entradas las horas de la mañana, como si se encontraran atadas dando vueltas en alguna perdida esquina del Mar Cantábrico o escondidas en los vericuetos siempre peligrosos del Gran Sol. Son senderos tenebrosos y desmembrados: bosque el mar tocado a tientas, con terror y sigilo, y en crujiente vaivén por las cansadas tablazones de las naves de Rejón. Primero, la que él mismo guía, amparándose en la fiebre intuitiva y despreciando las torvas miradas y los silabeos por lo bajo del Deán y el Obispo. Tras ella, cinco carabelas más pequeñas que se apresuran temerosas como si la de Rejón fuera una estrella omnisciente de rumbos. Hienden el agua con desplegado y contradictorio velamen, con remos cansinos y desesperanzados.

De vez en vez, como una repetición que marca las equivocaciones, la superficie del mar se riza junto a las naos. Ya el marinero Hernando Rubio ha dejado de ser el entretenimiento privado y culto del capitán Juan Rejón. Tampoco ha podido mantener la confianza del Obispo Frías. Su piel se seca, se cuartea al sol iracundo del trópico. Entre las visiones sincopadas del marinero, la piel va curtiéndose por la acción de los vientos y la sal que abofetean insaciables su rostro. Sueña con el tormento de Tomás Lobo. Entre las olas del delirio, oye los estertores de muerte del brujo vizcaíno, mientras los humos mestizos de la hoguera santa ascienden hasta los límpidos cielos de la tierra nueva. Hiede a chamusquina la carne del hechicero. Se revuelve el vasco, impotente: las llamas lamen todo su cuerpo. Estertorea a gritos: los maldice a todos. A Rejón, al Obispo Frías, al Deán, incluso a Bartolomé Larios. Pero sobre todo y sobre todos a ti, Pálido de mierda, inquisidor y asesino, jamás ninguno de vosotros saldrá de este pedazo de mierda que habéis descubierto. Como vosotros me habéis condenado, yo os condeno también: os maldigo a permanecer aquí, envejecidos, al borde siempre de la muerte, atados a este suelo como vegetales. El crujido de las maderas quemándose aleja también hasta los cielos la maldición del brujo y la deja flotando en los oídos de todos los que asisten al espectáculo. Ahí está también, entre las visiones del Pálido, el Duque Negro en sitial de honor y, entre las gentes, su confidente más seria: Maruca Salomé, encorvada, repletos de purulento rencor sus ojos. La Plaza de Armas, llena hasta sus límites de un público anónimo y gritón, conforma el escenario de la visión de Hernando Rubio. El efecto del mar ha sido contundente sobre él. Cabitos lo ató allí, al palo de mesana de la carabela. Sobre aquella palidez enfermiza de la piel caen las colectivas maldiciones de los tripulantes, los escupitajos, los visajes y las malas señales de los marineros. El Pálido sueña, delira, oye indefenso las altisonantes canciones de las olas que, al chocar contra las cubiertas casi embromadas de la carabela de Rejón, le profetizan su oficio futuro. Se acercan a él, en las noches que plagan el cielo de estrellas engañosas, pesadillas y sueños. Como en un cuento de salón, se aproximan hasta él las notas melodiosas y acariciantes de las sirenas que observa bailar desnudas, saltar desde la oscuridad del mar y reflejarse en el espejo sonámbulo de la noche dormida y despejada de nubes, siempre antes del amanecer, a la hora de las brumas; las sirenas como monstruos risueños e incansables que rozan con sus pechos excitados el amarrado cuerpo de Hernando Rubio. Antes de perderse en la madrugada le cantan sus confusos secretos, cómo liberarse de las ataduras, envolverse en la espesura y el pavor de la niebla, sin identificar las corrientes de los estrechos que están marcados en los mapas que examina, a la luz de pez, el hebreo Simón Luz. Luego es de nuevo la visión de Tomás Lobo, el horror de su rostro quemado y las palabras de maldición acuciándolo y concitando la fiebre.

Cabitos cumplió la orden de Rejón. Diez días con sus noches, pajillero infame y maldito. Flojo castigo para tu alma pecadora, Pálido. El señor Obispo Frías descansará tranquilo sobre el puente, resguardadas sus carnes de los rigores de la gelidez nocturna por multitud de mantas bendecidas por manos sagradas: reposa con sus ojos cerrados, las manos juntas sobre el vientre, una vez que tú, pajero irredimible, has pagado los diezmos de tu osadía. Todos los expedicionarios sabrán desde ahora que estás condenado como escoria, para que sirvas de pasto y escarmiento, piedra de escándalo, cabeza de turco, chivo expiatorio. La masturbación, suave o violenta, retorcida o acariciante, es la imagen de la soledad traducida en acto, envuelta en suaves pieles, recurrencia del monólogo y la ausencia, Hernando Rubio, la línea recta que escogen los condenados de Dios, aquéllos que elaboran la pasta del delirio al esculpir desde sus mentes perturbadas imprecaciones de exigencias siempre añoradas, la hembra compañera de mil rostros. El bestialismo, Hernando Rubio, se paga con la hoguera... Toma todo tu tiempo atado al palo de mesana para que reflexiones por tu pecado de indecencia. Repróchate la vergüenza y aleja de ti los espejismos que desembocan en el mar enemigo. Que tu piel recupere el color natural, para que Rejón —que ya ni siquiera mira de soslayo tus harapos al pasear por el puente o mientras bebe la infusión de hierba santa para alejar de sí la superstición, obsesionado como está por la tierra firme que también él huele en la distancia desde hace varios días (como Simón Luz, como Bartolomé Larios) y que, invisible aún y agazapada en el horizonte, desata sus nervios, dibuja sus metálicas mandíbulas apretándose en el rostro, rompe la armonía y el control de los sentidos— vuelva al fin a concederte su perdón y favor.

En silencio el piloto Larios sonríe con sorna cada vez que tú, ingenuo y sediento, pides de beber una miserable gota de agua. No hay piedad de Rejón para el vicioso tomado en acción. Hay, por el contrario, que envolverlo en los lazos que él mismo ha ido fabricando como una telaraña pegajosa. Hay que atarlo en los cabos mohosos de la humillación y la condena: sea hidalgo, mercenario o simple y anónimo marinero, todo expedicionario que se precie se ha vuelto tu repentino enemigo. Se burlan en silencio de tu pecado de glotonería como beatos de mierda; de tu cuerpo maltrecho y de tu pierna izquierda definitivamente encogida, enquistado allí el mal que retuerce el músculo.

Ruega, de todos modos, que la tierra firme aparezca en el horizonte. Pide al cielo, en el que ya no creerás jamás, que sobre el mar asome el túmulo que te salve del castigo, aunque ya no vayas a servir para la lucha cuerpo a cuerpo, ni pases a la historia por tu supuesto arrojo en la batalla. Queden tus habilidades de hablador y juglar para la escritura secreta. Encárgate ya, desde ahora, de retener en tu memoria, primero, de relatar, después, y archivar, finalmente, las gestas de los demás. Notario serás a tu modo y no guerrero triunfador. Jamás se llenarán de glorioso polvo tus vestidos en la tierra de conquista, sino en las bibliotecas y archivos que tus señores te irán obligando a montar para que alternes la escritura con tu temido oficio de verdugo sagrado. Recoge, pues, en los libros la memoria de los demás. No para otra cosa te ha dejado vivir Juan Rejón. No por otro motivo, Hernando Rubio, aguantó el capitán la tentación de echarte por la borda. Esa es tu suerte, tu castigo, tu destino y tu venganza.

—Sí, es una isla, una isla inmensa, pájaro de mal agüero —contesta Rejón al Pálido, sus ojos brillando de delirio.

El rostro del corsario se crispa. Huele a azufre su cuerpo y los libidinosos destellos de sus ojos caen como rayos de tormenta sobre el estático lomo gris.

—Yo asumo este descubrimiento, Pálido —se ufana Rejón—, en nombre de la Corona. Larios, que manden parar la nave. Ordena la maniobra y echa el ancla. Esperemos aquí a los otros capitanes. Y tú, Martín Martel, hazte la composición de lugar. Dispón todo lo necesario para el desembarque y la batalla contra el infiel que habite estas tierras. Confío en tus artes y en tu experiencia. Avisad ahora al Obispo Frías. Que se venga hasta aquí, hasta la proa, a observar la maravilla.

El Obispo, enflaquecido en su gordura natural por los días de obligado ayuno, acude raudo desde el castillo de popa, adormecido aún por el calor del lugar donde ahora se encuentran. El agua y las hilachas de los esmirriados salazones que embarcaron en el Puerto de Santa María se hicieron poco para tan larga singladura y han obrado en sus adiposidades peninsulares maravillas superiores a las de los cuaresmales ejercicios de ayuno y abstinencia. Observa la tierra firme, los ojos gozosos, las palmas de las manos unidas sobre el pecho. Hernando Rubio, incapaz ya para la guerra, examina la locura colectiva de la tripulación, del Obispo, del Deán, del capitán Rejón, del piloto Larios. El lomo gris termina por hundirse (a derecha y a izquierda) en las profundidades del mar. Detrás de él, detrás del espectro que los obsesiona, está de nuevo el inmenso mar azul, inalterable, desconocido, correntoso, virgen...

Antes que los odres de vino corran por las gargantas de los rejonistas; antes de que el espejismo quede oculto de nuevo por la proximidad de las sombras tibias de la noche del trópico; antes de que celebremos con honestidad y agrado este descubrimiento, demos gracias a Dios todopoderoso, que nos guía siempre hasta nuestro destino, arguye el Obispo Juan de Frías.

—Recemos al Señor —ordena el Deán Bermúdez...

Corruptelas escondidas en cualquier sombra o encrucijada; cruentas intrigas, constantes proclamas de desobediencia; viles trifulcas que tuvieron su oscuro nacimiento en los más disparatados dislates; sediciones, motines, asesinatos, revueltas sin fin ni firme realidad, el hecho flagrante de la violencia campando libremente por sus ilimitados respetos. Una espiral de conspiraciones y levantamientos llegó a sucederse en el barro de Salbago, regando de sangrientos riachuelos la superficie de la isla a lo largo de muchos años, como moneda común, entre sus habitantes, desde que el iluminado capitán Juan Rejón arribara lleno de orgullo a aquellas costas insulares que su enfermizo delirio estuvo a punto de mutar erróneamente en tierra continental, hasta que fondearon en esas mismas radas de aguas suaves y acogedoras las atrevidas carabelas del primer viaje trasatlántico del Almirante Cristóbal Colón. Lentos años de sobornos, de ambiciones que se enmarañaban tras el tronco único del poder de Juan Rejón. Insubordinaciones, silencios y leyendas compradas, insurgencias y supersticiones que fueron poco a poco tiñendo de un color muy cercano al almagre, a hierro y fuego, las irregulares piezas sin sentido de un juego que nadie iba a dar nunca por finalizado.

Las parmesanas, las ballestas, bombardas, culebrinas y cañoncillos que los rejonistas habían desembarcado entre alharacas e himnos de gloria con tan guerrero afán en las playas insulares resultaron artefactos poco menos que inútiles. Contra ninguna persona humana fueron precisos. Para nada sirvieron los relinchos salvajes de aquellos impetuosos animales andaluces que horadaban las profundas huellas de sus cascos herrados en la fragilidad de la arena húmeda, como un estéril remedo de la violencia contenida durante las extenuantes jornadas de la andadura marinera. Finalmente, tampoco contra ningún enemigo verdaderamente real, que les hiciera frente, contra ningún infiel que plantara cara belicosa, fueron utilizadas las expeditas fuerzas de los *pardillos*, cuya costosísima leva había sido financiada por el Obispo don Juan de Frías, por sus deudos y sus amigos.

Tras el emocionado y gozoso desembarco, tras el desorbitado grito de guerra que arrebató los cielos y el flamante ondeo de los estandartes y los pendones de Castilla sobre el fondo azul del infinito y el amarillo y negro de las arenas y las tierras de las playas insulares, tuvieron que transcurrir largos días de tembloroso desconcierto, de nerviosa espera, de expectativa frustrada, para que Rejón y sus consejeros de mayor confianza quedaran plenamente convencidos de ser ellos hombres solos sobre aquel pedazo de terreno que empezaban a juzgar, en su fuero interno, inhóspito, peligroso y maldito.

En efecto, Salbago resultó una tierra desierta de seres humanos. Los exploradores que habían sido destacados en los primeros momentos, tras el apresurado desembarco, a lo largo y ancho de la isla, regresaban extenuados, lívidos, demudados de estupor y de sorpresa. Sus informaciones, ciertamente confusas, colmaron el tonel de la paciencia de Rejón y sus capitanes. Sólo habían visto perros. Mejor dicho, las sombras de unos inmensos perros corredores, de piel enteramente verde. Perros que ladran y huyen no más ver a los hombres e intentar nosotros acercarnos. Trepan como fantasmas, como perfectos conocedores de la geografía, entre sombras y recovecos por las escarpaduras de las rocas y por andurriales y vericuetos estrechísimos. Es imposible seguir sus huellas, perseguirlos por mucho tiempo. Los indicios de sus ágiles patas se pierden siempre en lo oscuro de los umbrales de las cuevas y hoyos que devuelven un ronquido áspero y espeso, como si las mudas piedras fueran cómplices de los escondrijos de los perros verdes, cuyas fauces son enormes. Enseñan sus dientes en una mueca extraña que parece maldición de los infiernos, pero nunca plantan batalla. Desaparecen con pasmosa facilidad y después, casi inmediatamente, es ese aullido que comienza como ruido suave desde mil sitios profundos, instantáneo e intermitente. Como el de un animal gigantesco y asmático.

Algunas noches pasaron en vigilia completa Simón Luz y Martín Martel, Larios, el alférez Sotomayor, Cabitos y el propio Rejón. Y en las horas de mayor desidia, cuando el cansancio, el hastío y el sueño acariciaban como brujos invisibles los cerebros agotados en el inútil nerviosismo de la espera, por la irresolución y el entretenimiento que en ellos despertaba la constante escancia de los pellejos de vino andaluz y riojano, cuando ya las preguntas se entrecruzaban entorpeciendo una respuesta concreta que desvelara los misterios del día, que no eran distintos de los del día anterior y del anterior al anterior, surgían de repente desde la penumbra de la noche, como un aviso sediento que les mordía el alma de impotencia en los rincones donde el sueño había hecho mella directa, los aullidos de los perros monteses que despedazaban la tranquilidad de los hombres aterrándolos. Eran los mismos ladridos de los perros verdes, los únicos dueños de aquella isla infernal que el diablo les había puesto en su camino, el mismo indescifrable lenguaje que, como lamentaciones y presagios nunca del todo aclarados, habían escuchado ligeramente sobrecogidos desde el puente de las naves ancladas en la rada la tarde del descubrimiento del falso continente de Salbago.

Al otro lado de la isla, la tierra era una prolongada llanura devastada por el silencio y las quemaduras de siglos, como si un gran incendio planetario hubiera hecho presa de ella en indeterminada fecha del pasado y la hubiera esterilizado para siempre. Dominio del demonio, las sombras de las tierras negras se extendían hasta las orillas de la mar, en el mismo lugar que se perdían algunos arrecifes a cuyo contacto las olas levantaban un pavoroso crujido. Ahí, capitán Rejón, concluyeron los exploradores, no se atreven a entrar ni los mismos perros.

En esas mismas noches, las sombras silenciosas de los canes silvestres merodean en los alrededores de la empalizada provisional que el maestro arquitecto Herminio Machado, ajeno por completo a otra faena que no fuera la obsesión de la construcción de la ciudad, ordenó levantar como embrión primigenio del Real de Salbago que había cuadrado poco a poco en planos y estructuras que cada vez confirman más la sabiduría del portugués. Durante las horas del día, casi todas claras y despejadas, los hombres de Juan Rejón, bajo la capitanía de Martín Martel, se desperdigan disciplinadamente por las desconocidas tierras de la isla. Se hablan entre sí de los insondables silencios que a cada paso devuelven piedras, rocas, abismos y tierras negras y calcinadas del otro lado del territorio, devoradas tal vez por un fuego maldito e ignoto que aún prevalece sobre la isla y que ahora quizá sigue las huellas de ellos mismos.

Los barrancos y las cuevas, la verticalidad sorpresiva de aquella geografía; las ramas cimbreantes y las profundas raíces de los rarísimos árboles que van descubriendo en su despavorida exploración resultan misterios de una tierra extraña y solitaria que conmuta en sus silencios siglos de códigos intraducibles para todos ellos, descubridores de Salbago. Durante días, los soldados de Rejón peinan la superficie boscosa de la isla. Alcanzan una y otra vez la temida frontera quemada del Malpaís. Lanza en ristre penetran los barrancos más secos y alejados del Real. Persiguen ya sin mucho afán las huellas de los perros monteses. Ven de cerca alguna vez el color verde moteado de pequeñas berrugas moradas de los huidizos lobos. Alcanzan cimas cuya verticalidad desencadena en ellos, acostumbrados a las extensas llanuras, un vértigo inédito que cabalga durante un largo tiempo sobre sus cabezas, trasponiendo los cuatro puntos cardinales, como si esa nueva dimensión hubiera logrado seducir a los descubridores. Martín Martel es la primera víctima de ese pavor nervioso que va escurriéndose hasta penetrar como un acerado bisturí en la médula de los expedicionarios desembarcados. La soledad estéril de los estudios previos del maestre de campo, su total inhabilidad para luchar frente a un enemigo tan poco común, lo vuelven loco. Cae el guerrero en depresiones que quiere paliar, noctívago, con el rojo líquido de los odres de vino. En las borracheras de media tarde, cuando sobre el Real de Salbago comienzan a caer las hojas de las sombras, roza con su cuerpo las espinas de las palmas de la empalizada del campamento. Día tras día su locura y abulia amenazan de ruina a la tropa. Aún está lúcido. Mantiene firmes algunos de sus sentidos. Es ridículo, de todos modos, ver correr a los pardillos, monte arriba monte abajo, para cazar por doquier a un invisible enemigo que se les escapa desde que penetra los umbrales de las cuevas. Es ridículo verlos temblar de miedo ante los ecos que llegan desde los aullidos del silencio, desde las concavidades más oscuras de la isla.

¿Se reían los perros verdes de aquellos conquistadores frustrados? Y ellos, los marineros, los soldados, ¿iban a convertirse en mierda sobre aquel maldito pedazo de tierra, en aquel pedregal barrido por la incuria del sol y la soledad del viento, capitán Rejón? ¿Acaso no era mejor abandonar aquella tierra que hedía a maldición por los cuatro costados y que inoculaba el veneno de la desesperanza en hombres de la talla de Martín Martel, quemados en mil batallas sus ánimos, y él especialmente muy lejos todavía de pensar en una muerte tan terrible como la que le sobrevendría algunos años más tarde?

"Puede que sea una condena por nuestra ambición. Una maldición de Dios por habernos atrevido a detenernos en una tierra dejada de su mano", apostilla a cada instante el Obispo don Juan de Frías.

Simón Luz cavila junto a la lumbre encendida en los aledaños de la tienda del capitán Rejón. Un desatino. Una triste ironía sin sentido que el largo camino los hubiera perdido en aquella tierra oceánica, alejada en meses de los puertos andaluces, cuyo recuerdo es un vaivén en su memoria. Un desastre que los caprichosos vientos los hubieran hecho llegar a un laberinto sin salida en el que el único dato concreto es la presencia perenne y estremecedora del silencio, la soledad y el aullido tenebroso de los perros verdes, insobornables seres de una tierra que cerraba, como las aguas del océano, la historia a los conquistadores, segándoles la hierba bajo sus propios pies. Ve Simón Luz con desesperanza el incierto caminar del maestre de campo Martín Martel, su cara descompuesta y presa del alcohol de uva. Escudriña, achicando los ojos por la atención, el renqueante e inútil paseo de Hernando Rubio que, más tarde y durante muchos años, demostraría ser el azote legal del Real. Mientras estudia los planos urgentes de aquella geografía absurda, observa la duda reflejada en las interminables ojeras del capitán Rejón, huellas palpables de un desasosiego que lo va carcomiendo y que ya jamás habrá de abandonarlo, duda que inconscientemente se transmite como un virus de rabia a toda aquella tropa anónima que más que trabajar pulula, que más que respirar vegeta. Una tropa que empieza a desmembrarse, a tomar sus propios criterios sobre las altas determinaciones y órdenes. Observa el hebreo, silenciosamente, noche tras noche, las idas y venidas sospechosas de Pedro de Algaba, el primero que habría de subir las temibles escaleras del cadalso de Salbago. Un cabronazo especializado en la traición. Un empecinado en las murmuraciones que habrían de acarrearle la muerte, que no estaría contento hasta encontrarla, que no terminaría de encontrarla hasta levantar a la tropa contra los rejonistas, que no acabaría de moverse de un lado para otro, incansable y obsesionado hasta soliviantar a los marineros para que se revolvieran y por los perdidos caminos de la mar regresaran a los puertos andaluces de donde, decía, nunca debimos haber salido.

"A los perros, capitán Rejón", exhaló, apenas sin moverse el judío, como si pensara para sí la solución; sentencioso junto al calor y las sombras trémulas que sobre el suelo dibuja la lumbre, "hay que exterminarlos. Eliminarlos. Envenenarlos. Muerto el perro, capitán, se acabará la rabia".

—Los hombres están amedrentados —contesta Larios mirando de frente a Rejón—. Están a punto de la sublevación. Algaba los solivianta contra nosotros y contra esta tierra maldita.

—No hay tierra maldita, Larios, sino hombre inexperto

49

—sentencia de nuevo Simón Luz, crecido ante las dificultades—. Nosotros somos los únicos malditos. Y esa condición
que nos hemos ganado a pulso en la aventura estará para siempre grabada aquí —desproporcionadamente, con un brusco
gesto, elevando la voz, se tienta Simón Luz los testículos, la
convicción reflejada en su rostro curvilíneo.

—¿Y cómo vamos a acabar con los perros verdes, Simón?,
—pregunta ahora Sotomayor.

—Embromando con ponzoña todos los pozos y los riachuelos de la isla —concluye Simón Luz sin levantar los ojos
del suelo, como si esa posición le procurara mayor autoridad a
sus palabras—. Hay que decidirse a hacerlo antes de que los
hombres quieran huir de nosotros y Algaba termine teniendo
una razón concluyente para mandarnos al infierno.

El inocuo silencio de Rejón contesta ahora al judío. Es la
exacta imagen de la ausencia el capitán. Es además concluyente.
Liquidada también su voluntad por aquellos raros acontecimientos, tan inesperados, aterido de contradicciones en su cerebro, Simón Luz habla por él. Juan de Frías, el Obispo, no
cuenta. Sumido en prédicas a los cielos y lecturas bíblicas que
sirvan de desagravio, pide a Dios perdón por un pecado que, al
no estar nombrado aún entre los mandamientos que conoce a la
perfección, es invisible, como los perros verdes a la hora de la
verdad, pero que tal como se van desarrollando las cosas y los
hechos está seguro de haber cometido, él primero que nadie.

"Tal vez, señor Obispo", tercia el Deán Bermúdez, "todo
este misterio que ahora parece envolvernos sea sólo una apariencia, una prueba que nos envía la Providencia del Todopoderoso. Más que una condena podría ser un simple paso hacia
descubrimientos y glorias superiores. Loado sea Dios, entonces. Ahora y siempre", explica el Deán, regocijado por la idea
del ahorro que ha significado una conquista que no fue, a la
postre, necesaria.

No obstante, aquella soledad entraña un signo nefasto para
el brujo vizcaíno Tomás Lobo. El embrujo, según él, aún no ha
desaparecido. Debajo de esa piel verde de motas moradas de los

perros monteses se obstina silenciosa y esquinada la acechanza de mil espíritus malignos cuya apariencia todavía desconocen los hombres. Espíritus que flotan sin duda en cada recodo, en cada esquirla de estos caminos salvajes, de estos valles silvestres llenos de palmeras, todas idénticas, que mecen en sus rostros cubiertos de hojas una irónica sonrisa de poder y conocimiento y muestran la esbeltez de su silenciosa sombra secular contrastada con el atónito paso que siguen las caballerías castellanas.

"Llenemos todos los odres de agua pura. Ese es el riesgo que hay que correr: tirar el vino", explica Simón Luz. Ahora mira a Rejón, tratando de hacerlo cómplice en la acción casi suicida que propone. El capitán parece volver en sí atraído por la idea loca del judío. "Emponzoñemos todo lo demás. Los caminos, el agua, las piedras, las cavernas donde se ocultan, los valles y los barrancos. Envenenemos la isla. El efecto durará unos cuantos días. Los suficientes para acabar con estos malditos perros y con sus ladridos antes de que nos empiecen a volver locos y nos inutilicen para siempre".

—Laus Deo —contestó el Obispo al Deán—. Ojalá tengas razón. Pero me temo que Dios está castigando, en su infinita sabiduría, un pecado colectivo —de refilón, como una sombra, pasó por su mente el recuerdo de la travesía y el pecado de Hernando Rubio.

Ni siquiera el Pálido, a quien se había encomendado la especializada y, al mismo tiempo, ingrata misión de olfatear incansablemente sobre aquellos garabatos escritos en las piedras más inaccesibles, en aquellas señales que parecían ser marcas de un camino olvidado que no conduce a ninguna parte, había sacado conclusión alguna después de días enteros entregado a su trabajo de inspección. Igualmente resultaban silenciosos e inexpugnables, clausurados, los jeroglíficos cifrados en la cara de las piedras buriladas. No existía código de posible traducción, capitán, y podía llegar a ser una irreparable aberración inmiscuirse en conjeturas, en apreciaciones vacías de argumentos, señor. Además, es un hecho perfectamente claro que todo el territorio está plagado de cementerios silenciosos, donde sólo se agita el rumor del viento, y los cientos y cientos de momias que descansan en el fondo oscuro de estas cuevas o las que se esconden en el interior de las cámaras de esos túmulos funerarios, misteriosos y tan frecuentes en la isla, señor, me hacen suponer que este silencio que lo domina todo, incluso a nosotros mismos, lo es del todo punto voluntario. Es decir, que sólo es posible traducirlo como las ganas de un desconocido pueblo milenario y equilibrado que quiso tal vez desaparecer de la faz de la tierra, se retiró al olvido quizá obligado por la maldición cuyas señas ocultas nos falta conocer, señor Rejón. A lo mejor porque no quisieron verse dominados por extraños. O simplemente porque el fuego de sus vidas se fue paulatinamente extinguiendo hasta apagarse para siempre, hasta perder toda su fuerza y su esperanza sobre este baldío trozo de tierra, porque el lugar dejó de tener poder para ellos, abandonado por los dioses o maldito para siempre. Todo es posible, capitán Rejón, desde las cábalas que nos venimos haciendo.

"Así que hemos venido a parar a un cementerio de sabios", comentó Rejón por toda respuesta, sin levantar sus ojos del suelo, arrebujado en su inútil capa de guerra y con una triste sonrisa de derrota cayéndosele como baba desde la boca entreabierta. "¡Hay que joderse!", dijo después.

En principio, siguió siendo el miedo imperceptible quien mantuvo a los hombres unidos en torno a sus capitanes, ellos mismos casi dubitativos, prudentes hasta la indecisión, conteniendo a la tropa aparentemente compacta. Pero pronto los resabios de ese mismo miedo frenético despertaron el recelo del escalofrío sobre los cuerpos de los rejonistas: un silencio que ondula, a determinadas horas del amanecer, el aire sobre sus ateridas cabezas, en un zureo intermitente de alas invisibles que palpan por un instante sus orejas. Tiemblan de horror por momentos. Dudan entonces de su mesiánica condición de bienaventurados conquistadores. Pedro de Algaba está a la cabeza de esos planes de huida sorpresiva. Conspira, mira con deseo, desde la tierra maldita, cómo se mecen con parsimonia las naves en las aguas rieladas por el brillo pausado de la luna llena sobre la rada. Involucra en sus pensamientos nocturnos a muchos de los pardillos anónimos, impropios sus corazones para resistir aquella aventura, sacados como fueron de sus aldeas castellanas, extremeñas y andaluzas por mor de la poderosa voluntad del Obispo don Juan de Frías, como si haber pertenecido a aquella expedición que empezaba ya a ser atrabiliaria constituyera un privilegio sin parangón que habrían de dibujar sobre sus escudos futuros, sacados de la nada. Que todo es un engaño, un error, un inmenso error, susurra Algaba al oído de los ensimismados pardillos; que ésta es una tierra miserable perdida en el Océano Tenebroso, una tierra que podía engullirlos en el momento menos pensado sin que jamás se volviera a saber más de ellos. Una tierra llena de espíritus de otras épocas que allí habían anidado definitivamente, enquistándose en los misterios que nosotros estamos violando y profanando por culpa del capitán Rejón y con la cómplice aquiescencia del Obispo corrupto Juan de Frías, que terminará por convertirse en hereje a manos de la voluntad loca de Juan Rejón y de ese judío que los domina a todos con su palabrerío y sus inacabables intrigas.

El regreso comenzó a sentirse entonces como una irreprimible verdad del corazón sobre las carnes arrugadas por el miedo; como una necesidad fisiológica apremiante que tendría que ser satisfecha cuanto antes; una obligación anímica que haría estallar tarde o temprano a gran parte de la tropa ya casi declarada en rebeldía. Una rebeldía contenida que escapaba en principio a toda posible evaluación en cuanto al alcance de sus dimensiones reales, pero que Simón Luz sabía como nadie que significaría el final de la aventura, el desastre final de la expedición. Por el momento, la desbandada se hacía sentir como un tumor, creciendo palpitante como un deseo interno que se metamorfoseaba en amenaza sombría, mucho más fuerte que la elemental disciplina que había que mantener a toda costa entre los marineros llegados a tierra, convertidos en soldados para la nada. Un deseo mucho más fuerte que el miedo que seguía produciendo el constante ladrido de los perros verdes en el entorpecido sueño de los pardillos anónimos y en el de sus propios jefes. Las embarcaciones, sombras observadas en la lejanía por cientos de ojos desde las playas insulares, pasaron a ser la expresión del deseo inminente.

Pero todo no era desazón ni desmoronamiento en el campo de Rejón, desvencijado y roto por mil inesperados rincones. Tampoco todo iba a ser desmoralización y entrega a la desidia en el alma torturada del mismo capitán. Herminio Machado, por ejemplo, el maestro arquitecto que Simón Luz le había recomendado en Sagres al capitán leonés, resultó ser una verdadera perla dentro de aquel ejército de bisutería barata que se apelotonaba en el miedo. Solitario, ambicioso de sus planes, totalmente enfrascado en la obsesión que lo había llevado hasta aquella isla, la fundación de la ciudad perdida del Real de Salbago, levantaba con lentitud y paciencia, piedra sobre piedra, impertérrito ante los rumores de los hombres, ante los ecos caninos que alcanzaban el campamento, las primigenias empalizadas de lo que, algunos años más tarde, cuando el Nuevo Mundo hiciera su aparición en el Universo, llegaría a convertirse en tierra de paso, imprescindible retal en el largo viaje trasatlántico más allá del cual se extendían incólumes las tierras de las Indias Occidentales. Al borde mismo de un mar casi siempre reposado, junto a la inmensa bahía natural donde el océano había coagulado sus aguas para que sobre ellas se mecieran displicentes y confiadas las carabelas, las fustas, los galeones de tres y cuatro palos, las bricbarcas, polacras, redondos, las fragatas y hasta los bergantines, en fin, toda la gama de las nuevas embarcaciones que la repentina maravilla de los años y los siglos venideros iba a ir configurando como cosa propia, Herminio Machado traza los planos de la ciudad de Salbago. Crecieron así, desde la tierra inmediata, las primeras tiendas de palma y lona arpillerada. El humor, trasegado y fabricado con vinos manchegos y riojanos, euforizaba a los hombres —que en su fuero interno temían que el líquido se terminara— y paliaba algunas veces el terror escondido que los hombres sentían que les producía aquella tierra mágica. Los odres quedaban, poco a poco, vacíos del líquido rojizo. Los hombres veían un mundo nuevo de colores amables mientras los pellejos esparcían su optimismo desperdigándolo por todos los rincones del futuro Real. La campana de bronce de la futura catedral de la isla, El Rubicón (que habría de sufrir, en el curso de los siglos, sucesivos ataques y asaltos a manos de franceses, ingleses, africanos y holandeses y que, en primera instancia, habría de ser destruida por el famoso pirata Vanderoles), era la obsesión de aquel Obispo desde el mismo día que abandonó las playas peninsulares. En reposo total, la campana esperaba su solemne momento consagratorio oculta en el fondo de la tienda de la autoridad eclesial, celosa ésta de un tesoro bendito que sus propias manos habían torneado en la fragua al rojo hasta conseguir la forma deseada. Jamás, sin embargo, Juan de Frías oiría doblar las campanas del Rubicón desde las torres altas del sagrado edificio, porque antes, mucho antes de ese acontecimiento, moriría viendo visiones celestiales, engañándose a sí mismo incluso en el final de sus días.

Se multiplicaban por doquier los montones de piedra gris que, sacada de las canteras de los alrededores, constituían una esperanza para la fragua de la futura mampostería, las escolleras y las dársenas por donde, finalmente, todos los caminos conducirían a Salbago y por donde un día no lejano habrían de alcanzar sus playas, en plena euforia de la colonización un variopinto ganado gritador: las mujeres de los expedicionarios que habían quedado esperando buenas nuevas a todo lo ancho de la geografía peninsular.

Ondeaban al viento, sobre los aires del Real, pacíficos ya, dada su absoluta invalidez para otros menesteres, los pendones y los estandartes de la frustrada conquista de la isla solitaria, cuya posesión era aún libre como los sones del guitarrista portugués Otelo, que repetía —pegando el oído a las cuerdas— siempre la misma canción, la misma melodía sacada en mil variaciones originales desde el fondo mismo de su guitarra española. Por ese tiempo, había llegado Otelo a hacerse imprescindible en las fiestas nocturnas de Salbago, como después seguiría siéndolo en los patios de las peleas de gallos o en las casas de las

55

mujeres alegres. Otelo había llegado a Salbago, como un hombre sin nombre y sin historia, en los tiempos de la fundación, arrebujada su tumultuosa personalidad en los frívolos sones de una guitarra. Su voz, matizada de tristeza y de melancolía, se escapa noche tras noche de aquella garganta fuerte, aún joven a pesar de las largas francachelas que evidenciaban una experiencia que el maduro guitarrista se esforzaba siempre por disimular. Su cabello entrecano, casi rapado, los ojos saltones y azabaches, burlones, la mandíbula pronunciada y la sonrisa de sus prominentes labios no traducían, en síntesis, nada. Nada añadían a su nombre aventurero. Aún no habían comenzado a correr por Salbago las leyendas de sus hazañas díscolas, sus revoltosas gestas que más tarde quizá cantaran otros guitarristas una vez que el portugués, como si el tiempo y la historia no fueran con él, se embozara de nuevo en el silencio y embarcara en una de las cientos de expediciones que, camino del Nuevo Mundo, recalaban en los puertos de la isla. Otelo pasó, entonces, a formar parte de la leyenda popular de la isla de Salbago: el rebelde portugués había conseguido pasar como una exhalación por encima del territorio insular, dejando su impronta en él. Una de esas noches en las que parecía que la tranquilidad estaba del todo consolidada y los habitantes del Real dormitaban, hablaban en grupo, soñaban tal vez en paz y marginados de la rebelión que tramaba Pedro de Algaba, Juan Rejón vio de cerca la cabeza entrecana de Otelo cuando la voz del cantor, afilados los dedos sobre las cuerdas de la guitarra, desgranaba las mismas notas de siempre.

"¿Cómo se llama la canción, portugués?", pregunta el Gobernador Rejón, que camina por el Real, como despreocupado de todo, rodeado de sus jefes más cercanos.

"*Grándola vila morena*, señor", contesta lacónico el guitarrista. En el fondo de su alma, algo muy escondido le estaba diciendo que delataba uno de sus secretos más misteriosos, el principio de un hilo soñador que jamás, a la vuelta de los tiempos, tendría un final feliz —tal como él había imaginado—, pero cuya existencia en aquellos momentos de la fundación gozaba del desconocimiento general.

"¿Y cómo te llamas tú?", volvió a preguntar Rejón.

"Otelo Carvalho, señor", contestó de nuevo el portugués sin cambiar apenas el tono de voz, mirando fijamente el mapa que se dibujaba en la cara de Juan Rejón. En el recóndito brillo oscuro de los ojos del Gobernador, Otelo trató de descubrir algún indicio o si la pregunta escondía un doble filo invisible, un doble fondo programado por la sospecha. Nada entrevió, empero, su mirada en la de Rejón. Nada dijo a Rejón, por otra parte, ni la canción ni el nombre del guitarrista.

Mientras, entre altibajos y contrariedades, entre abatimientos y euforias renovadas, entre planes que nunca rendían cumplimiento positivo y entre las desobediencias cotidianas, los hombres de Rejón siguen consumiendo sus cuerpos ejercitándolos en una estrategia que ya repiten con los ojos cerrados: con todo detenimiento peinan cada milímetro de aquella superficie llena de orificios en los que no se encuentra otra cosa que no sea el profundo silencio de la infinidad de momias y tumbas, pinturas y símbolos, petroglifos que advertían claramente de la presencia dormida de una tradición que se había quedado abandonada en los roquedales de la isla de Salbago.

Estaban en los prolegómenos de una singular operación urdida por Simón Luz y que vendría a dar al traste con los planes de fuga de Pedro de Algaba.

Fue la primera venganza de los rejonistas contra aquella tierra que, en principio, reputaban como enemiga y maldita.

Fue también un modo de domeñarla, de hincarla de rodillas ante los profanadores. Fue la primera victoria real y contundente de los peninsulares sobre la pétrea silueta de la isla de Salbago.

Los terribles aullidos de los perros silvestres, despavoridos a lo largo y a lo ancho de los vericuetos y laderas, restallan ahora como una lamentación inútil contra las compactas paredes de los valles y los barrancos que antes les habían servido de perfecta madriguera. Se pierden sus ecos de auxilio en el fosco horizonte del mar. La sed atenaza sus gargantas y esa misma necesidad será la que los conduzca directamente a la muerte. Agonizante, el griterío canino asolaba el silencio de toda la isla, transtornándolo. Los ladridos llegan al Real, donde se habían refugiado los rejonistas temiendo la incontrolada reacción de los salvajes animales, amortiguados por la distancia, sin la fuerza mágica que había producido en los hombres el miedo de los días anteriores. Era la inequívoca señal de una muerte lenta imaginada por Simón Luz, como premeditado testamento de una raza canina, salvaje y sagrada a la vez, que quedaría extinguida tras el exterminio tan cruelmente ideado por el hebreo.

Después de la masacre sólo iban a quedar algunas crías arrebatadas de la quema generalizada por su propia condición de inválidos cachorros que, petrificados de horror en lo profundo de las cavernas que hasta ahora les habían servido de pertrecho y hogar, escuchan tiritando los alaridos de muerte de sus progenitores. En ningún momento pueden comprender ni explicarse la causa de la terrible estridencia. Esas crías, más tarde, serían los animales preferidos de Maruca Salomé y del propio Gobernador Juan Rejón, que sólo era capaz de conciliar el sueño de la vejez acartonada cuando a sus pies velaba su descanso alguno de aquellos mágicos animales que había sobrevivido a la matanza para convertirse en fiel guardián del asesino de su raza. Otro de esos fieles animales cayó en manos del Duque Negro, que lo compró a Salomé a precio de oro, como si se tratara de un vivo amuleto de la suerte. Con él lo vieron infinidad de veces los salbagueños, paseando en las tibias tardes por las callejuelas y las arenas de las playas que circundaban la ciudad.

Ahora, sin embargo, a la hora de la muerte, las sombras de los perros verdes, otrora cercana inalcanzables al castigo, se tornan lentamente tambaleantes, sofocadas hasta la borrachera por toda la superficie de la isla. La desconocida locura que les inocula el veneno mortal les hace perder para siempre su envidiable equilibrio de animales cósmicos, aquel asombroso sentido de la orientación que se oculta sólo en la médula de las razas seculares y la tremenda facilidad para trepar entre las piedras de los barrancos y los montes hasta las más arriscadas cumbres para esconderse en las profundas simas de la isla, cuevas a las que es imposible llegar para los pardillos de Rejón. Y sus ínfulas de libérrimo linaje quedan ahora, en la misma hora del exterminio, para los restos, agarrotadas sus húmedas fauces ardientes, enferma de muerte su lengua, paralizados sus torpes movimientos de los músculos de gimnasta arruinado. Ciegos de terror, acuciados por una urgencia desconocida que jamás habían sentido sobre su piel, deambulan entre las ortigas y los veroles, entre los balos y los barrancos cuyas ramillas flexibles quiebran a su paso indeciso; entre dragos y sauces, vinagreras y tiles, se arriman a las aulagas para rascarse un cuerpo enfogueteado por la fusta del veneno que se les desangra por dentro silenciosa y paulatinamente. Se arrastran como espectros las sombras verdes por todo el territorio envenenado, viendo en el espejo consumido de su propia muerte la imposibilidad de resistencia.

Los rejonistas, mientras, escuchan con regocijo el estertor de la muerte enroscándose en la piel verde de los perros, aunque el trabajo de exterminio había sido cumplido desde el principio sin la fe necesaria para el éxito de la campaña: sólo ejecutando órdenes que ellos mismos llegaron a temer que los alcanzaría. Era el exorcismo de sus propios miedos. Cizaña andante sobre el seco terreno de la isla, Algaba se atrevía incluso a preguntar a Rejón sobre la ocurrencia de tan drástica solución. ¿Acaso no había pensado que ellos mismos podrían ahora ser víctimas del veneno y que quedarían, los descubridores, sin posibilidad de supervivencia en esta tierra maldita?

—No te apures mucho por eso, Pedro de Algaba —tercia Simón Luz: la mirada torva condenando de muerte a Algaba—. El mal sólo tendrá vigencia algunos días. Los suficientes para que todos volvamos a estar tranquilos. Para que todo vuelva al lugar que le corresponde y esta isla maldita, como tú mismo dices, sea nuestra por los siglos de los siglos. Los perros, entonces, habrán desaparecido y los hombres no volverán a pensar en abandonar la empresa.

—¿Y el resto de los animales?, ¿qué va a pasar con ellos, Simón?, ¿cómo mierda van a librarse del veneno, judío exterminador?

—Repoblaremos —contesta seguro el hebreo.

—Repoblar, repoblar, ¿con qué mierda repoblaremos? —pregunta entrecortado Pedro de Algaba.

—Con cerdos y gallinas. Con pavos, con pulardas, con liebres. Con lagartos de corral, si fuera preciso. Con todo lo que se te ocurra y apetezca —corta el judío, repentinamente colérico, obcecado en sus planes, seguro de sí mismo, arisco, irónico. Su rostro se vuelve casi bisturí y de los ojos empequeñecidos por la furia sobresalen filamentos de luz que van directos a su víctima—. Esos animales, Algaba, estarán libres de peligro, de hechizo y de brujería. Y nosotros también. Al final todos estaremos de acuerdo en permanecer en esta tierra —añade Simón Luz mientras sus ojos, dos ascuas, queman lentamente el destino perdedor de Pedro de Algaba.

La reunión de los principales, a la que asisten también el comandante de campo Martín Martel (ausente, de todos modos, como un autómata), el alférez Sotomayor, el capitán y gobernador Juan Rejón, el piloto Larios y algunos hidalgos castellanos, es sólo un diálogo de sordos entre Algaba y Simón Luz, dos posturas enfrentadas sin posibilidad de síntesis, el veneno del judío poco a poco dibujándose sobre los hombros de Algaba, silueteando su muerte próxima.

"...y si no hubiera bastantes animales aquí para eso, si no hubieran sobrevivido suficientes, cuando acabe la operación", insiste el hebreo, "los transportaremos desde Castilla o desde

Andalucía. O desde Africa, que está aquí, al lado", sus dedos señalan pergaminos donde se dibujan los mapas inéditos. "Hay tierras de sobra en esta isla... para todos y de todas las clases. No hay ninguna maldición aquí, ya verás. Todo estará pacificado una vez que los perros desaparezcan. Unicamente en tu imaginación arde el miedo. Y la maldición, tú lo sabes mejor que nadie, es un invento...".

Sólo cuando el olor de la carne en putrefacción se llegó, cubriéndolo todo con su espesura mortal, como humo maligno sobre la superficie de la isla, hinchando de hedor los valles hasta penetrar los rincones más escondidos y, barranco abajo, siguiendo el curso de las corrientes de aire, se arrastró hasta las empalizadas del Real de Salbago e introdujo sus malolientes miembros a través de las tiendas, impregnando todo el ambiente con una atmósfera fétida e irrespirable; sólo cuando los rejonistas vieron las arbitrarias piruetas aéreas de los guirres y los alimoches, de los alcaravanes cayendo sobre la arena y los cuervos negros descendiendo desde los límpidos cielos a despedazar los restos envenenados de los perros mágicos; sólo cuando, al mismo tiempo, un silencio atroz, cuyo pálpito resquebrajado podía sentirse desde el mismo centro de la tierra, corrió velozmente a través de aquel aire contaminado por la estrategia de la muerte hasta ganar por completo los campos de la isla, desde las plácidas y tranquilas playas del norte (donde habían construido el Real) hasta las costas antípodas, hasta el Malpaís solitario, renegrido y solemne, quemado por el sol y la constancia secular de los vientos; sólo cuando ese mismo aire comenzó a adensarse, a solidificarse en una costra invisible que casi coronaba las cabezas de los mareados pardillos, absortos ahora en una respiración agobiante y húmeda que se vuelve poco a poco imposible, sólo entonces el capitán y gobernador Juan Rejón siguió de nuevo los consejos de Simón Luz y se decidió a abrir las puertas de la pequeña fortaleza dando las órdenes pertinentes para la retirada de los cadáveres de los perros verdes que no deberían ser enterrados en la isla ni echados al mar que la rodeaba.

Cientos de perros verdes, muertos en todas las direcciones y posturas, temblando aún o ya rígidos y en cierto estado de descomposición, desparramados en manadas descomunales por la difícil y destemplada superficie de la isla, algunos todavía agonizantes y moviendo en mínimo estertor sus emponzoñados miembros, otros incrustados entre las rocas como si quisieran de ese modo escapar al enemigo camuflándose en tierra. Eran la composición del cuadro desolador del éxito, el resultado de la forzosa extirpación programada por el judío Simón Luz. Inmensas piras levantadas con arbustos y palmas secas de todas las dimensiones y tamaños comenzaban a arder elevando una marea de humo incontenible hacia los cielos, quebrados en su normal limpieza azul por aquella fetidez fuera de toda costumbre. En todos los rincones del territorio, los perros muertos eran amontonados como basura inservible por los pardillos, siguiendo las órdenes de Rejón. Ardían crujientes los restos de la raza al prenderles fuego entre la hojarasca de la hoguera, preludio de la que, a no tardar, sería levantada en la Plaza de Armas como designio final de la entronizada inquisición.

Sin embargo, algunos anónimos incumplieron las órdenes tajantes del capitán Rejón. Muchos cadáveres fueron arrojados desde las alturas de los bosques y sus precipicios hasta el mar, tiñendo las aguas de un color verde botella que, durante muchos días, habría de aterrorizar a los hombres. Las hogueras seguían elevando un humo densísimo por encima de los alejados picachos de la isla hasta oscurecer, por segundos e incluso minutos, la claridad del sol que cae a plomo sobre Salbago. Un oneroso olor a carne quemada, a chamusquina incontrolable, nauseabunda y pegajosa, arrebata el aire limpio y suave de la isla, convirtiendo su escarpada geografía en un inútil simulacro de campo de batalla recién librada. Las aguas, que llegan tranquilas y reposadas hasta mojar los arrecifes volcánicos que se arremolinan creciendo en las arenas de las playas, arrojan sobre éstas turbios espumarajos, compactos, verdosos, como si los cuerpos muertos de los perros mágicos se desprendieran a conciencia de su color natural y lo depositaran, para teñirlas para siempre, sobre las orillas de la tierra en la que habían habitado plácidamente hasta la hora de aquella muerte colectiva e imprevista. Aquellos cuerpos, grotescos ahora, desproporcionadamente hinchados de agua salada sus miembros, circulan a expensas de las caprichosas mareas que rodean la isla, flotan sobre el agua verde como tubérculos podridos, giran de repente como tobogán de feria. Dentro de los inconclusos dibujos que componen con su espuma momentánea los remolinos y los aguajes, se alejan de las costas por el norte hasta perderse de la vista de los pardillos centinelas y se acercan de nuevo lentamente a tierra por el sur, surcando las corrientes hasta quedar varados, meciéndose sin gracia, los ojos abiertos de rabia y las bocas conteniendo un último ladrido de terror, entre charcas de agua espesa y rocas llenas de líquenes marinos, sobre las riberas verdecidas por el desgaste de su piel reblandecida por el mar.

"Algaba de mierda", resopla entonces como en un susurro Simón Luz. "Esta es otra de las desobediencias que hay que apuntarte, cabronazo", como si con ello el judío quisiera acelerarle el momento de la muerte.

Picotean las gaviotas los cuerpos sanguinolentos de los perros verdes. Las orillas de las playas son un falso y suculento festín para los buitres y los guirres que halconean desde las alturas y revolotean hambrientos entre los restos envenenados. Se hinchan ellos mismos del mismo veneno que mató a los perros y la ponzoña roja hace mella en sus vidas. Vuelan sin adivinar que el festín es una trampa frívola y traicionera de Pedro de Algaba. Minutos más tarde el veneno hará presa en los glotones intestinos de las aves ahítas de rapiña: caen blancas alas abiertas y en picado se hunden un segundo en el mar verde e inmenso, juntándose en la muerte con el holocausto de los perros verdes, acompañantes involuntarios de la desaparición de aquella raza.

Semanas tardaron los rejonistas en limpiar concienzudamente los restos del exterminio y en recuperar de sus escondrijos a las ateridas crías que desde el principio fueron examinadas por Juan Rejón como muestras de un naufragio que él había ordenado cumplir. Un naufragio necesario que él mismo había propiciado. Una especie de sentimiento indeciso, indefinido —mezcla de recelo, mala conciencia, miedo, compasión tal vez y una cierta preferencia por la recién descubierta belleza de los extraños animales que había mandado a la muerte— embargaban en oleadas de escalofríos que le subían por las entrañas las dimensiones más ocultas del endurecido cuerpo del capitán Rejón.

Una de esas noches Rejón cayó profundamente dormido. Lo invadió la pesadilla. El cabello largo tiembla endurecido como puntas de cobre. La noche se vuelve bruscamente calurosa después que el atardecer sobreviniera calmo y sin aire. Rejón ha cerrado la gran tienda de palmas y ordenado a los centinelas que nadie le molestara, bajo ningún concepto. Consiguió dormir tranquilo casi dos horas completas, arrebujado entre las mantas y resistiendo la fiebre que pugna por hacerse con su cuerpo. Después es un despertar sobresaltado, como si un ruido inmenso y desconocido hubiera estallado en pequeños ecos en su cerebro. El sueño huyó de él durante el resto de la noche, mientras se revuelve en el lecho o se incorpora ahogado de calor y a punto de asfixiarse. Tropieza con las ropas y el calzado que ha ido dejando abandonado en su aposento. A oscuras trata de reconocer por todos los medios a su alcance las aristas de una geografía que a cada paso se le muestra extraña. Siente su cuerpo herido por las asperezas de las ramas de palma que conforman las paredes de su tienda, por cuya superficie ve correr ahora las espeluznantes manadas de los perros verdes. Ese ruido enorme, que levanta a su paso una tolvanera tremenda, que lo hace toser y esconderse estupefacto debajo de las mantas, se adueña de sus tímpanos que se abomban hasta casi rasgarse. Poco a poco, el ruido se convierte en un ladrido inexorable, como un canto fúnebre, como un treno impertinente y monótono que viene directamente a turbar su descanso. Es demasiado escándalo el que despierta el agrio ladrido de aquellos espectros para que los centinelas no se despertaran, ni siquiera se enteraran de nada los que estaban despiertos, pero ni éstos ni el resto de la tropa oyen nada anormal en el interior de la tienda del gobernador: la función caótica de aquella orquesta maldita sólo está destinada a su honor. Los ladridos son ahora una rareza histérica de inaguantable acústica vibratoria. Penetran en la cabeza de Rejón por alguna escondida rendija que él —ni despierto ni dormido— había dejado nunca al descubierto. Rejón sigue moviéndose sin parar, siente que le va en ello la vida. Intenta romper las telas de lo que cree una pesadilla, pero todo se resuelve en un esfuerzo inútil del fondo del cual vuelve a resurgir renovado e impertérrito el estruendo de los ladridos que revuelve todo cuanto se le antoja, convertida la jauría en protagonista de un fastuoso espectáculo que llena de terror al bucanero. "¡Ladrones, ladrones!", intentó gritar Rejón entrecortadamente, entre sueños. Rezuma el sudor del pánico sobre su piel, pero el ruido repetitivo juega entonces como si fuera un simple rumor de viento atizando las palmas de la tienda. Baja su diapasón y la voz de Rejón no alcanza a llegar a los exteriores de la tienda. Está solo, pues, a merced del divertimento de los perros que, asesinados en masa en los días anteriores, vienen desde la ceguera de la muerte a vengarse de su diabólico exterminador. Rejón camina, chapotea en los pantanos de su propio terror. Torpón en sus movimientos, perseguido por la jauría, vira en redondo igual que su barco en los momentos de indecisa navegación. Ahora el ladrido no es ya lamento sino risa, carcajada de pavor, devaneo que llega hasta él desde la oscuridad y le clava el dolor de un intermitente aguijón obsesivo, mezclado con la angustia de hierros rotos que flotan en el interior de su cerebro cansado. Sus armas son inservibles, porque la espada no puede cortar un ruido. Su raída cota de mallas y cuero no es capaz de salvaguardarlo de los ladridos que martillean su pecho. Arde en fiebre. Desvelado, no puede seguir escuchándolos así, indefenso ante la visión de aquellos espectros que le han robado su descanso y su tranquilidad, mientras él traspasa paulatina y forzosamente la barrera de la locura viendo a cada instante de la interminable noche las fauces abiertas de los perros rabiosos. Tuvo incluso arrestos para disponerse a acabar con ellos. A cada paso se tropieza con la sombra escurridiza de algún perro maldito, asombrado tal vez de la presencia humana de Rejón. Irritado, casi ciego, se levanta corriendo y tropieza de nuevo con el oscuro laberinto sin fondo del interior de la tienda. Ahora no son verdes los perros a los ojos de Juan Rejón, sino amarillos y violetas. O del extraño color de ciertas transparencias que aparecen en el cielo y recorren toda la gama del arcoiris, pero siempre con el desafío en la mirada. Detrás, a sus espaldas, vuelve a ser asediado por otra nueva jauría que sale de las sombras de la nada, desde el polvo seco del pavimento de la tienda, y lo acosa hasta agotarlo. Es una lucha desigual, prácticamente inútil, pero Rejón se lanza enfebrecido de furia contra el primer animal que se le pone por delante. El perro es un inmenso mastín en esta ocasión. Comienza entonces una función de cambio que asombra al propio Rejón, hecho ya un espumarajo enrojecido su rostro: el animal se metamorfosea con pasmosa habilidad, sin dejar ningún rastro de su forma anterior. Una vez fue, por un instante brevísimo, un agudo silbido que salió de múltiples gargantas y rodó por todo el espacio de la gran tienda, corriendo más rápido que el propio Rejón. El pirata espera embozado en cualquier esquina de aquella geometría destrozada por la fiebre y se lanza sobre la sombra inasible del perro verde que, inmediatamente, cambia de tonalidad, ora gato, ora camaleón enorme cuya piel cuarteada por los siglos hiere las palmas de las manos del bucanero. Ya no le es tan difícil comprender la imposibilidad de una victoria frente a aquellos fantasmas gruñidores que lo habían poseído sin esfuerzo. Como puede se agarra fuertemente al cuello agudo del silbido que rebota como una pelota sobre las paredes de palma. El perro entonces, púgil en cuerda de ring, se lanza contra Rejón y zigzaguea. Si el capitán leonés espera el golpe en el lado derecho, la dentellada lo estremece en la parte izquierda de su cuerpo; si Rejón se empeña en buscarlo debajo de sí mismo, en el fondo de la gran tienda de palmas, el lobo verde salta sobre él desde la techumbre abierta a las estrellas, tira con insólita violencia de sus cabellos y el corsario comienza a sentir cómo rechinan las vértebras de su cuello, yendo y viniendo sin parar de un lado a otro del corredor el largo perro con su risa estridente, sus instintos sueltos, rodando ahora enorme canica de cristal macizo, sacando sus zarpas invisibles para Rejón hasta el mismo momento de sentirlas cayendo pesadamente sobre su cuerpo maltrecho. Se acababa poco a poco su esperanza. Crece en él un angustioso miedo a la muerte y nota un inmenso dolor en las raíces de sus dientes y el sabor salado de la sangre salpicándole la boca. Ahora el ladrido es una música azul, femenina, paradisíaca: lentas olas de un mar reposado, un mar que retoza sobre las arenas de la isla conquistada sin esfuerzo. Ahora oye cómo se aleja sin previo aviso la jauría, perdiéndose en una supuesta lejanía. Abandonan la tienda como si un desenlace milagroso hubiera aparecido en el horizonte de aquella noche tenebrosa.

Temblando aún lo despertaron las primeras luces de un alba radiante, pero en su pecho quedó grabada a fuego la leyenda que la fiebre de tantas horas había horadado calmosamente en su memoria: *"Rejón, tú jamás saldrás de esta tierra. Como los perros estás condenado a vivir sobre ella. Como los perros morirás en ella después de todos tus esfuerzos inútiles y estériles. Esta será tu última voluntad, olvidado en la cárcel de Salbago, invento de Castilla, hundidos tus huesos en el fango ardiente y seco de la isla, esparcidos tus recuerdos hasta convertirse en polvo..."*. El eco de esa voz era la misma voz recriminatoria de Algaba, colgando por el cuello su cuerpo atado al cáñamo en la Plaza de Armas. En la madrugada, el capitán escudriña obsesionado los moretones que durante la noche han florecido en su cuerpo y las huellas de los dientes de los perros. Vuelve, poco a poco, como si hubiera cumplido una penitencia, a quedarse dormido, después de tomar a largos sorbos el exorcismo que cree que se esconde en el líquido caliente de una infusión de hinojo.

Fue una batalla francamente triunfal la guerra que Rejón había declarado a los perros verdes, cuya supervivencia se comprometía ahora, en su fuero interno el pirata, a sobrellevar una vez domesticados los verdinos animales. Años más tarde, Maruca Salomé se lo diría sentenciosamente al oído: "Gobernador, tú no puedes vivir sin esos perros". Una batalla que los rejonistas celebrarían, saltándose los austeros límites de la avaricia del Deán Bermúdez, con todo género de lujos. Corrió a raudales el orujo que pudieron salvar de las mañas del judío Luz, removiendo con ardor los gaznates de los pardillos y los de sus señores. Las provisiones saladas, que ya empezaban a desprender un profundo olor putrefacto y mohoso, dieron paso a un gasto exagerado —que enervaba en verdad al Deán Bermúdez— de carnes sanas, capturadas antes de la matanza canina en la misma isla de Salbago. Ahora se asaban sobre las brasas encendidas, en las noches inmediatas al triunfo, los corderos y los cerdos salvajes.

El Obispo Frías, esa misma tarde, olvidado del crimen, de

las trifulcas y supersticiones de los hombres que Rejón había arrastrado hasta el confín del mundo perdido y alejado de la mano de Dios, ofrece santos sacrificios en el altar de maderas nobles que había sido diseñado por Herminio Machado y sus ebanistas siguiendo dibujos que había visto en las iglesias venecianas, altar que habían entronizado en la futura Plaza de Armas, a unas cuantas yardas solamente de las arenas de las playas. Todos los pardillos, desacostumbrados al rito de la victoria, cantan a gritos un *Te Deum* evidentemente desafinado por el desenfreno de las gargantas que esperan más lanzar un hipido bélico que un canto eclesial del género gregoriano.

"Laus Deo", rezonga por su parte, cariacontecido, el Deán Bermúdez.

"Lo peor del destierro, Gobernador, es la falta de interlocutor válido", sentencia el Duque Negro.

Hasta en esos comentarios, aparentemente sin importancia, se nota su delicadeza de espíritu, su refinamiento intelectual. Suspira suavemente, sin apenas querer hacerse notar, al mismo tiempo que alarga su mano con gracilidad, entre femenina y cortesana, hasta el alfil y lo clava casi en el mismo centro del tablero, como un dardo envenenado para su adversario, desafiando a las huestes blancas del Gobernador Juan Rejón. Este Rejón de ahora es sólo un recuerdo del otro Rejón, un despojo, un esquema resquebrajado y mustio de lo que llegó a ser en los tiempos del descubrimiento y la Conquista, antes de que el Almirante alcanzara la Tierra Firme del otro lado y convirtiera Salbago, por mor del Descubrimiento, en una inmensa casa de putas, punto de paso obligado para los viajeros hacia el Nuevo Mundo. La piel acartonada y áspera de su rostro está ahora, en la decrepitud senil, surcada por mil riachuelos, secos sus cauces, de larga extensión hasta perderse en el mar inservible de una garganta que se esconde bajo el plisado cuello de la camisa. Es el mapa falaz donde se dibujan todas las frustraciones del histórico personaje que ya nunca llegará a ser, del conquistador que quedó tendido a medio camino de un destino injertado en los espejismos que la experiencia le fuera colocando ante sus ojos. Al fin y al cabo, él mismo, Juan Rejón, había sido el primer transgresor de ese destino de naipes marcados, luego de romper el contrato con su propia ambición y conformarse con dormitar a través de los abiertos patios de su jaula de oro, llenos de pájaros multicolores los patios del mejor palacete de Salbago, levantado cuidadosamente bajo la dirección del maestro arquitecto Herminio Machado. La fachada principal del palacio del Gobernador daba directamente a la trasera de la siempre interminada Catedral, y desde sus balconadas puede observarse cercano el mar. Múltiples patios abren sus espacios al cielo azul e invariable de Salbago y la vegetación es cuidada en ellos como si se tratara de un museo botánico. Las estancias interiores, por el contrario, carecen de toda luz, y es lógico pensar que fueran hechas para la reflexión y la soledad del Gobernador, en un tiempo en el que Rejón aún creía en su triunfo y se suponía un personaje principal de la Conquista. De todos modos, el aspecto del palacete denota un cierto interés de su propietario por alejarse de la chusma, por perder el contacto con un mundo que él no había querido habitar. Galerías, pasadizos que desembocan en estancias secretas, el gusto por la sorpresa y la solidez de la piedra con la que se ha construido el palacio; sótanos, bodegas silenciosas hasta las que no llega el eco de la calle, escaleras ciegas, oscuras, que inducirán a error a los intrusos; estancias casi siempre cerradas, como en un convento de clausura, dicen mucho de la absorbente manía del Gobernador Juan Rejón por aislarse del mundo exterior, por permanecer como un mito oculto a los ojos de los mortales.

"Interlocutores válidos", repite Rejón moviendo a un lado y a otro la cabeza, rascándose la barbilla, pensativo ante el repentino ataque del Duque Negro.

Como un rayo ácido, capaz de revolverle los líquidos del estómago, pasó por su vieja memoria la imagen borrosa y ya antigua del hijo que había marchado al Nuevo Mundo, siguiendo el curso de unas ambiciones que quería cumplir a toda costa: Alvaro Rejón. Reflexiona el Gobernador. Es, en efecto, de una clarísima agresividad la estratégica incursión que su contrincante ha ejecutado llevando el alfil hasta el centro del tablero de ajedrez: un toro dislocado que embiste contra la despavorida cuadrilla, fuera de sus medios, sacado de quicio, repentinamente loco corriendo tras los trapos que le van saliendo al paso, desaforado en su carrera, trayendo el desconcierto a la arena. Sus ojos, los ojos afanosos de Rejón, angustiados por ese sorpresivo ataque, recorren desde lo hondo la situación provisional de los estáticos ejércitos de madera. Sólo esa voluntad de lucha resta del antiguo adalid: la diversión por su propia defensa. El tiempo para él es ya un valor sin sentido que ha dejado de contar en sus planes, anclado como está para siempre en la isla de Salbago, sujeto a las raíces insulares que lo esclavizan y carcomen, a sus recuerdos trastocados por los años, detenida su ancianidad nada venerable en un punto indefinido de la decrepitud de su organismo en perpetua descomposición, gracias a la postrera maldición de Pedro de Algaba. Los años son para él condecoraciones sin ningún crédito, el cuaderno de un fracaso, simples colgaduras que se han ido agregando a su pecho cansino en pago a las anécdotas esenciales de una vida, la suya, que buscó siempre la hazaña como destino general para quedar siempre en el mismísimo borde, en la ilusión, en la conquista de juguete jamás sentida como absoluta plenitud de un proceso minuciosamente planeado. Su primer impulso ahora, al ver el alfil citando como un toro suicida, fue matarlo, eliminarlo del juego, de esa batalla de honor que libra con el Duque, su maestro. Luego, tal como el mismo Duque Negro le había enseñado al principio del lento aprendizaje, desechó la entrada a saco en los engañosos cuarteles de aquella osadía, contuvo su deseo de matar calculando la trampa que envuelve cada astuto movimiento del juego del Duque Negro. Bastante ventaja le daba ya ser su maestro para que él ahora fuera a errar a las primeras de cambio. Sus ojos amarillentos se mueven de una pieza a otra, elucubran con sigilo la inmediata defensa. Por un instante, como un nuevo fogonazo que llenó de ácidas iridiscencias su respiración, hinchó su memoria la trágica muerte lenta de su maestre de campo, el comandante Martín Martel y los desagradables acontecimientos que bajo la férula inexpugnable de su larguísimo y aún interminable gobierno habían convertido a Salbago en un burdel de destierro en el centro del Océano.

"Interlocutor válido", volvió a repetir, como si esa cantinela hiciera más secreta, prolongada y reflexiva su verdadera intención. El Duque Negro lo miró a los ojos durante breves segundos. Después sostuvo en alto, con urbana soltura, su copa de vino siciliano, la llevó hasta sus labios y se la despachó a sorbos lentos, acompañando al vino con ligeros mordisqueos de carne de cangrejo. Un pequeño rictus, entre el placer y la momentánea repulsión, alcanzó los gestos del Duque Negro y por unos instantes apenas el escalofrío antipático recorrió su cuerpo hasta que el líquido se asentó definitivamente en el estómago y anidó allí el especial calor concupiscente del bienestar. Entonces miró la copa vacía y llegó a la conclusión de que la conversación era sólo el pretexto del juego, una operación que cada contrincante utilizaba para dispersar las ideas del adversario, una suerte de distracción de la atención de cada uno.

Su amistad real con el Gobernador había comenzado repentinamente. Había llegado a la isla en el mismo barco que la esposa de Juan Rejón, una mujer insulsa, la inutilizable María Isabel, engordada por los años y la falta de cuidados. El afecto mutuo fue creciendo con el tiempo y la soledad que a los dos, a Rejón y al Duque —aunque con distinta condición cualitativa—, iba corrompiendo por dentro como un mal incurable

72

afincado en sus entrañas. La estampa vívida del Duque Negro sobre el puente del navío se acerca con frecuencia a los recuerdos del Gobernador Rejón. El no estaba en el embarcadero para recibir a aquel desterrado en vida. Su obligación, aunque no deseada, era presentarse a dar la bienvenida a María Isabel, una dama blanquecina como la cera, que exhumaba seriedad malsana en cada gesto, una esposa de la que la isla le había hecho casi olvidarse, una mujer a la que, a decir verdad, recibió sin efusiones ni protocolos extraordinarios. Hernando Rubio, embromado en su nueva y rotunda autoridad, era el encargado de recibir personalmente al Duque proscrito por la Corte, condenado al olvido y a la lejanía de la Península. Secretos extraños, rumores quizás interesados, leyendas cantadas por lo bajo de boca en boca, murmullos de variada laya, circularon desde el principio de la llegada del Duque por las culebreantes, maledicentes y embarradas calles de Salbago hasta llegar a los descampados que se extendían más allá de los límites de la ciudad, aunque extramuros del Real todo cobraba una dimensión diferente, más disipada, disuelta tal vez por los vientos alisios que soplaban en plena libertad sus silbos sobre los páramos y los bosques isleños. Para entonces, la ciudad superaba los confines del esperpento y nada tenía que ver, ni en su continente ni en su contenido, con los ambiciosos planes del ingenuo arquitecto Herminio Machado, tildado de loco y megalómano por todos los funcionarios con cierta influencia sobre Juan Rejón. Ahora aquellas calles, que en principio habían sido trazadas por una conciencia poco común y excesivamente lúcida para la locura de la época, jugaban al extraño y —sin embargo— siempre presente juego de la torpeza y la antiestética, serpenteando sinuosa y caprichosamente entre antros de madera plagados de hongos, mohos y humedades y donde los desperdicios del viento y el salitre que entraban desde el mar hasta la tierra se expandían caóticos sobre la negrura irregular del pavimento apisonado por la muchedumbre anónima y carnavalera que poblaba Salbago. La ciudad soñada por Herminio Machado, planeada entre exclamaciones y aplausos de la élite de funcionarios y privilegiados como si de un nuevo paraíso se tratara, era un villorrio despreciable que había perdido su personalidad antes de empezar a poseerla cabalmente, un lugarejo que daba al mar y que por tierra se veía rodeado por una carcomida y chata muralla levantada a medias para la defensa y para la justificación de la propia fundación del Real, una muralla construida con extremada rapidez, sin previsiones de futuro, que asciende por los cerros aledaños enroscándose a la roca como una serpiente casquivana que huye del mar hasta perderse tras las faldas de las montañas incipientes, quizá tras los pasos inciertos de un invisible Laocoonte. Una muralla inútil, incluso para la defensa de Salbago, como quedaría demostrado algunos años más tarde, en el momento de la invasión de los piratas holandeses de Vanderoles que llegaron hasta las entrañas del Real y prendieron fuego a la Catedral. De fuera de la portada surgió de manera espontánea el mundo de las chabolas, la ciudad sin ley, las cuevas del delito, de las enfermedades, de los vicios y las aficiones más alucinantes y donde aposentaban su historia silenciada aquéllos —cada vez más numerosos— que ocultaban sus nombres prohibidos a la autoridad o que iniciaban allí una nueva vida de ambiciones clandestinas, entre el barro purulento y la acidez de la soledad, a la espera —casi siempre infructuosa— de que circunstancias favorables les presentaran la oportunidad de escapar sin levantar escándalo hacia el Nuevo Mundo, la tierra prometida que soñaban en su interminable delirio y para la que inventaban constantemente planes y proyectos sin pies ni cabeza, iniciativas que jamás serían ejecutadas como habían sido imaginadas porque partían del absoluto desconocimiento de la dimensión loca de la Tierra Firme descubierta por el mítico Almirante.

El Duque Negro llegaba a la isla como desterrado por motivos políticos. Alejarlo de la Corte del glotón Carlos V, silenciar su engreída memoria, liquidar su altanera soberbia era la finalidad de la condena. Privilegiado y mimado desde la infancia, educado exquisitamente para mandar y dirigir alguno de los pueblos desperdigados por la intrincada Península que, sin creérselo, se estaba convirtiendo en Imperio, había torcido las intenciones de sus progenitores que al final y por puro milagro lograron salvar el noble cuello de su hijo del justiciero cadalso real. Jamás, en este sentido, el Duque hizo alusión a tal proceso en ninguna conversación mantenida con el Gobernador Rejón, ni siquiera en los momentos de mayor euforia, cuando el vino siciliano y de la Alta Rioja trasegado en demasía hubiera trasladado su color a los pómulos y al barbudo rostro del desterrado, el motivo de cuyo castigo dormía bajo el mutismo y el misterio o rumiado por las calenturientas imaginaciones de los funcionarios y allegados al Gobernador. Su defensa, estéril de antemano, se vino abajo ante la intransigencia ciclópea de los jueces y consejeros reales. El destierro era la solución más pertinente: una jaula de oro alejada de la Península, pero distante también de la nueva Tierra Firme descubierta por Cristóbal Colón más allá de los mares, donde las posibilidades de resurrección del díscolo y aún joven Duque quedaban anuladas de por vida, donde no obstante su condena —públicamente conocida— fuera respetada su pureza de sangre y su estirpe de alta cuna. Había salvado la vida, pero arruinado su situación. Sólo Hernando Rubio, el Pálido, estuvo siempre en el secreto del proceso. "A la muerte debían de haberlo mandado, en lugar de a la mierda", fue la obscena contestación que el Gobernador Juan Rejón obtuvo asombrado a su curiosidad cuando preguntó al Inquisidor por el motivo de la condena del Duque.

Allí estaba entonces el Duque Negro, sobre el castillo de popa en la madrugada celeste de su llegada, de negro perfecto de arriba a abajo su vestimenta, una displicente y entrecana seriedad emanando desde el fondo de su enigmático ser, sumergido en la rigidez de los gestos cuidados para el distanciamiento de los extraños y el distante desprecio de una mirada penetrante y fría, traductora de invisibles y recónditas realidades.

—¿Quién es? —preguntó Rejón al Inquisidor, vivamente interesado por la prestancia del recién llegado viajero.

—El Duque Negro —contesta Hernando Rubio, amparándose en una respuesta ambigua que le confería el propio ejercicio de su autoridad. Ni siquiera Rejón pudo conocer el nombre verdadero y los apellidos del noble desterrado.

Una capa castellana, tejida con lujo cortesano, resguarda al Duque Negro de los rigores del mar y atrae hacia la elegancia de su alargada figura las miradas de la muchedumbre harapienta, reunida en el embarcadero de Salbago como cada vez que alcanza la costa insular alguna carabela de la Península o del Nuevo Mundo.

—Parece un señor... —comenta Rejón.

—Lo es, Gobernador —contesta lacónico Hernando Rubio—. También viene vuestra esposa, señor —añade dando un tono de ironía el Inquisidor—. Ahora las cosas cambiarán. Tendrán que ser hechas con más discreción por Vuestra Excelencia —remata el Pálido pensando en la esclava Zulima.

Otras leyendas volanderas, adobadas con increíbles ribetes míticos, fueron poco a poco alcanzando las costas de Salbago, conforme se vio que el castigo del Duque lo era de por vida y que la Corte tenía a la isla por un infierno de mercaderes y perdidos. Manjares más fluidos y licenciosos se escondían en las habladurías y maledicencias: un borrascoso escándalo pederasta se ocultaba bajo el pulido manto de los motivos políticos del destierro, bajo aquella oscura seriedad indescifrable pero manifiestamente hostil y distanciadora, bajo los caballerosos, elegantes, orgullosos gestos —cejas casi siempre enarcadas evidenciando desprecio mal contenido, la cabeza ligeramente extendida hacia atrás, las manos por fuera de la capa y sobre el pecho, extendidas, como guardando con extremado celo su secreto insondable— de gentilhombre arrancado de sus privilegios de casta y de su ambiente superior. Se había hecho inmediatamente a la soledad que le deparaba el lugar y llegó a vencer sin mucha resistencia una claustrofobia primeriza que embargaba su alma en las noches serenas y silenciosas de la isla a la que, por la razón oculta que fuera, lo habían condenado. Jamás perdió la calma, como si una férrea censura interna manejara también en silencio los hilos del rencor que, sin duda, crecía sin parar en su pecho. Tampoco sus palabras denotaron nunca resignación por la larga condena. Rodeado de honores nuevos, que él mismo, el Duque Negro, había reinstaurado en su personal ambiente, su rostro se tornaba cárdeno de indignación cuando la falta de respeto de sus sirvientes o de cualquier otro ser anónimo de Salbago por su ser se hacía demasiado evidente. Lacónico, por lo general, en su conversación, casi inmóvil en sus convicciones sobre todas las cosas de la tierra, cada vez que Rejón relataba anécdotas de las hazañas de los nuevos descubrimientos y las conquistas que se iniciaban tras ellos, el Duque enarcaba característica y escépticamente sus pobladas cejas negras, carraspeaba un segundo y comentaba, alejado de las elementales ambiciones de la época: "Torres más altas han caído, Gobernador. Ya habéis visto el infame final del Almirante. Conformaos con vuestra suerte, que no es poca". Nunca la más ligera insinuación a la rebelión. Jamás el apoyo a las quejas que Rejón, a veces y sin poderlo ya remediar, le confesaba acuciado por un pretendido sentimiento de complicidad. Su mansión era un palacete de dos plantas, cercado de habitaciones y con un formidable patio central en el que florecía la más exuberante muestra de la botánica insular. Como una extraña obsesión, desde el momento de su llegada buscó, ayudado por su natural disimulo, hacerse con uno de los descendientes de la matanza de los perros verdes, tribu canina que había sido mimada por Juan Rejón y su interminable caterva de funcionarios privilegiados. Un bellísimo ejemplar llegó a sus manos gracias a las artes para todo de la hechicera María Salomé. Y el perro se paseaba ahora, con ampulosa majestuosidad, a través de los largos corredores sin final de la mansión del Duque, como un guardián del pasado del desterrado. Llamaba al perro Karl, mientras lo acariciaba con especial delectación cuando paseaban juntos a través de los corredores de piedra de la casa ducal que él mismo había ido convirtiendo en museo, llenando sus paredes de cuadros valiosísimos que se hacía traer de la Península, poblando de enmarcados documentos que cantaban su historia, su sangre y su gloria familiar los rincones y arcas de caoba. Platos de plata repujada, vasijas helénicas, esculturas sin sentido para la civilización guerrera de Juan Rejón, llenaron aquella casa de planta andaluza de ecos y misterios que se desparramaban con desusada educación entre los muebles perfectos hasta metamorfosear la mansión del Duque en un lugar fuera del tiempo insular que le habían ordenado vivir.

"Parece un hombre de otro tiempo, Hernando", comenta el Gobernador ante el mutismo del Pálido. "Al menos así se comporta. Como si no tuviera nada que ver con todo esto."

Hernando Rubio, convertido en Gran Maestre de la Inquisición en la trastienda de la isla de Salbago, silenció en los polvorientos archivos que estaban bajo su personal custodia los protocolos y los expedientes del proceso del Duque. Mientras tanto, el desterrado, de la cabeza a los pies enfundado siempre en la impecable sotana negra que disimulaba a la perfección las sedosas toallitas que envolvían su cuerpo enfermo de una pertinaz hiperhidrosis, los puños y el cuello plisado de la camisa blanca asomando por entre la negra espesura del tejido, la barba entrecana y arreglada a toda hora para el momento de su regreso a la civilización, paseaba en silencio por las arenas empalagosas de las playas de Salbago en los atardeceres perennemente primaverales.

La curiosidad, que rondaba desde el principio a Juan Rejón, pudo finalmente con él y la invitación que cursó al Duque para que asistiera a su casa no se hizo esperar mucho. Ya era lejano el día en el que el Duque Negro, orlado con todo su atavío de fiesta, como si no estuviera viviendo un destierro en una tierra de nuevo poblamiento, como si no fuera un irrefutable desprecio vestirse con maneras cortesanas entre aquellas gentes aventureras y toscas que se movían sin rumbo fijo por las calles de Salbago —igual que un ejército de desheredados esperando su redención final—, subió despaciosamente, desgranando elegancia y dignidad, resabiando nobleza vieja en cada paso, cada uno de los escalones de la casa del Gobernador, atravesó los patios multicolores conducido por la favorita de Rejón —la esclava Zulima (sobre cuyas maravillas físicas ni siquiera puso la más mínima mirada de lascivia)—, y llegó a presencia del Adelantado y su esposa, la reticente María Isabel, una mujer chupada de espíritu, de pésima gracia, adornada por Dios Todopoderoso con muy pocos incentivos corporales.

La amistad creció así —sin que a Simón Luz ni a ninguno de los funcionarios de Rejón alcanzara el celo o la envidia tan común entre ellos—, a través de hilos inextricables, atados por nudos de un interés que jamás ninguno de los dos —el Gobernador y el Duque— había desenhebrado en sus mientes. Porque al Duque le gustaba en el fondo aquel coqueteo culto con el palurdo sin paliativos que mandaba sobre la isla desde los tiempos del descubrimiento. Le divertía incluso enseñar cualquier juego de sociedad al patán de Juan Rejón, que había llegado a la categoría de Gobernador después de sojuzgar un territorio de nadie, cuyos únicos habitantes habían sido unos extraños perros verdes de los que había oído hablar, entre leyendas y murmuraciones, a los marineros de los puertos andaluces en los momentos de su salida para el destierro. A Juan Rejón, por su parte, le fascinaban las maneras del Duque, el lenguaje casi siempre crítico y filosófico que el noble empleaba en cualquier intrascendente conversación, el juego jeroglífico al que condenaba siempre en su presencia a los funcionarios de su élite, mediocrones que bizqueaban mentalmente a cada rato. Por eso, exactamente por eso, le gustaba poner en su propia boca algunos de los malabares trucos lingüísticos que el Duque Negro se empeñaba en lanzar como sentencias definitivas, engolando una voz educada para ordenar en la Corte española y no para ser desterrada al infierno de una isla de paso. Por eso se esforzaba Juan Rejón en seguir las enseñanzas gratuitas del Duque, como si detrás de ellas se escondiera un alfabeto secreto, un segundo sentido de las cosas, una dimensión distinta de los objetos, los conceptos y sus relaciones, sólo dado en su exégesis profunda a un pequeño clan de iniciados.

"Interlocutor válido", repite por enésima vez el Gobernador, sus ojos fijos en el tablero de ajedrez, la memoria revoloteando entre episodios del pasado, troceados por el trasiego de las secuencias repentinas que vienen hasta él.

—Sí, Gobernador. Alguien como usted, por ejemplo, con quien una persona de mis gustos pueda sentirse a cubierto y no tener la sensación de estar perdiendo el tiempo. En cuya presencia las confidencias puedan incluso volverse puro monólogo. Confesión de igual a igual. Intercambio de urbanidad, se llama eso, Gobernador...

—Entiendo, señor Duque, entiendo —concede Rejón, reconciliado consigo mismo, elevado a las alturas de otra clase a la que siempre quiso pertenecer.

En realidad estaba muy lejos de haber entendido. Su respuesta había sido acompañada con un gesto imitativo del Duque Negro: una mano, preferentemente la derecha, se levanta a medias y se pierde en el espacio dibujando en el aire imperceptibles huellas de ondas que se borran de inmediato, mientras los ojos se vuelven al instante a otro lado mostrando la atención sobre objetos que nada tienen que ver con la conversación. Esta vez, por ejemplo, sobre el tablero donde el alfil amenazante mantiene en guardia a los bastardos peones que lo rodean sin atreverse a lanzarse al ataque, un jabalí enfurecido y rodeado de agresivos mastines que ladran sobre él.

Es el Gobernador ahora, con cierta tímida reticencia, quien juega adelantando un peón de infantería para cubrir de ese modo la entrada avasalladora del solitario alfil del Duque. Al menos para inmovilizar siquiera por ese lado su ataque. Aunque sea momentáneamente. Después se reclina en el sillón, satisfecho del movimiento de su pieza, seguro de sí mismo. "Mayores torres han caído", se comenta silenciosamente remedando la frase del Duque. Al percatarse entonces de que las copas han vuelto a vaciarse, chasquea suavemente los dedos, otro de los deleitosos gestos que había tomado prestado de su ahora interlocutor válido. Zulima sale de las sombras de aquella esquina del salón en la que ha permanecido silenciosa e incluso oculta. Atraviesa con lentitud, con sumisión o trabajo, la enorme estancia alfombrada, arrastrando en su esfuerzo físico el orgullo de haber sido y el dolor de ya no ser. Vuelve despaciosamente a llenar las copas de los jugadores con el excelente caldo siciliano que los mercaderes malteses que se acercan a la isla le hacen llegar a Rejón como regalo, siempre que —a cambio— el Gobernador no se inmiscuya para nada en sus cambalaches, en sus negocios, en sus ajustes de cuentas. "¡Cuánto me gustan estas excursiones!", se dice Rejón regocijado.

Los dos perros verdes que acompañan ahora al Gobernador, como un recuerdo de su hazaña ya perdida en los tiempos del descubrimiento de Salbago y el posterior poblamiento de la isla, como una memoria selectiva de su propia existencia de bucanero, se mueven libres y a la vez gravosos, se estiran y se recuestan perezosos sobre las mullidas alfombras de la estancia. Zulima, la ya vieja Zulima, se vuelve a su silencioso rincón arrastrando los pies desnudos y encallecidos. Ya es una simple sirvienta. Una esclava, al fin y al cabo. Una esclava sobre la que la ruina polvorienta del tiempo y las historias y las leyendas que de sus pasadas épocas de juventud y esplendor circulan por las calles y los garitos de Salbago han hecho una mella atroz. Ni como resquicio ni como recuerdo, sin embargo. Nada queda ya de aquella legendaria figura alárabe, estilizada, ligeramente negroide, que despertó en el Salbago de los primeros poblamientos un grado de lascivia tal que no volvería a repetirse en siglos. Trifulcas y disputas callejeras, sonrojos, duelos, locuras de todo género, desenfrenos y torpezas fueron cometidas a cargo de Zulima por los funcionarios a los que Juan Rejón, ahíto entonces de gloria, había concedido los privilegios del mando y la administración. Ella, Zulima, había sido durante mucho tiempo la primera atracción, el primer espectáculo, la primera bailarina de *El seis de copas*, una inextinguible casa de diversiones que la paciencia, el quehacer, la astucia y la profesionalidad a prueba de todo de María Salomé había enclavado al lado derecho de la pequeña plaza a cuyo espacio abierto daban la fachada principal de la ermita de San Antonio Abad (donde orase el Almirante, de paso para la Tierra Firme del nuevo continente, episodio que daría en polémica en los siglos posteriores) y una de las fachadas laterales del palacete de Juan Rejón.

El día sin fecha en el almanaque cristiano que María Salomé decidió desembarcar en la isla de Salbago sabía a ciencia cierta lo que venía a hacer a aquellas tierras de desconcierto, de envidias y de inseguridades. A carta cabal estaba dispuesta a quedarse para siempre con aquella ciudad incipiente, dominarla desde el desenfreno de sus pasiones, hipnotizarla con la habilidad de sus insinuaciones e influencias. Ciertas instancias, que jamás llegaron a ser conocidas del todo por el público, la habían previamente informado de las acuciantes y ardorosas necesidades de los muchos habitantes de paso, los provisionales, y de la viciosa insaciabilidad de los tenaces funcionarios que el Adelantado de juguete había sembrado, como una casta invencible, desde el Real hasta los confines del Malpaís. Por eso, en su viaje hasta la isla, como si fuera de paso hacia el Nuevo Mundo, declaró al funcionario de puertos que ella estaría allí poco tiempo. "El indispensable para descansar un poco y retomar otro barco hasta el Nuevo Mundo", dijo. Y lo dijo con una sonrisa convincente que el funcionario anónimo no había visto en años sobre un rostro femenino, a pesar de la edad que María Salomé denunciaba. Vino acompañada, además, por otras seis mujeres, mucho más jóvenes que ella y que resultaron a la postre perfectas conocedoras de un oficio que precisamente por ser el más viejo del mundo —en edad, saber y gobierno— se había convertido también en el más difícil, dadas las dosis de imaginación, cultivo, especialización y refinamiento que debía de añadirse a su simple puesta en práctica. Ellas eran, lo llevaban escrito en sus carnes alegres, prietas y lozanas, las primeras matadoras del hambre, del tedio y de la soledad que había crecido por doquier como una costra aceitosa y recalcitrante en la piel de los aventureros de Salbago. Aquéllos a quienes la incomprensión de sus mujeres de tierra adentro peninsular abandonó por una mala interpretación de la realidad del siglo ya en sus finales o aquellos otros que, aunque presentes en la isla sus respectivas mujeres legales y legítimas, se abotagaban en el pasmo del aburrimiento que la misma isla producía sin cesar. Salomé impuso desde el principio las reglas de todos sus juegos prohibidos, ejerció de matrona ideal en la urgente recuperación del tiempo perdido, puso al alcance de todos la posibilidad de exacerbar y luego desfogar por completo sus pasiones escondidas, ya fuera encendiendo la codicia en los ojos de los apostadores de las peleas de gallos (animales perfectos que había previsoramente comprado en los mercados especializados de Andalucía), ya despertando la fiebre por los juegos más atrevidos de la época. Las apuestas corrieron por todo Salbago. Ruinas y riqueza pasaron de mano a mano, noche a noche. Tarde a tarde —y noche a noche—, los escandalosos espectáculos se sucedían en *El seis de copas*, renovándose constantemente. Salbago era una fiesta y el lenocinio su profeta. Ella misma, consumada y madura meretriz, había sufrido una metamorfosis con el abuso continuado de su cuerpo: en lugar de ajarse por los estragos del sexo, se rejuvenecía de manera extraordinaria, como si algún pacto secreto con los demonios le hubiera devuelto toda su vital fogosidad.

—Será el cambio de clima, Inquisidor —respondió el Adelantado a las insinuaciones de Hernando Rubio—. Ya sabes que en esta tierra de mierda pasan cosas extrañas y maravillosas. Mientras unos se joden por no joder, otros se revitalizan jodiendo.

—Pero el escándalo es mayúsculo, señor, y las quejas de la gente decente van en aumento...

—Manda cojones —atiza airado ahora Juan Rejón—. Antes, la gente esa que dices tú, Pálido —llamarlo así era recordarle un poco su pasado casi inmediato—, se quejaba de abusos y violaciones todos los días. Que si la tropa no tenía remedio, que había que buscar una solución definitiva, que el caso es que secuestran y violan a las señoras decentes. Ahora, carajo —el Gobernador bostezó para continuar—, ahora resulta que se quejan del escándalo. Lo que pasa es que en este país, Pálido, no sólo se jode poco, sino que siempre jodemos los mismos. Ve y diles de una vez que el Gobernador Rejón ha decidido que las putas son necesarias en la isla. Y a los que se quejaban antes, recuérdales que ellos también son tropa.

Todos los que, en la misma isla o en los tiempos anteriores fuera de ella, habían sido iniciados en el arte del puterío —de obra, de lectura o de simple pensamiento— y del erotismo cuerpo a cuerpo prefirieron por una larga temporada la desnuda compañía horizontal de María Salomé. Sus trucos (siempre los más imprevisibles), sus números (siempre los más renovados), los movimientos y los placeres que sorpresivamente utilizaba con la clientela la habían convertido, muy a su pesar, en un mito necesario y de difícil superación. Se llegó incluso a afirmar que, en plena finta amorosa, mutaba a sus amantes en monos y puercos y que éstos, lejos de molestarse por el juego mágico de la puta, por sus vaivenes y quejidos voluptuosos, mostraban una descomunal alegría gritando como titíes de feria o bufando escatológicamente como cerdos en celo. En el fondo, ya no eran otra cosa en manos de María Salomé que lo que la bruja puta deseaba de ellos, a través de artes que sólo el demonio podía haberle donado a cambio de su alma y de inocular la perdición en la de los viciosos, según los dicterios del inquisidor Hernando Rubio, que nunca fueron tenidos en cuenta porque María Salomé había llegado a ser ya una razón de Estado.

"Luego hace el amor con todos ellos juntos, Gobernador, revolcándose en camas llenas de sedas orientales y cojines de tela negra, de exquisitos ropajes, de manjares y licores que los pierden para siempre. Si esto no es brujería, que baje Dios y lo vea, señor", delataba el Inquisidor.

Una vaga memoria de ese mismo deseo, como si todo hubiera sido vivido en un sueño de placer, guardaban en su interior los protagonistas directos de estas gestas amorosas que, por otro lado, no podían nunca terminar de explicarse aquella repentina mutación zoológica que sufrían en manos de la gran puta Salomé. En efecto, se avergonzaban de haber retozado en grupo, como simples animales, pero el recuerdo del placer los movía a repetir la experiencia durante muchas tardes y noches de orgía. Tardes de infinita diversión, de misterio insondable, de suerte tal vez, de azar maldito, se sucedían llenas de obsesión en la taberna y en las habitaciones (convertidas en bosques frondosos por la magia putañera de la bruja), en los patios y en todos los rincones del extraordinario lupanar de María Salomé, *El seis de copas*, la más reputada (y nunca mejor traída la redundancia) casa de putas y gallos de toda la mar Océana en los tiempos posteriores al poblamiento de Salbago. La fachada del burdel tenía cuatro ventanas (dos inferiores y dos superiores) y dos puertas (de donde el nombre de *El seis de copas*, que en nada hacía suponer, en principio, su uso interno) por donde penetraba, tarde tras tarde, la insaciable multitud de salbagueños. Inmediatamente después se alcanzaba el patio de arena, donde se centraba el palenque de los gallos. Y, después, los asientos, tablas sostenidas por piedras rectangulares clavadas en la tierra del patio y que servían de gradas a los apostadores y a los comparsas de la juerga. A todo lo largo y lo ancho del patio, a cubierto del viento y la lluvia, estaba la cantina inmensa del tugurio llamado *El seis de copas*: uno podía recorrer de este modo cada esquina del patio y siempre encontrar quien sirviera un vaso, fuera del vino más fino de Andalucía, fuera algún desconocido alcohol o aguardiante cuyo origen se perdía en los galpones más silenciosos de una historia sin fechar.

Fue precisamente por las repetidas quejas del Inquisidor que el Gobernador Réjon se acercó a aquel campamento de lujuria desbordada, picado en su amor propio y acicateado su propio deseo por una insana curiosidad que el inquisidor había plantado en su alma sin procurarlo. Por eso, en una tarde vaporosa en la que se ahogaba de tedio, en la que los rechiflos de las guacamayas no calmaban el dolor del contumaz aburrimiento, como de incógnito, se coló hasta el patio abierto de *El seis de copas*, donde María Salomé lo recibió sin ninguna sorpresa y con todos los honores debidos a su autoridad. Lo había reconocido en primera instancia y se congratulaba de poder tenerlo desde entonces entre sus más ilustres clientes.

"Lo estaba esperando, Gobernador", le dijo risueña.

Por toda respuesta, Rejón la miró de arriba a abajo, detenida y torvamente. Después, reposado y sereno, le anunció con voz ronca que quería ver las habitaciones de arriba. Era el momento subido de la orgía. Los cuerpos, liberados de la cotidiana ley de gravedad, se envolvían unos a otros mordisqueándose, olisqueándose, tocándose las lenguas con las lenguas y los miembros con los miembros y las lenguas. Las mujeres, como si el que observaba desde las puertas que se iban abriendo a su autoridad fuera un simple cliente que venía a añadirse a la tenida iniciada, ordeñaban con avidez consumada los inflados falos de los ocasionales amantes, de cuyas gargantas salían incesantes sones de flautas y arpas como si estuvieran componiendo una melodía erótica. Rejón reconoció fácilmente a todos aquellos músicos, pero los funcionarios (que parecían funcionar aquí, en las intrincaderas más solaces de *El seis de copas*, con mucha más alegría y habilidad que en sus ocupaciones habituales de mando) no tuvieron para nada en cuenta su presencia. Allí, silbando y cantando, con el colgajo de la entrepierna sometido a placentera fricción, estaban echados los unos sobre los otros, desnudos y sin pudicia alguna, la inmensa mayoría de sus funcionarios más altos, la élite social de Salbago, todos sus paniaguados, la cohorte enorme de sus amigos, entenados y correligionarios, todos los que habían tomado partido por él y contra Pedro de Algaba, el rebelde, en aquella desgraciada revuelta que tantas noches lo había privado del merecido sueño reparador. Mientras tanto, Maruca Salomé espiaba en silencio los gestos cambiantes del Gobernador, sus resortes instintivos más ocultos, quieto Rejón en las puertas de entrada a los infiernos creadores, las manos a la espalda, entrechocando sus dedos nerviosamente y entre ellos, como jugando, una piedra olivina, verdosa, que lo acompañaba siempre en sus acciones de campaña y le servía sin duda de amuleto.

"¡Carajo! ¡Qué polverío!", no pudo por menos de exclamar Juan Rejón ante el soberbio espectáculo.

María Salomé comprendió, entonces, que lo había ganado definitivamente para su lujuriosa causa; que el Gobernador era, en efecto, uno de los suyos: un putañero como cualquier otro gobernador.

"Esto no es lo mejor, señor Gobernador", le susurró zalamera la gran puta a los oídos.

Halagado, ruborizado por momentos, deslumbrado después y finalmente subyugado, Juan Rejón recorrió cada uno de los rincones de aquel cuchitril de placeres levantado por María

Salomé, descubriendo en ellos el encuentro visceral con su tiempo perdido. Sin ser reconocido por la chillona multitud (quizá transformado físicamente en otro por la magia de María Salomé), Rejón, aparentando solemnidad y distancia, avanza sin embargo entusiasmado por entre los callejones que separan una fila de gradas de la otra, hunde los tacones de sus botas en el légamo del pavimento, escucha entre gritos de una muchedumbre enfervorizada (que jamás pensó se elevara a tan gran número) los rugidos de apoyo a los gallos de pelea. Se rinde, mientras camina, a la insolencia de los apostadores profesionales, oye con desganada atención las letrillas de las canciones que las putas interpretan intercalándolas, como parte de un mismo e interminable espectáculo, entre pelea y pelea de gallos, observa con detenimiento los últimos ejercicios y los trucos que los cuidadores imprimen en sus pupilos minutos antes de la lucha a muerte, conoce la voz importada del presentador inglés llamado Lord Gerald que expone, antes de comenzar la pelea, las características de los pugilistas, se inflama de jolgorio colectivo como un parroquiano más, sin perder nunca sus hábitos de falsa solemnidad y su vergüenza, llevado de la mano por la hipnótica suavidad de la gran puta María Salomé, que lo conduce a través de los diferentes campos fastuosos de su castillo encantado, a través de los círculos infernales de los dados y los naipes, de las maldiciones y los juramentos, las blasfemias, un infierno maravilloso y rastrero de donde jamás regresaría sino fuera porque afuera lo reclama la pesada carga de su cargo.

Lord Gerald, por su parte, se esfuerza en hacer guardar ese silencio denso que precede obligatoriamente y forma parte a la vez del ritual de la pelea de gallos, momentos antes de iniciarse. Se ha terminado de cantar un entreacto picante y la pasión sobrevuela de nuevo el palenque. La pelea volverá a empezar y con ella el vicio desbordante de la apuesta. Los cuidadores engrifan las plumas de los gallos, los acarician, los miman y les arriman al oído sus voces de arúspices secretos y, de repente, los pellizcan arrancándoles algunas plumillas y ensanchándoles la piel del buche. En el mismo rito del torneo de la supervivencia, los animales, bellísimos, aceptan el juego de la muerte como una profesión, como un destino para el que han sido cuidadosamente criados, engordados, entrenados con sumo deleite. Lord Gerald, ese inglés maricón que tiraniza la voz y el silencio de la multitud apasionada, hace brillar de nuevo sus ojos, como siempre que está a punto de dar la fatídica orden de empezar la batalla sin cuartel. Ya está dando las señales a los cuidadores para que desenfunden las caperuzas de cuero que cubren los ojos de los contendientes, que ahora (como si se reconocieran) se miran frente a frente (como si quisieran comunicarse, hablarse, *morituri te salutant*) y, sueltos en la misma raya de salida, sin protestar, embisten con todas las fuerzas de su ambición de triunfo, se abalanzan envalentonados el uno contra el otro, abrumados por las voces de ánimo de la multitud, se traban haciendo saltar por los aires la arena. Son dos gladiadores de raza que saben que sus vidas penden del exclusivo hilo de su arrojo y, en última instancia, de un golpe de suerte. Se ensartan lanzándose puñaladas, agachan la cabeza para amagar el golpe quizá mortal del contrario, aprovechan las décimas de segundo del desconcierto mutuo, fintan, driblan el zarpazo que se pierde estéril en el aire. Brillan las plumas del giro, ahora que se revuelve huyendo del ataque del retinto. Se desliza éste por la arena sin dar tregua al enemigo, riza la golilla ensoberbecido. Las fuerzas siguen equilibradas hasta que el cansancio puede con el giro y los contendientes oyen al unísono el estertor rabioso del público que empieza a tomar partido por uno de ellos, esta vez por el retinto que no ceja en su ataque, como un rayo incesante, mientras el giro huye, tomándose una tregua esconde la cabeza del apetito agresivo del retinto, *morituri te salutant* en los siglos que dura la pelea de minutos. Jalean también los amarradores, una pelea no está nunca ganada hasta que el enemigo dobla el cuello, un sablazo de suerte, un brusco movimiento del espolón puede al final dar al traste con las ilusiones de quien, antes de tiempo, se siente vencedor sobre la arena. Lo que, en principio, fuera una polvareda de arena levantada por la fuerza de los peleadores y por el incontenible impulso de su agresividad se va convirtiendo, sobre el campo de batalla, en un amasijo informe de sangre, plumas y tierra revuelta. La estocada mortal se produce en el momento más incierto, cuando el público ya ha aceptado erróneamente la derrota del giro. Ahora. El animal da vueltas y vueltas al palenque, juega su estrategia a una sola carta. Despreciado por la multitud se sabe ya artífice de su propia supervivencia y busca la victoria cansando astutamente a un enemigo que ha demostrado su mayor envergadura. Lo embauca, lo tiene engañado, pero nadie lo sabe. Ahora: la navaja queda clavada profundamente por un instante en la cabeza del retinto. La sangre es el preludio de la muerte y el giro, excitado, vuelve a clavar, esta vez hasta la bola, su espolón triunfante. Chorrea la muerte enrojecida el perdedor, el cuerpo sobre la arena, las patas ya sin fuerza moviéndose como instinto de defensa contra un enemigo que se ensaña con el moribundo hasta verlo boquear la vida, hasta deshacerlo entre los bestiales rugidos de los espectadores, excandecido aún el animal vencedor, trotando ahora orgulloso, vibrando su cuerpo brillante, sus ojos llenos ya de la experiencia de los ganadores.

Rejón tiembla de emoción. Trata de disimular su entusiasmo cuando ve que María Salomé lo mira de reojo, sin perder la sonrisa.

"Y, sin embargo, Gobernador, esto no es lo mejor del espectáculo", canta María Salomé a la oreja ya convencida del Adelantado. Rejón carraspea. Asiente entregado. Ahora retiran los gallos gladiadores y vuelven las canciones a calmar los excitados ánimos del público. Ahí está de nuevo él, Otelo y su guitarra española derrotando al silencio. La memoria no le falla al Gobernador cuando ve y oye al portugués desgranando sus notas. "Parece que el tiempo no pasa por él. Este también está embrujado", murmura el conquistador de Salbago. Y Otelo, desde un oscuro rincón de la cantina lanza al aire del atardecer isleño, como un reto, aquella canción de amor desesperado que en otro tiempo pasado fuera himno fundamental de los levantiscos en horas bajas: *Cuando canta el gallo negro / es que se ha*

89

acabado el día, / cuando canta el gallo negro / es que se ha aca-
bado el día, / si cantara el gallo rojo / otro gallo cantaría. / Ay, si
es que yo miento, / la canción que yo canto / la lleve el viento. /
Ay, qué desencanto, / si se llevara el viento / mi propio canto...".

Juan Rejón está ahora pendiente de la letra de la canción del
portugués, hace caso omiso de los constantes agasajos y arrumacos de María Salomé. Algún recuerdo lejano en el tiempo,
pero que lo acompaña como una sombra pegajosa, se le clava en
el pecho como un espolón de gallo, como un rejón de castigo
que le remueve su alma olvidadiza. La canción se alarga en la
guitarra de Otelo, se desgarra y esconde en mil claves de com-
portamientos antiguos que Juan Rejón trata de descifrar a
través de su repentino nerviosismo.

"Se encontraron en la arena / los dos gallos frente a frente. /
El gallo negro era grande, pero el rojo era valiente. / Se miraron
cara a cara / y atacó el negro primero. / El gallo rojo es valiente,
/ pero el negro es traicionero. / Ay, si es que yo miento, / la can-
ción que yo canto / la lleve el viento. / Ay, qué desencanto, / si se
llevara el viento / mi propio canto".

Algaba tal vez en el recuerdo repentino de Rejón al oír al
portugués cantando, o simple suspicacia, o remordimientos de
conciencia que nada tienen que ver con la letra de la canción.
Algaba casi presente en cada uno de los actos, en cada uno de
los acontecimientos que se originaron desde la fundación de
Salbago, creciéndose ahora la figura del rebelde ahorcado mientras Rejón se aleja del palenque como si así ahuyentara sus fantasmas persecutorios. Al final, el estribillo como una advertencia sonando fuera del tiempo, como una maldita premonición,
coreado por los asistentes: *"Gallo negro, gallo negro, / gallo ne-*
gro, te lo advierto, / no se rinde un gallo rojo / más que cuando
ya está muerto"..., y todo el cuerpo de Juan Rejón sumido en
un desagradable y ácido escalofrío que le enturbia la vista, la
memoria, paraliza sus elementales movimientos y la rabia contenida le ataca directamente al corazón, a las vísceras, al cerebro, provocándole asfixia, una disnea que lo angustia y lo persi-
gue insistentemente.

Casi en la oscuridad total que entra poco a poco desde el atardecer que desciende sobre Salbago, es la hora del sublime espectáculo final. El silencio, como un organismo vivo y respetado, se hace presente de nuevo en el recinto de *El seis de copas*. Más serenos, los espectadores regresan a las gradas cuando el alcohol comienza a subirse lentamente hasta sus cabezas. Incluso los funcionarios que antes se afanaban por salirse del mundo en las habitaciones superiores del burdel toman su asiento respetado y reservado en las primeras filas, interrumpiendo quizás algunos de ellos el ritual del sexo al que han estado entregados toda la tarde. Se encienden los mechones de pez que harán aún más atrayente la figura de la diosa mora sobre la tarima de madera hueca que sirve de escenario central. Ya se alumbra la belleza incandescente, indescifrable, indescriptible, de la joven Zulima y, ante su presencia, los gallos han dejado de existir en la memoria de los insaciables espectadores apostantes. Todo, menos ella, pasa a un segundo lugar, es relegado al silencio todo cuanto se mueve ante ella, ante Zulima, la esclava alárabe que María Salomé había comprado tras la guerra rejonista de las *razzias* africanas de Martín Martel. Ella misma, María Salomé, la ha transformado pacientemente. La ha adornado, instruido con sabiduría en todas las artes cortesanas del erotismo y la danza, en el rito misterioso y sensual del baile. Ha rodeado de rituales su imagen intocable a la chusma. Allí, entre el azulado del cielo y las antorchas de pez encendidas, reina ahora el cuerpo semidesnudo de Zulima, hurtada siempre a la mirada obscena y total de los hombres, excepto a la de aquéllos que, a través de los tiempos, se han enamorado hasta la locura y la desidia de la piel morena de Zulima y no han mostrado ningún inconveniente en abandonarse a su visión, de modo que convertidos en nictálopes sólo viven ya en la oscuridad y sólo cuando contemplan extasiados la figura incólume de la diosa, sin importarles la idea fatal de que, tras ser los elegidos del espectáculo, quedarán cegados para siempre y en su oscura soledad sólo brillará eternamente la imagen serpenteante de Zulima. Es la tremenda venganza de la diosa mora que reina en el burdel más importante de Salbago y de todo el Atlántico: desnudarse hasta deslumbrar los ojos de quienes han esclavizado y exterminado a su noble pueblo bajo el auspicio y el capricho de una historia díscola y arbitraria, fabricada siempre a imagen y semejanza de la turbiedad de sus protagonistas. La visión es siempre la misma: el relato incurable de un exterminio y la desaparición de un pueblo. Entre gasas y sedas celestes que va abandonando libremente sobre la tarima, entre el resonar del eco profundo de tambores que repiten incesantes quejidos al acompañar sus pasos de danza oriental, la belleza agarena de Zulima subyuga con especial hipnotismo, paraliza hasta cegar los ojos de los conquistadores y los aventureros que han plagado de miserias y ambiciones frustradas las calles de Salbago. El baile de los velos es una perfecta traducción de la guerra de las *razzias* y los violentos movimientos de cintura de Zulima, sus salvajes sonidos guturales, los agudos que lanza a los cielos en pleno éxtasis son seguidos con obsesión desbordada por los ojos de los hombres que, también esclavizados, acuden cada tarde a *El seis de copas* para hacerse arder los deseos (que nunca llevarán a cabo) en sus entrañas. Y, finalmente, ahora mismo, Zulima iniciará un baile desorbitado, un feroz atrevimiento ancestral, una provocación obscena y sobrenatural que enloquece por igual a todos los parroquianos asiduos del burdel. El inglés Lord Gerald, con sus modales afectados y su boca pintada de viejo maricón, lo titula *banana show* en su propia lengua. Ahora son más frenéticos sus movimientos circulares. Irradian un magnetismo que sólo es patrimonio sabio de sacerdotisas de religiones que ya perdieron su lugar en el tiempo. Entra en trance Zulima y su cuerpo pulido cobra el color del ébano en su plena sensación de ingravidez. El sudor le recorre el cuerpo dorándoselo, rielando ahora los reflejos de las antorchas sobre una boa que serpentea en el aire, levitando, transformándose ella en esa boa cuya lengua bífida es deseada por los espectadores entregados sumisamente a su adoración. Simultáneamente diosa negra, diosa morena, diosa transparente y abierta de par en par sus piernas al aire, como despojos de su pueblo perdido las gasas reposando sobre la tarima y su cuerpo curvándose y retorciéndose hasta la extenuación, donde la lascivia consigue un punto de elevación incalculable...

En la excitación de un espectáculo tan indescriptible llegó precisamente la noticia a Hernando Rubio, que desde los tiempos del ahorcamiento de Pedro de Algaba se había convertido en temido personaje, de gran influencia en Salbago, muy cercano a las órdenes del Gobernador. No obstante las inmediatas quejas del Inquisidor, a la vista estaba que Juan Rejón no había censurado el espectáculo ni clausurado el burdel. Y ahora, extasiado ante la singular belleza de Zulima, Rejón maquina para sí el privilegio exclusivo de su posesión. Ni siquiera aquéllos que conforman su élite social, su corte particular, sus piojos pegados, sus fieles, sus huéspedes perpetuos, gozarán de aquella visión de ahora en adelante. Es una forma personal de censura la que pondrá en práctica, y en su propio beneficio, el Gobernador. Prohibido, pues, desde ahora que el miserable vulgo pueda rozar con sus miradas la piel sagrada de Zulima. Porque él, Rejón, el Adelantado de Salbago, exclusivamente él tendrá derecho a poseerla, a convertirse en fanático del *banana show*. Nada podrían hacer en adelante su esposa María Isabel, un trasto chusco e inservible, estéril e indeseable. Nada tampoco el Obispo Frías, ni después su sucesor, el saguntino Fernando de Arce. Nada podría hacer ni siquiera la Santa Inquisición por recuperarlo para Dios, por devolverlo a la cordura de su cargo y autoridad, por entronizarlo de nuevo en la moral cristiana. Transtornado por los movimientos de los músculos vaginales de Zulima, apresado en el calor de una cueva sublime, sólo era visible durante el baile la punta endurecida de una banana sin piel que entraba y salía de la vulva de la mora con suma facilidad y al ritmo que ella le imprimiera, hasta que en el último trance la sonámbula dejaba salir completamente al exterior la fruta en el momento exacto de su orgasmo, acompañándose de chillidos de ensoñación que ahora y siempre harían la locura de Juan Rejón. Su juventud esponjosa y firme decapitó para siempre la voluntad del antiguo corsario, lo esclavizó a su olor y al poder absoluto del tacto de su piel absorbente. Una verga deseosa ocuparía ya para siempre el lugar de aquella fruta juguetona que entraba y salía de la vagina de Zulima al ensalmo de su voluntad. Aquel juego de cintura se volvió enloquecedor para el Adelantado. Enturbiado de sombras y claroscuros el atardecer sin nubes de Salbago, Zulima quebró los pensamientos de Rejón e hizo brotar en el Gobernador la vieja herida del deseo olvidado y, como si se hubiera obrado una imposible taumaturgia, rescató el cuerpo de Rejón para nuevas aventuras sobre aquella piel que para siempre le habría de recordar al Gobernador de Salbago la arena cálida y lejana de los desiertos saharianos. Y no era sólo el temblor zigzagueante de la cintura o la escondida escritura que los pies desnudos de la bailarina mora iban grabando sobre la polvorienta tarima de *El seis de copas*, mientras se acrecentaba el hipnotismo de la danza en el público. Eran también los pechos enhiestos como torres de castillos, bailando sueltos por todo el universo libre, como si tuvieran vida propia, independiente del cuerpo y de los pies, al mismo tiempo espolones hirvientes que saltan hasta alcanzar la claridad de la luna que baña todo el cuerpo con su reflejo, dejando entrever en él los más recónditos recovecos, los tejidos rosáceos, las lascivias ocultas, los secretos de todo un cuerpo en tensión mientras la música sube de velocidad y el mareo lúbrico embarga de placentera humedad el escalofrío de los espectadores. En el paroxismo de la danza entrará en juego la banana sagrada que tentará los mojados interiores de la diosa, a expensas de los giros interminables de su cintura y los revuelcos vaginales. Nadie, entonces, sacaría a Rejón de lo que durante mucho tiempo todos consideraban un inmenso error que habría de llevarlo finalmente hasta el mismísimo matadero. La pasión en la que se sumiría sólo tenía una salida: el tiempo cuarteando los sentimientos que en aquel mismo momento parecían invencibles. Ni los eclesiásticos, ni los familiares más cercanos del propio Rejón. Ni los compañeros de armas que lo habían elevado hasta el pedestal donde ahora se encontraba el Adelantado y que no habían hecho con Zulima lo que él por falta de atrevimiento y no por falta de ganas, que de ese tipo de lujurias estaban siempre sobrados los conquistadores. Ni tan siquiera las críticas elementales de sus hombres más cercanos, las que procedían directamente de sus propios funcionarios, advenedizos que formaban su nutrida guardia pretoriana porque todo se lo debían a él, críticas que a veces se filtraban por debajo de los quicios de su propia puerta y empolvaban con su murmullo malévolo todos los rincones, habitaciones, patios, estancias, salones y galerías de su mansión. Ni tampoco las recriminaciones escritas que procedían de la misma Castilla, la lejana y añorada Castilla, que le afeaban su conducta y el público amancebamiento con aquella esclava mora, que llegó a ser la madre de su único hijo. Ni las amenazas e imprecaciones que, si él hubiera sido cualquier otro personaje, hubieran hecho saltar su desvergüenza y lo habrían devuelto al camino verdadero, al camino que tendría que haber seguido desde el principio. Mucho menos el atropellado evangelio o las filípicas lacrimosas que cada mañana le endilgaba la inútil de María Isabel y sus repetidas advertencias de abandono. "En cuanto estés dispuesta", contestaba Rejón, "dímelo. Pondré a tu disposición una carabela para que te devuelva sana y salva a tus lares peninsulares. Yo me quedo aquí para siempre. Es mi tierra hasta que me muera". Y después, regocijado para sí, pensaba: "A enemigo que huye, puente de plata", refrán que enseñaría desde pequeño a su hijo Alvaro. Nada fue, pues, capaz de vencer la resistencia obsesiva de Juan Rejón, angustiado siempre su corazón, enamorado de la bailarina Zulima. Así fue cómo la mora pasó a vivir a la propia casa del Gobernador. Y así fue cómo el espectáculo insólito del *banana show* quedó como prenda exclusiva para los ojos del Gobernador Juan Rejón.

El inquisidor Hernando Rubio rechinaría los dientes. Escribiría sobre el caso informes interminables que jamás se atrevería a enviar a nadie. Sólo eran juegos en los que se entretenía, ordenando las posibilidades de herejía que aquella situación podría originar. Sabía, le constaba además por experiencia propia, que a Rejón nadie le sacaba lo que una vez ya se le había metido entre ceja y ceja. Era un vulgar residuo de su anterior condición de pirata. O se acababa sola la pasión insana del Gobernador o todos los intentos que se hicieran para eliminar la obsesión se volverían contra los instigadores y contra los críticos molestos. "Inquisidor", le había gritado Rejón, "¡lo que me tienen es envidia, carajo! Y ése sí que es un pecado incurable". Por eso Hernando Rubio se limitaba ahora a reconcomerse una conciencia, la suya, a la que Rejón jamás había hecho el mínimo caso. Sólo lo había aprovechado (y ahora, tan a destiempo, se daba cuenta de ello) en los casos en los que le era absolutamente necesario contar con él, con su voluntad y con la autoridad que el propio Rejón le había conferido.

"Al fin y al cabo", le recordaba siempre el Gobernador en un lenguaje irónico, "tú no eres ninguna mosquita muerta ni puedes arrojar la primera piedra contra mí, Inquisidor. Si no te hace falta la compañía de ninguna mujer, es cosa tuya. Eres un viejo onanista, ¿o acaso has olvidado por qué estás cojo? Todo cuanto eres ahora, todos tus honores, tu autoridad, tus pertenencias, el miedo y el respeto que te tienen, incluso tu vida, me lo debes a mí, pendejo olvidadizo, que te libré de la muerte y de ser devorado por los tiburones cuando veníamos hacia Salbago".

Humillado, guardando la ofensa como un secreto, envuelto en papelajos, archivos y expedientes inquisitoriales, la conducta de Juan Rejón era definitivamente una torre inalcanzable para Hernando Rubio, sobre todo podía considerarse una minucia si llegaba a tenerse en cuenta que en la élite de los altos funcionarios de la administración ese tipo de actuaciones era casi el pan de cada día. "Es una cuestión de transferencia colectiva de responsabilidades", se convencía finalmente a sí mismo encogiendo los hombros el Inquisidor.

Rejón vuelve a notar cómo el Duque Negro sigue insistiendo en su ataque, cómo un rápido y acertado movimiento de una de sus torres atenaza repentinamente la defensa que en torno a su dama había iniciado la infantería. El peligro de jaque es inminente. La verdad es que jamás había sido un gran estratega. Ni en el campo de batalla ni ahora en el ajedrez. Lo suyo era la aventura, los mares abiertos, la sorpresa como motivo de supervivencia. Siempre se había dejado llevar por un estado de ánimo que se enfrentaba irreflexivamente a las situaciones más inverosímiles para luego, sacando fuerzas de su propia flaqueza, renacer como el Ave Fénix y volver las circunstancias favorables a su proceder. Total, para lo que le había servido el conocimiento de la ciencia militar a su comandante de campo

Martín Martel no valía la pena abrirse la cabeza (siempre que se acuerda de la muerte de su lugarteniente, la garganta se le arruga al Gobernador, un líquido viscoso corre por sus entrañas y envejecen los gestos de su rostro). Dislocado por el nuevo ataque, mueve un peón como quien quiere ganar tiempo en una batalla que sabe que ha empezado a perder.

—Yo ya soy un viejo que se pudre poco a poco, Duque. Pero me gustaría que su merced escribiera mis memorias. Que mis triunfos y mis sinsabores, que mis alegrías y mis fracasos quedaran archivados para la historia antes de que yo desaparezca y me entierren en esta tierra que me ha despedazado —dijo interrumpiendo el juego.

El tránsfuga secreto le sonríe con simpatía no exenta de cierta displicencia y superioridad. Rejón deja escapar un respiro largo y asmático, de agotamiento, de mala conciencia quizá. El silencio vuelve a aposentarse en la sala central donde juegan el Duque y el Gobernador. El Duque aprovechó la pausa para mirar de soslayo la sombra quejumbrosa y casi chirriante de la esclava Zulima. Ha oído tanto sobre ella que no puede por menos que mostrar curiosidad por su persona. Zulima se escurre lentamente hacia la esquina, al fondo del salón. Allí esperará sentada a que los dos personajes vuelvan a vaciar sus copas. Su cometido se reduce hoy a estar allí, silenciosa, sumisa, alejada de la memoria pasada, sólo pendiente de lo que le apetezca y antoje a su señor Rejón. Toda su leyenda de fabulosa bailarina y hetaira sin rival, que en el pasado se había encaramado a Salbago como las murallas carcomidas de la ciudad por los cerros de los alrededores, queda reducida a esa figura ajada, encorvada, a aquella ameba gangrenosa que trata de ocultar su vejez definitiva entre las faldas de las sombras del atardecer. Se le hace al Duque, empero, que la leyenda es exagerada, que nunca lo que ahora estaba viendo hacía suponer en ningún momento lo que todos dicen que había sido: el asombro de Salbago durante muchos años, hasta que el mismo Gobernador puso los ojos sobre ella y la secuestró para sí. Sus ojos, desde entonces, no vieron otro sol que el que dejaban entrar los patios de la mansión del Adelantado, si excluimos las salidas escasas e insólitas que Zulima hacía al exterior del palacete. Perdida para el mundo, se refocilaba en las camas, bailaba sobre las alfombras, enervaba al hombre, lo acuciaba con su olor y su piel. El rito está ahora reducido a las cenizas opacas del tiempo y a la larguísima tradición que la exageración natural de los putañeros de todos los mares y todas las épocas se habían ido pasando de boca en boca como un secreto a voces. El silencio, mientras, sigue rondando las reflexiones de los dos contendientes. De vez en cuando sólo uno de los perros verdes, magnífico animal que yace a los pies de Rejón resguardándole del fresco y los fantasmas que lo atosigan durante las veladas vespertinas, se mueve para eliminar la molestia de las moscas que se ensañan en una piel que empieza a cuartearse por los muchos años que lleva puesta sobre el cuerpo de Rejón. El Duque Negro rodea el salón con la mirada. Allí, en ese espacioso cuarto, en esa estancia que aspira a ser noble, se encuentra la leyenda de Juan Rejón, Capitán, Gobernador, Adelantado, reducida toda ella al escudo inventado por el propio Rejón. Allí están, en aquellos dos cuarteles la hazaña y sus apellidos, la fantasmal historia del corsario (dos cuarteles en pal; en el siniestro tres picas en sable sobre fondo plata; en el diestro, en sinople, dos perros pasantes e invertidos sobre fondo sable; y la cimera rematando el escudo, con plumas ondulantes de un color muy cercano al oro viejo, el mismo color que poco a poco el tiempo ha ido cincelando sobre la piel ya sin época del Gobernador Rejón).

—Pesada es la cabeza que aguanta la corona —dice el Duque Negro, mientras Rejón lo mira con una pizca de asombro en sus ojos. El Duque sonríe de nuevo, condescendiente, baja al terreno de su contrincante—. Contando con tiempo y salud, Gobernador, a todo podemos llegar —responde a la petición de Rejón.

La respuesta es, de nuevo, un acertijo de mil sentidos, una frase que está para siempre enjaulada en mil interpretaciones. El Gobernador sale de un acertijo para meterse inmediatamente en otro, sin llegar a alcanzar el sentido del anterior. Mientras tanto, la estrategia mortal del Duque Negro, montada sobre el tablero de ajedrez, avanza, lenta, imperceptiblemente, con suma parsimonia sobre la fila de monigotes que son los peones de su contrincante. Sabe el Duque que todo es un juego de niños, dado el estado de descomposición mental del incipiente jugador. Sabe que da con la quebradiza moral de un párvulo cuyo temperamento se ilumina siempre con cualquier espejismo que se le ponga delante de sus ojos...

El comandante Martín Martel, héroe de la conquista y orgullo de los descubrimientos, entró a formar parte de las sombras inmortales en una época en la que Juan Rejón había alcanzado ya la categoría absoluta de monarca sin tiempo. Fue un momento fugaz, apenas entrevisto, en el que chisporrotearon levemente extraños colores al mezclarse en una tarde indeterminada, de esas tan repetidas en la historia de Salbago, cuando una quimérica laxitud perfumaba, hasta aquietarlos, todos los ambientes y el aire entumecido abotargaba con su acalorado manto africano. Enceguecido, los ojos se le estrellaron en imágenes voladoras, en ensueños hormigueantes que lo llevaron de la mano hasta envolverlo en una descarga eléctrica que le arrimaba un placer muy cercano al sexual. Ni siquiera tuvo que correr a un lado las suaves cortinas que lo conducían a la nada, al limbo y al delirio definitivo. Le pareció que aquella humeante oscuridad lo había estado esperando desde siempre, deseándolo con todo ardor, sin perder la ilusión de acogerlo en su seno y chuparle la sangre podrida de sus entrañas. Entró, pues, como un mendigo viejo, como un ser invisible entra por cualquier puerta trasera, sin ceremonial ni trompetas, sin protocolos ni cantos de despedida.

Al fin y al cabo, nunca había sido él un pensador ni jamás perdió su tiempo en torno a dialéctica contemplativa alguna. Su tosquedad no le daba para más. Torvo y reconcentrado, cuando no se estaba de acuerdo con su megalómana estrategia, cuando alguna vez se le reprochaban sus planes inconclusos, escondía un rencor húmedo en los herrumbrientos archivos de su alma guerrera, un sentimiento cismático que había entorpecido la lucidez militar hasta reducirlo a la ruina más vil y al más sórdido desprestigio. En el fondo, sólo había sido durante toda su vida un maestre de campo, un militar de estrechas dimensiones, un simple comandante de tropa que se ensoberbecía demasiado con la victoria y temblaba de odio verdadero al pensar en la derrota, un estratega que se emborrachaba con sus triunfos engordándolos con episodios jamás realizados, un soldado especializado en justificar sus fracasos morales y sus sueños de gloria metamorfoseándolos con el barniz de la mala suerte y el destino maldito. Por eso mismo, jamás se le pudo pedir otra cosa que aplicación e inteligencia en el combate, responsabilidad a la hora de explicar sus propias locuras y puesta en escena de aquella siempre su repetida y esperpéntica egolatría: la gloria perseguida como una mujer virgen a quien era obligado violar lo más profundamente y en el menor tiempo posible. Tampoco nadie pudo conseguir de él más que rudeza a todas horas, rebuznos indescifrables por respuestas, intuición personal a la hora de la reflexión, instinto de propia conservación en lugar de proceso dialéctico en la conversación más elemental. Personificación cabal de la ley de hierro del guerrero castellano, a quien siempre se le esfumaba la lógica gloria de la historia que perseguía, jamás admitió sentirse defraudado por ningún combate y, en su vida privada incluso, rechazaba con rápida contumacia los fallos que los demás querían achacarle: "La envidia los corroe", murmuraba entonces para sí, anidando un ovillo de ira caliente en sus riñones. Ni siquiera la crítica que llegaba de sus superiores, expresada siempre en términos de recriminación amable y cariñosa, fue nunca tenida en cuenta por la terquedad de carácter de Martín Martel: "Se os va a caer el pelo, cabrones", respondía interiormente cada vez que las reclamaciones de Juan Rejón o Bartolomé Larios caían sobre su cabeza de turco, sobre sus cabellos desmadejados por el furor contenido, sobre toda su figura brusca y descuidada. En su interior, como la cólera del griego Aquiles, había ido creciendo descomunalmente un cáncer incurable que le amordazaba las glándulas y empezó a traerle la conciencia de su total inutilidad al frente de aquel ejército de desarrapados y conquistadores de juguete, simples descubridores de islotes sin valor alguno que iban a quedar, para los restos de la historia, como ejemplo de los puntos intermedios de la gran conquista, del gran descubrimiento al que ellos no llegarían ya, pobladores no más de una tierra desagradecida y falsamente endulzada.

Además, desde el día solemne del obligado exterminio de los perros verdes (aunque la brillante idea había sido de Simón Luz, él, Martín Martel, la había llevado a cabo), caía sobre su memoria amedrentada, aterida de silencios, el eco frío y resentido de los ladridos de los canes moribundos, reproduciéndose en su conciencia, enloqueciéndolo, multiplicándole infinitamente un dolor que ensordecía sus sentidos y terminaba por atarlo a un ronco temblor que insensibilizaba todo su cuerpo. Cada animal de aquéllos, cada perro envenenado, cobraba vida nueva en las entrañas de Martín Martel y le revolvía los líquidos hasta la epilepsia, hasta llenar de horror toda su mente. En presencia de algún cachorro superviviente, por ejemplo, el color del rostro del maestre de campo empalidecía hasta la extenuación, adquiriendo la tonalidad de la nieve derritiéndose el sudor que inundaba su cara, y el ronquido rencoroso de aquellos perros que paseaban su supervivencia por los patios, los jardines, los salones y las habitaciones de la mansión de Juan Rejón, le regresaban a la memoria la futilidad absoluta de aquel gesto estúpidamente agresivo que, más tarde y transformado en conquista plena, había de pasar a las cartas de relación histórica que el inquisidor y escribano Hernando Rubio tejía lentamente con su mano de murciélago, hechizado por su propia tarea de buscar, como elemental sibila, en las vísceras de una historia que ellos mismos habían ido creando, hasta construir la exégesis que más conviniera a los descubridores de Salbago. Por eso sabía que él, Martín Martel, en manos de Hernando Rubio era solamente una marioneta de guiñol. Marioneta había sido también su voluntad, usada a la hora de decidir las operaciones militares desde el momento en que el salvaje de Simón Luz empezara a aconsejar a Juan Rejón. Un cero a la izquierda de la conquista, eso es lo que era exactamente: "Todo es una mierda. Todos somos escoria", se consolaba diciéndose en los momentos de depresión neviosa, cuando más apretaban sobre su cuerpo los ladridos de los perros verdes. Por eso empezaba ya a guardar aquella reticencia que lo llevaría hasta la locura, por eso empezó a crecer en su pecho aquel tumor de ira contra los superiores que ordenaban los disparates que luego él se encargaba de llevar a cabo y de grabar en la historia de papel que cuajaba en su rincón de honor Hernando Rubio. El enemigo eran los otros. El infierno también: en primer lugar, Simón Luz, y después Bartolomé Larios, el Obispo Juan de Frías, el Deán Bermúdez, el Inquisidor Hernando Rubio, el traidor Pedro de Algaba, la fechoría de los perros verdes, las *razzias* africanas. E, incluso, su viejo compañero de armas, el ahora Gobernador Juan Rejón. Un catálogo inacabable de infiernos y enemigos que el tiempo iba consolidando y aumentando cada día más y que, como un animal maligno e insaciable, embadurnaba de veneno los pensamientos y las carnes de Martín Martel. Durante las horas de las noches en vela creció el rencor en sus entrañas como otro ser nuevo, ajeno e ingobernable. La noche empezó poco a poco a entenebrecerlo, a vencerlo, a dominarlo, a cincelarle tristezas y oscuridades en su rostro. Su entrega desaforada y alegre (sólo al principio, desde luego) al vino y a los aguardientes fue convirtiéndose, desde los pliegues de una tímida sensación que atosigaba en determinados momentos sus sentidos, en sumisión total, en esclavitud flagrante que distorsionaba sus facciones, bruscas de por sí, sus gestos, sus mismísimas acciones, hasta asemejarse, en pleno plenilunio, a un personaje híbrido, cercano por igual al hombre y al perro. Aunque deformado, un tercio de su ser se mantenía fiel a la especie humana (y ahí se retorcía el rencor, como una serpiente venenosa); otro tercio respondía perfectamente a las características de los desaparecidos perros verdes (un cierto fulgor repentino en los ojos, el sinople sobre su piel de guerrero, el ronquido sordo que entorpecía sus palabras); y, finalmente, un tercio que correspondía al lobo estepario castellano (la soledad y el hambre que se aposentaban en él). Los arrabales de Salbago, los barrios sin ley en los que crecía el desafuero y la locura, los arenales de los alrededores que eran barridos —noche tras noche— por un viento cálido e incansable, los barrios de tolerancia a través de los cuales se extendían los cuchitriles en los que siempre habitaba gente sin nombre y sin esperanza, todo el submundo de miseria y pobreza que se había ido acumulando sobre Salbago hasta formar parte de la propia ciudad, conocieron paulatinamente la huella nocturna de aquella insólita figura solitaria y desheredada que se arrastraba con desespero por los barrizales y las húmedas arenas de las playas como un viejo herido de muerte, un lobo borracho cuyas zarpas llevaban el pálido alacrán de la locura y el pánico hasta los barrios bajos de Salbago. Acuciado por las miasmas de los recuerdos y deslumbrado por su propia derrota humana, buscaba la paz en la soledad, aullando y ladrando como si con ello llevara a cabo el largo proceso mucilaginoso de una merecida expiación. La leyenda del hombrelobo se extendió así, como un reguero de pólvora. Y la voz popular corría enriqueciéndola y endureciendo el mito, recubriéndolo de hazañas que Martín jamás había realizado. "Déjenlo que se pudra", dijo el Gobernador al enterarse, "déjenlo que se pudra en paz. Yo sé quién es ese hombrelobo y también sé que es incapaz ya de hacerle daño a nadie". El hombreperro pululaba, pues, a sus anchas, libremente, buscando una muerte imposible a manos de la soldadesca y la canalla, que jamás habrían de perseguirlo ni tomárselo en serio, o provocando al Inquisidor para que promulgara una orden de captura que desataría la ansiedad de recompensa en la multitud de menesterosos y aventureros. "Es un rebelde sin causa que busca el martirio imposible", estigmatizaba Hernando Rubio. Así en la paz como en la guerra, el destino de Martín Martel resultaría siempre el mismo: el ridículo final, tras la estéril persecución de la gloria. Al contrario que Aquiles, el héroe griego, él no había sido engendrado por un mítico guerrero de noble sangre. Tampoco su madre había sido una diosa de las profundidades marinas que acudiría en su ayuda, a la llamada del rencor cada vez que a su hijo le llorara el alma. Martín Martel era hijo del anonimato de tantos, descendiente de la estepa castellana —como Juan Rejón— y sus sueños se habían curtido en la aventura personal y en la leyenda de otros mundos. Se había echado entonces a la mar con la esperanza en otras tierras en las que ahondar sus raíces, ennoblecer su sangre y divulgar su nombre por las páginas de la más sublime historia conquistadora. Ahora estaba ya en otra tierra, hambriento y solitario, expulsado al final del pedestal solemne de los elegidos. Sus ambiciones y su gloria fenecían a medio camino, entre la derrota y el olvido.

Cuando Juan Rejón, como casi siempre aconsejado por el judío Simón Luz y toda aquella caterva de ignorantes funcionarios y advenedizos que halagaban constantemente la voluntad del Gobernador de Salbago, ordenó a Martín Martel que prendiera fuego a las naves para que ningún hijo de puta desagradecido, de los tantos que nos han acompañado hasta aquí, para que ningún mierda de aquéllos, ¿me escuchas, Martín?, se le ocurra escaparse y dejarnos en la estacada; cuando Juan Rejón le ordenó sin pestañear que les cortara las cabezas, como si se tratara de pescado para un banquete de lujo, a todos los que él mismo, Martín Martel, sospechara reos de algabismo, que lo único que podían albergar en sus mentes era un sentimiento estúpido de independencia y rebeldía, un exacerbado deseo de poder que no les correspondía, que disolvía la disciplina inicial y que superaba cualquier expectativa, Martín Martel volvió a sentir la palidez del mármol sobre su rostro, el frío tenaz del invierno cerrado en el interior de sus huesos. Pero obedeció como si se tratara de un precepto divino que había que cumplir por encima de cualquier otra voluntad. Al fin y al cabo, cuando recibió la orden, el hebreo no se encontraba presente y en el momento de buscar los ojos aquiescentes del Obispo Frías encontró en ellos la complicidad y el acuerdo total con las órdenes de Juan Rejón. Era, para no variar, un nuevo simulacro de campaña que serviría para eliminar a los díscolos, para extirpar toda tentación de algabismo. De paso, el comandante iba cayendo en la trampa tendida por la intriga de Simón Luz, en su camino para desembarazarse de todos aquellos fieles servidores de Rejón, que podían —en un momento dado— interrumpirle su irresistible ascenso hacia el poder...

Mucho peor (tal vez fuera esa la gota que rebasó el silencioso tonel de su paciencia) fue el resultado moral de la triunfante expedición que, a pedido del Gobernador Rejón, Martín Martel llevó a cabo por las tierras litorales del continente africano. Enfundados en sus extrañas y largas vestiduras celestes, las darras, los nómadas del desierto, como antes lo habían hecho los perros verdes insulares, corrieron primero despavoridos para ponerse a salvo de los desmanes de los hombres de Martín Martel. Se esparcieron por los arenosos montones del desierto, se escondieron tras las interminables dunas saharianas. Huían de un invasor que sus profetas jamás habían tenido en cuenta, que no constaba ni en los libros sagrados ni en la tradición oral, desde las playas históricas hasta los espejismos que sus chamanes habían inventado desaforadamente (mares interminables, ciudades fastuosas enriquecidas con mujeres ampulosamente ataviadas, tesoros colectivos que colmaban las más ambiciosas aficiones) para intentar fijarlos al territorio y convertirlos, a base de fábulas y fantasías, en sedentarios, en dueños de un mar de arena que corría según las arbitrarias directrices del viento, inabordable, inconquistable.

—De lo que se trata, Martín —le explicó sobre un mapa aproximado Juan Rejón—, es de traer el número más grande de musulmanes desde la costa. No discrimines, Martín. Hombres, mujeres o niños. Da lo mismo. Todo cuanto ser humano encuentres en las playas y en las arenas de esos desiertos. Vivos, naturalmente. Muertos no nos serían de ninguna utilidad. Tienen que servirnos de esclavos y justificar aquí nuestra presencia.

Eran los tiempos de la falsa gloria, cuando aún los cuadros del ejército de Rejón se sentían protagonistas de su propia historia. Las sobrecogedoras arenas ardientes de Sakia-el-Amra fueron una fiesta sangrienta para los castellanos sedientos de una victoria que, precisamente, se le negaba a aquella expedición desde que saliera de los puertos gaditanos. En orden de combate, como si esperaran la respuesta de fieras que eran atacadas a traición, se expandieron por el desierto los cazadores de musulmanes, mientras los gritos de terror de las mujeres saharianas se elevaban con manifiesta inutilidad desde sus secas gargantas hasta los cielos, buscando una ayuda que jamás llegaría para ellas. Silenciadas brutalmente por el inapagable ruido del siroco, convertido así en cómplice de la campaña de los invasores, fueron cayendo una tras otra, abandonadas a su propia suerte por los hombres, en manos de los castellanos. Los soldados caminaron día tras día tras la presa, sobre sus cabalgaduras andaluzas, destrozando poblados, prendiendo fuego a las lastimosas jaimas de los hombres del desierto, tomando prisioneros, dejando al descampado un terror desconocido y la desolación más inexplicable. A tumba abierta, los saharauis eran después transportados a través de zonas montañosas y dunas interminables, a través de los cauces secos de los ríos y los barrancos, hasta las costas, hasta las arenas remansadas por las blancas arenas de la mar, junto a las cuales esperaban —meciéndose en las tranquilas aguas del litoral— las carabelas que estaban llamadas a convertirse en cárceles de madera, en símbolo del principio de la esclavitud de aquellos seres del desierto que habían alimentado en su interior colectivo el mito indestructible de un imperio desaparecido, que había vivido siempre en aire de esperanza por recuperarlo, por encontrarlo —aunque fuera entre ruinas seculares— en algún recoveco arenoso que durante generaciones no hubiera sido hollado, que retenían para siempre en la memoria imaginativa el vasto recuerdo de ciudades sagradas extendidas por el desierto como interminables alfombras rumorosas, una tradición que los nómadas habían recibido oralmente de sus padres y cuyo origen, perfumado de incienso y sándalo, se perdía en las intrincaderas de los siglos islámicos, la imposible herencia de un pueblo desconsolado que, de un lado para otro e incesantemente, había vivido apegado a la espera de un resurgimiento de sus estructuras históricas, ya definitivamente finiquitadas, un pueblo cuyo único asentamiento real era su pasado esplendoroso, desaparecido entre espejismos y polvo, entre el sudor y la sequedad de siglos de un desierto saturnal e interminable al que algunas veces odiaban hasta la iniquidad, pero casi siempre amaban hasta llegar al desafío.

Sin contemplaciones de ninguna índole, tribus enteras fueron conducidas hasta Salbago, en medio de gritos soeces que se agrietaban además en las miradas de deseo que la canalla que había reclutado Martín Martel descargaba sobre la piel agarena de las mujeres, cuyas vestiduras eran rasgadas por la soledad y la tristeza, por el frío y el temblor de las noches marinas en pleno viaje de regreso, dejando a la luz la prieta brillantez que hasta ahora había sido reservada sólo a los hombres, a los guerreros nómadas del desierto. Tribus enteras, familias completas que el desierto había desperdigado a través de los años, clanes con todo su aparato jerárquico de dignidades derrotadas (jeques, chamanes, arúspices, adalides o santones eran la misma cosa a la hora del cautiverio), fueron depositados como fardos en el interior de las bodegas ciegas de los barcos. Ni la intransigente altivez de aquellas miradas prisioneras, ni el brillo del odio que, hierro al rojo, vivaqueaba en los ojos de las reconocidas castas superiores, ni el silencio en el que se aceraban sus más escondidos sentimientos de venganza, pudo librarlos —lejos ya de su ambiente natural— de las vejaciones y del trato despreciativo al que habían sido condenados por los invasores blancos, sin que pudiera llegarse a ninguna paz ni a ninguna tregua. Más tarde, sobre los corroídos maderos de los rudimentarios y salitrosos embarcaderos del Real de Salbago, esas mismas tribus iban a ser contabilizadas por el insaciable Simón Luz: por nada se apagaba en el hebreo la obsesión estratégica que se basaba a toda costa en justificar como tal, con toda la gloria y necesaria parafernalia, una conquista que jamás había existido. Su formidable experiencia, adquirida en el exterminio de los perros verdes, le había dado una mayor fuerza para caminar por el túnel hacia la locura asesina y lo había anclado en el placer de la destrucción a la mayor gloria del Gobernador Juan Rejón y los suyos. Era, en cierto modo, una manera de sobrevivir él mismo, de huir hacia adelante elaborando, inventando, proyectando planes dislocados que mantuvieran alejada de sí la sospecha o la certeza definitiva de su sangre judía y la consecuencia final que sin duda se derivaría de ello: su propia muerte a manos de la Inquisición, que también crecía en Salbago como una flor gorgónica gracias a la tenacidad del masturbador Hernando Rubio.

Los musulmanes, por su parte, se reconocieron de nuevo en la esclavitud. Aceptaban el castigo silenciosamente. La plaga insoslayable les había caído encima como una lluvia maldita y el imperio celeste, tras las *razzias*, se convertía más que nunca en una entelequia plagada por los sueños y las telarañas ilusorias. Las expediciones sobre la costa africana siguieron produciéndose, repitiéndose una vez tras otra, hasta que el propio Martín

Martel empezó, en su primera torpeza, a vislumbrar el verdadero plan del nuevo exterminio cuajado por el hebreo. El era, al fin y al cabo, el brazo armado de las maquinaciones de Simón Luz: él, Martín Martel, héroe de la conquista, era el ejecutor del nuevo sacrificio que aquella historia demencial exigía de sus hombres. Los moros no iban solamente a ser esclavizados. Tal los perros verdes, los esclavos serían aquellos privilegiados que escaparan a la sevicia patológica de Simón Luz y a la enfermiza indiferencia en la que se escondía Juan Rejón. Ahí fue cuando cobró cierta conciencia de ser un juguete de guerra en manos de asesinos. Pero, al mismo tiempo, la reclamación surgía a destiempo y fuera de lugar: también él era cómplice y protagonista de aquella matanza, exactamente cuando la última expedición acercaba a las costas de Salbago su cargamento de condenados. El viento marino le daba de frente, ensalitrando su rostro y su barba. Recordó a Pedro de Algaba, el ajusticiamiento del traidor, según rezaba la sentencia redactada por la mano experta y la conciencia laxa de Hernando Rubio. Vislumbró de nuevo, en la misma nebulosa del recuerdo, la cara de sepulcro blanqueado del Obispo Juan de Frías, los gestos falsamente piadosos del Deán Bermúdez en el momento de dar a besar la cruz a Pedro de Algaba, mientras el lazo de la horca se aferraba al cuello del que había sido su compañero y ahora era un simple condenado. Pasó su vista por los ojos bajos del Gobernador que parecía ofuscado en aquella monstruosa manifestación de odio. Acercó su mirada hasta el rostro de Simón Luz y descubrió en él un indisimulado testimonio de placer provocado por la presencia inmediata de la muerte de Algaba, cuyos ojos, casi en el supremo momento de la expiración, rumiaron como si su voz tratara de maldecir. "A ti te harán lo mismo, Martín, cuando ya no les sirvas para nada", le dijo con una mueca extraña en la que se dibujaban los primeros trazos del viscoso dolor del fracasado. El, Martín Martel, un nombre que ya se estaba empezando a reprochar y a no tenerlo en cuenta, era cómplice incluso de aquella muerte que Hernando Rubio, porque se trataba de un escarmiento, había convertido en un espectáculo de circo. Eso lo ató más aún al Adelantado, empecinado como estaba Rejón en levantarse un monumento a sí mismo, en labrarse a costa de los demás una memoria eterna en los papeles históricos de la conquista española, de modo que se pudiera relegar al olvido su primigenia cicatería bucanera, estela de conquistador de juguete cuya leyenda —avalada por ribetes de esperpento— jamás traspasaría, pese a sus esfuerzos, la insondable frontera marina que eternamente circundaba las insulares tierras de Salbago, aunque el nombre de Alvaro Rejón, su único hijo, llegara a correr de boca en boca desde las costas africanas, que recorrería incansable, hasta los islotes, las islas y la Tierra Firme del Descubrimiento. Por eso se le hace más que imposible la rebelión a Martín Martel, atado de pies y manos, elucubrando un mal sabor de espumas en la boca seca ahora sobre el torreón de popa. Se da cuenta de que cada nudo de la red ha sido minuciosamente tejido por la astucia de mil caras del judío Simón Luz. Si llegara solamente a sospecharse su pensamiento, ninguna duda le cabe ya de cuál sería la acusación y la consecuencia inevitable: algabismo y condena a muerte. Estaba, además, el horroroso juego de las naves quemadas fijo en su memoria, un fantástico espectáculo que se arremolina en su mente cada vez que la duda se abre paso en la cabeza como una flor teñida de malignos retazos. Rielan las llamas flotantes en el oscuro crepúsculo, mientras las naves se hunden humeando junto a la costa de la isla, lentamente, y la esperanza del regreso, furtivo o no, se deshilacha en los compungidos corazones de los aventureros. El recuerdo es una constante jaqueca para Martín Martel. Hipnotizado por la visión del fuego corriendo sobre la mar, la voz de Juan Rejón lo había sacado del marasmo en el mismo momento en el que el miedo le humedecía el sudor de la piel: "Recuerda, Martín, que a veces es preferible que un hombre muera por todo un pueblo, antes de que un pueblo muera entero por un solo hombre". Se refería, probablemente, a Pedro de Algaba y al espectáculo que su muerte había provocado. El comandante se atrevió entonces a levantarle en un punto la voz y le preguntó cara a cara: "¿Y los demás?, ¿y todos esos desgraciados que hemos matado?".

—Son seres sin nombre, Martín. Unos mierdas. Unos pendejos. Ni siquiera son dignos de recuerdo —contesta el Gobernador Juan Rejón. En ese mismo momento a través de las calles del incipiente poblado de Salbago una visión infernal era posible para quien se aventurara a pasearse por los arrabales: un innumerable ejército de ahorcados pendía obscenamente de los árboles de la ciudadela. Eran los algabistas. Martín Martel los había detenido, arrancado de cuajo, extorsionado. Los había hecho confesar y, finalmente, los había mandado colgar...

Después de transportados a la isla de Salbago, los hombres, las mujeres y los retoños que habían heredado aquel imperio azul, fenecido hacía siglos en las arenas del Sahara, fueron desparramados como rebaños. Tuvieron entonces total certeza de que Alá los había abandonado cuando un día, a la hora en la que ya se estaban acostumbrando a respirar otro aire, cuando ya estaban aposentando y aquietando su natural tendencia al nomadeo, oyeron a lo lejos los gritos de caza de aquellos desaforados conquistadores de la nada, sus dueños, que se lanzaban sobre ellos bajo el mando cruel del comandante de campo Martín Martel, armados con sus armaduras, sus cotas de malla, sus armas todas expeditas para el salto a la gloria. La veda se había abierto. Fue un asesinato en masa, sin duda variante mínima del deporte cristiano de la caza y muerte del pagano, que algunos siglos más tarde seguirían practicando llenos de placer los británicos en Tasmania. Un asesinato colectivo, una matanza impresionante que acabó de sumir a Martín Martel en el alcohol de caña que allí mismo, en la isla, había empezado a explotar como un monopolio una familia de andaluces procedente de Jerez de la Frontera y que, en oleadas casi simultáneas a la propia conquista de Salbago, se habían ido incorporando a la ciudad para su poblamiento: los Benjumea.

Ahora ya se siente cercado para siempre por la migraña, aniquilado por la intriga del judío Simón Luz, que jamás se atreve a andar solo por las tortuosas callejuelas del Real ni se aventura nunca más allá de las murallas que marcan la frontera de la ciudad y su ley. Tal es su conciencia de peligro y su terror escondido.

Definitivamente vencido de la noche, arrinconado y para siempre desahuciado, Martín Martel resucita en su deletérea memoria alcohólica, entre grandes mareos y espasmos intestinales que le acidulean la tráquea llenándole el estómago de vapores venenosos que preludian su muerte, la leyenda de los hombres celestes, una historia entrecortada (a medias en la imaginación, la leyenda, el mito o la simple invención) que le había relatado entre sonrisas, señas, mimos y visajes, allá en altamar aún, de vuelta a Salbago las naves, una muchacha saharaui a la que él mismo violó en las arenas de la playa africana. Casi una niña ahora, en el vaivén de la carabela, más tarde sería conocida como sensacional bailarina en *El seis de copas* y, finalmente, llegaría a ser la principal favorita del propio Juan Rejón, Gobernador de Salbago. Era la bella Zulima.

Su pueblo, para entonces, es ya un despojo de piel seca. El resto, la tirijala maldita quizá de un vasto y sublime imperio desconocido que se oxidó con la venida de los tiempos nuevos y cuya memoria quedó sólo en la defensa de su tradición y su recuerdo. Sus dominios jamás tuvieron fronteras, sino que flotaban ocupando toda la costa noroccidental de Africa y sus posibles confines se perdían con el viento en múltiples direcciones hasta alcanzar las lejanas tierras del Oriente. Por la parte más ancha de sus tierras, incluso años podía tardar cualquier expedición en atravesar el imperio celeste. Ella misma, Zulima, era la única hija de uno de los más ilustres y respetados santones de los hombres azules, chamán mayor de alguna de aquellas tribus principales, sacerdote cuyo cuerpo incorrupto había quedado hundido en las sagradas arenas de la ciudad de Smara, en mitad del desierto, donde sólo les es dado morar eternamente a los descendientes directos de los califas más importantes.

La sangre que corría por las venas del cuerpo de la niña era, pues, sagrada. Martín Martel quedó obnubilado nada más verla frágil y húmeda bañándose en las orillas, refrescando una piel virgen que se dibujaba tras las vestiduras, una piel que únicamente había sido poseída por el furor cotidiano del sol saharaui. Desde lo alto de su caballo lo asaltó la furia negra del deseo de poseerla allí mismo. Por eso arrastró a la joven hasta subirla a su altura y depositarla en la silla, a su lado. Enloquecido jinete, enervado por la pasión repentina que se había adueñado de su alma de guerrero, relinchando de efervescente concupiscencia, hizo que el alazán correteara jugueteando por las arenas de la playa en la que los saharauis esperaban el momento del traslado a Salbago. Poco después se alejaba haciendo trotar con andaluza elegancia a su corcel hasta donde las miradas de sus hombres no pudieran interrumpirle la locura. Zulima era, sin duda, su derecho de conquista.

Gozó entonces la locura sin límite de la morenez encendida en la piel de la princesa, gustó hasta el final sus sabores salados, hasta que la sed irracional mutó su delirio en vértigo y temblor. Ardió con lentitud en sus entrañas la pasión al traspasarlo el serpenteo intermitente de la mahometana. Un grito interior, largamente retenido, rompió las amarras del silencio estrellándose contra el eco del desierto seco, hasta perder la noción del tiempo: todo aquel espacio interminable que se abría ante Martín Martel, en el que el rumor suave del viento caliente acariciaba las invisibles esquinas, se reducía a la vivencia inmediata, a la adoración sin límites de aquel cuerpo niño que ahora le recorre la médula de los huesos hinchándolo de aliento renovado, como si el acto de amor se volviera de repente, en el léxico secreto de los gestos entendidos a medias por los dos, divina taumaturgia. Recorre ahora tembloroso cada pliegue insolente que muestra la intocada adolescencia de la muchacha que hunde sus uñas en el pecho velludo del guerrero. Excitado, él la huele una y otra vez, la mordisquea, la saborea, un animal en celo él que inicia el rito del placer, la refresca con la inagotable humedad de su lengua y se hunde en los huecos que Zulima le va poco a poco descubriendo hasta terminar de mancillar de baba placentera todo aquel cuerpo de princesa infiel que acepta sin reparos el olor a sangre y el polvoriento sudor del conquistador. Desnudo, traba el éxtasis delirante en las blancuras y suavidades de la mora. Ella, sin saberlo del todo, juega a la ceremonia de ser mujer. Fue, pues, una violación sin violencia, como único testigo el sol arriba estrellándose contra el lecho de piedras vivas del desierto, pegando sus rayos sobre los cuerpos ya extenuados. Después, como consumación de la insólita ceremonia, detuvieron el tiempo bañándose y jugando en las aguas de las restingas cercanas. Desde ahí comenzó a rondarle la idea loca de quedársela para sí, huir quizá hacia el interminable interior de las dunas, hasta que su alazán, reventados los belfos, echara la espuma de la muerte por la boca, quedarse allí para siempre, la piel quemada eternamente por el rito solar, camuflarse con la darra celeste, como un nómada más, convertirse en un tránsfuga de la historia sangrienta que jamás volvería a acordarse de él. Anidó en su mente el pensamiento prohibido de arrebatarla, de velarla a los avariciosos ojos del judío Simón Luz y a la rigidez de Juan Rejón. Después, más reflexivo, se inclinó por la idea de pedírsela al propio Gobernador, como botín de conquista. Los marineros empezaron desde entonces a mirarlo con envidia y dejaron de entretenerse en lanzar los destellos del deseo sobre la muchacha que lo seguía a todas partes, como contenta con su condición de sumisa esclava. Mientras tanto, el alférez Sotomayor seguía amparado en su mutismo, una coraza de hierro que se delataba como su mejor virtud: de reojo, sin embargo, sonreía socarronamente.

Fue todo como una aventura soñada en noche de placer, una ilusión que duró el tiempo preciso que tarda el diablo en restregarse el único ojo, una tentación vana que deshizo sus columnas de arcilla, como si se tratara de humo, al llegar al embarcadero. El propio Sotomayor se iba a encargar de frustrarlo una vez más.

"A ti te harán lo mismo, Martín, cuando ya no les hagas ninguna falta, cuando ya no te necesiten y te hayan exprimido como un limón muerto", le gritó de nuevo el eco reduplicado de las olas, la voz lejana de Pedro de Algaba levantándose desde el pasado más inmediato y cabalgando sobre las aguas de la costa.

Vencido de la noche, Martín Martel trastabillea, su lengua gorda monologa sin sentido, le arde el alma podrida en las entrañas. Cercado por el enjambre de cucarachas que ya no le abandonarán hasta su muerte, papando sin parar el zumbido de las moscas, solitario, ceñido a la nebulosa de sus recuerdos, cabalga ahora por encima de su propia memoria, remonta la conciencia perdida desde que la aventura lo enloqueció y se puso a las órdenes del Adelantado Juan Rejón. Desde el hueco de su garganta enrojecida trata de gritar que lo matará, que aún es tiempo de revueltas, que todavía él puede organizar la sublevación de Salbago contra Juan Rejón, ocupar el sitio de Algaba, prender fuego a la casa del Gobernador como él ordenó quemar las naves, hacer arder los cimientos de la maldita Catedral, que sus fieles soldados le seguirán como siempre hasta el suicidio si fuera preciso, Rejón, que acabará con tu tiranía, maldito. "¡Tú, Rejón!, ¡Tú eres el traidor y no Pedro de Algaba, tú que me encargaste sin ningún remordimiento de conciencia que lo prendiera y lo diste al cadalso!, ¡tú, cabronazo, que hiciste desaparecer los perros, que me ordenaste quemar las naves para que no se escaparan de aquí los algabistas, decías! Y, en realidad, todo lo veo claro ahora, para culpar después a Pedro de Algaba a los ojos ignorantes de todos nuestros hombres, para que no se levantara contra tu absoluta autoridad ni la más mínima reticencia". Sus gritos son, no obstante el esfuerzo, un eco sin sentido, un rompecabezas que apesta a anís y a ron de caña, se quedan a medio camino de su deseo y no alcanzan siquiera la primera esquina oscura sobre la que ahora se tambalea olvidado de todos, en el silencio de la noche de Salbago, cuyas sombras pasan vertiginosamente a su lado, observándolo como a un peligroso desconocido, como a un aventurero borracho de los cientos que pululan por los alrededores del cementerio y la Catedral, como si fuera un leproso loco que se encamina lentamente hasta el lugar de su muerte, su cuerpo despielado y cubierto por la masa marrón de las cucarachas que lo sacarán de la vida. Ella, Zulima, una vieja desgreñada que al caminar se inclina casi hasta el suelo, nada tiene que ver con aquella doncella mora que poseyó en las arenas de la costa sahariana y que ahora, de nuevo, se acerca en el recuerdo a Martín Martel. Gesticula obscena ante él, se carcajea de los absurdos planes del maestre de campo, a cuyo lado ladran y chillan ahora, como una maldición que acude al lugar de la tragedia, los perros verdes, amenazadores, enseñándole unos colmillos babosos de rabia que devorarán su carne decrépita y reblandecida por los años y el alcohol. "¡Loco cabrón, loco cabrón!", repite el eco de la voz de Zulima.

Por momentos Martín Martel recupera los recuerdos de su lucidez, las memorias perdidas de su infancia, el traslado de sus padres desde los mezquinos puertos de Marsella hasta la villa castellana en la que se envolvieron en el anonimato y albearon su original apellido francés en el de Martel: todos sus intentos de recuperación se deshacen entre líquidos enfermizos que le suben por la tráquea y le embriagan el hipo. A toda costa trata ahora, como huyendo de los espectros que lo acompañarán en sus exequias, de superar las bascas y los mareos que se le vienen encima, hasta la boca pastosa y oxidan sus labios. La silueta de la Catedral, siempre a medio construir, enferma la piedra por el virus amarillento y verdoso que la deshace lenta y pacientemente, se le echa encima para aplastarlo. Y tambaleándose ubica la geografía de Salbago en la que se encuentra, tendido en una de las escalinatas sin terminar que da a aquellos patios tan hermosos que jamás Herminio Machado, siempre tan pulcro y ausente, verá acabarse. Recuerda ahora al arquitecto, un perfil de sabio italiano que busca a toda costa adelantarse a su tiempo en aquella isla infernal, un hombre que se ha pasado la vida soñando, encaneciendo su piel y sus cabellos, exponiendo proyectos irrealizables en medio de las carcajadas silenciosas de los funcionarios de Juan Rejón. ¿Es una visión esa Zulima vieja y horrenda que lo atosiga, que se desnuda delante de él, que se exprime con sus manos pringosas y encallecidas unos pechos fláccidos que le caen hasta el estómago, que muestra la piel cuarteada de un cuerpo lamentable, las encías sangrantes y desdentadas, Zulima anciana y decrépita apoyándose en un palo que le sirve de bastón para no caer al suelo o sobre él, Zulima invitándolo ahora, a destiempo, a poseerla, a tenerla finalmente por completo desde una carcajada galopante que termina en un ladrido de perro verde?

El recuerdo vuelve a encabalgarse con la realidad que Martín Martel padece entre lágrimas de dolor que le saltan a los ojos, mientras cae con estrépito entre los escalonillos que ascienden hasta el jardín trasero de la Catedral, junto a aquellas otras escaleras que se rompen contra el muro a medio levantar de la iglesia mayor de Salbago. A su frente tiene la Plaza del Pilar y un poco más lejos, justamente a la izquierda, se ven las luces de la casa del excelso Gobernador Juan Rejón y una interminable caravana de carcajeantes hombres vestidos con darras, una multitud enracimada que canta trenos con rugidos fúnebres, cuyas notas terminan por encenderle un temblor frío y un vértigo que él no sabe aún que es el preludio mismo de la muerte, una muerte lenta y atroz que se le va metiendo por las cuarteaduras de su cuerpo alcoholizado: el hígado se le revuelve dentro y Martín Martel vomita sobre su propio cuerpo, manchándose de pequeños coágulos sanguinolentos, los ojos saliéndose de sus órbitas, las sombras distorsionando la figura de la muerte, las luces de la casa del Gobernador apagándose y encendiéndose ante sus ojos, jugando a oblongarse ante los lacrimosos ojos de Martín Martel, tambaleándose las luces como naves mecidas sobre la mar, acercándose y alejándose las luces y Zulima, de nuevo, convertida en una vieja infame que se sigue impúdicamente desnudando y le ofrece unos manjares corporales ya podridos, unas delicias que apestan a leche ácida y a descomposición, los perros verdes ladrando a su alrededor, segregando una saliva venenosa y haciéndole gritar inútilmente de pavor. Nadie lo oye. Nadie acude en su ayuda. Sólo el fantasma de Pedro de Algaba, hierático y ahorcado, se asoma ante sus ojos, aparece entre fumarolas y burbujas a gritarle la maldición: "A ti te harán lo mismo, Martín, cuando ya no les sirvas para nada". El mismo, Martín Martel, huele ya a muerto, se sabe muerto, en un lento tránsito hacia el vacío, protagonista de aquel aquelarre de sombras y recuerdos, una ceremonia de corrupción y muerte que ha venido a encontrarse con él, como en sacrílega procesión de demonios. "No hay sacerdote que te saque del infierno", grita la voz ronca de la alárabe Zulima. "Irás a la mierda, al olvido de todos y la memoria de la nada, que es el lugar que te corresponde para siempre".

El ruido seco del viento desértico, el mar que lo revuelca entre sus olas espumosas cada vez más grandes y con mayor estrépito, el inmundo dolor de sus entrañas que poco a poco salen hasta su boca, el recuerdo de un pueblo que él había ayudado a extinguir con sus propias manos, un pueblo que vagaba pacífico por los desiertos africanos buscando un destino en el que sólo los iniciados creían, un pueblo que vivía su pasada memoria colectiva como una pasión, una mentira elevada al rango del dogma. Las darras azules de los africanos le rozan ahora el rostro, mientras miles de repetidas caras de sarracenos se avalanzan sobre él y lo mordisquean, lo destripan, le abren el pecho en canal hasta hacer que la sangre salte de las venas de su cuerpo, se refocilan pisoteándolo, como si fuera un racimo de uva madura en el lagar de la muerte.

Es una leyenda larga la de los hombres azules del desierto. Una leyenda que pasa ahora, secuencia a secuencia, sobre la mente perdida de Martín Martel, como trozos de historia que luchan por recuperar su protagonismo en la hora de la interminable agonía del profanador Martín Martel. Tiempo atrás, quizás en los siglos en los que la historia no existía, se habían

119

acercado todas las tribus hasta las restingas y las playas del desierto, atentos a la llamada de un barco inmenso que naufragaba tras la tormenta que había iluminado y oscurecido el cielo durante muchos días. Largo tiempo habían estado allí, en las playas, en silenciosa espera. Habían plantado sus jaimas y su paciencia al borde del mar que les era enemigo, porque del mar decía una tradición ambigua, en la que ellos no creían demasiado, vendría la esperanza de los hombres del desierto. Lentamente dejaban correr un tiempo interminable, que para ellos nunca había sido precioso (*"Siéntate a la orilla de tu tienda y verás pasar el cadáver de tu enemigo"*), porque para ellos lo que brillaba en su universo de verdades era la idea confusa de la intemporalidad: círculos concéntricos que se repetían a lo largo del tiempo hasta acabar por eclipsarlo. El tiempo fue siempre incontable desde que habían perdido su centro de gravedad y a través de los siglos, de generación en generación, nomadeaban buscando las esquinas perdidas del inabordable desierto que se había convertido en su casa sin puertas. Largos años de espera junto a las arenas de aquellas playas templaron aún más la paciencia proverbial de los hombres que habían perdido los hábitos de la guerra: todo transcurría en la certeza de que algún día llegaría finalmente la salida del marasmo, un redentor tal vez imposible que surgiría desde el fondo de los mares, exactamente un espíritu salvador que los guiaría hasta el fin de los siglos y muy lejos de la postración, que los conduciría hasta una tierra que nadie les había prometido, pero que ellos hacían flotar en su imaginación como si se tratara de una deidad dibujada en sus mentes a través de siglos de siroco, de espejismos también incontables y de sequedad desértica. Después, paulatinamente, habían ido perdiendo el miedo y la esperanza. Mantenían una vaga memoria de sus hazañas pasadas, de ciertas expediciones hasta los confines del desierto para conquistar una ciudad que les sería entregada sin batalla por sus habitantes. Tradición de tradiciones que se perdían en su memoria, porque nada surgía de las aguas, las espumas terminaban por desaparecer y la profundidad de los mares se tragó los restos del galeón fantasma, algunos de cuyos maderos llegados a la costa eran idolatrados como reliquias. Vinieron entonces a comprender que aquel barco sagrado estuvo siempre vacío y decidieron echar a suerte los nombres de los que habrían de ser elegidos para la expedición que partiría a la búsqueda de la nave hundida, sumergida ante los ojos atónitos de sus predecesores y antepasados. En primarias barquichuelas, los elegidos se acercaban al lugar que el santón les había señalado, sus dedos temblando sobre el mapa grabado en la arena, indicando que en el fondo de los mares, allí mismo, se encontraba la riqueza y el destino tan esperado. Se acercaban al lugar los hombres, llenos de temor. No eran marineros probados, pero alcanzaron el lugar y allí se sumergían una y otra vez buscando los restos del naufragio que aún flotaba en su memoria. A lo lejos, en la playa, las tribus reunidas esperaban el resultado del rito, observaban cómo las olas balanceaban las barquillas de caña y cómo metían sus cuerpos los hombres bajo las aguas. Bultos y bultos empezaron a ser sacados a flote y a ser depositados sobre la superficie poco fiable de las balsas que fondeaban justo encima de donde, en las profundidades, descansaba el navío lleno de misterios. Después, vieron cómo las barcas regresaban a la costa con el cargamento de su destino. Como si practicara la autopsia en aquellos cuerpos seculares que encerraban la esperada herencia, el alfanje del santón penetraba la piel endurecida que los recubría, rasgaba las algas marinas que los siglos de profundidad habían adherido a ellos y la sorpresa se tornó, poco a poco, en irresolución. Un único botín, tras tantos años, sacaban desde el fondo de los mares: metros y metros de lujosas sedas color mar, el color celeste que el océano les donaba para que uniformaran su vestimenta, para que desde entonces se les reconociera como los hombres celestes a través de las arenas del desierto. Iguales a los demás, pero también diferentes, con lo que se cumplía así el rito de la identidad como destino único. Después comenzó otra vez la larga peregrinación, el éxodo sin final a través de barrancos que nunca terminaban, buscando oasis en los que las tribus pudieran aposentarse, tribus casi siempre desperdigadas, por espacio de cortas temporadas para luego seguir su incansable y lenta marcha por la tierra baldía, soportando altísimas temperaturas durante el día y un hielo feroz que gélidamente se les echaba encima no más las sombras quietas de la noche caían sobre el desierto y sus arenas. Todo aquel territorio sin fronteras se convirtió en su hacienda, en su casa, en su vida. Hasta que los alcanzó la maldición de Martín Martel. De nuevo la visión de barcos inmensos, que cubrían todo el horizonte al acercarse a sus costas, aunque esta vez la inquietud los dominaba porque las carabelas no repetían el espectáculo, no se hundían y Martín Martel llegaba para esclavizarlos, a arrancarlos de su tierra, a arrebatarles la miseria de sus vestidos.

"Abandona toda esperanza, Martín", le reza de nuevo la voz sin dientes de la vieja Zulima. "Vas a entrar en el mundo de los muertos para vagar por el infinito sendero donde tus pecados no se acabarán jamás de lavar, como justa venganza a tu crueldad. Mañana, cuando el sol regrese sobre nuestras cabezas y los albañiles se incorporen al trabajo inútil de las obras de la Catedral de Salbago, que ni así que pasen cinco siglos será terminada; mañana, cuando esta apestosa ciudad vuelva a llenarse de bullicio, de mil lenguas distintas, y el mercado grite incansable sus ofertas de ultramar, tú serás el mayor espectáculo, el recuerdo de la maldición cuando aparezcas ahí, ahíto de ron de caña, cercenada la yugular por esa plaga de bichos inmundos que chupan tu sangre apestosa. Las comisuras de tus labios, en plena agonía, dejarán salir ese líquido viscoso y ácido, la hiel donde descansa la voluntad de tu crueldad. Morirás como un pagano, como un infiel. Solo, alcohólico, vomitando tu memoria en los trozos de hígado y en los coágulos, horrorizado de ti mismo".

—Lo encontraron muerto, Juan —rezonga la anciana María Isabel—. Su aspecto era irreconocible y lo habían confundido con un mendigo cualquiera. Sus manos y sus pies eran zarpas de lobo y el color de su piel tiraba a verdoso. He mandado recoger su cuerpo y enterrarlo cristianamente.

Rejón procura disimular su temblor. Avejentado, siente un líquido frío corriéndole con lentitud por los encallecidos canales de su cuerpo, como si la sangre le procurara pequeños trombos en su camino. "Peor hubiera sido que se muriera en una casa de putas", musita el Gobernador, mientras se cubre el cuerpo con una manta y se aleja hasta una de las ventanas de su aposento. A lo lejos, en un mar de color vino que se une a un cielo que hoy cae para el Gobernador difícilmente azul, boquea en su memoria la visión de la flota flamígera, ardiendo al compás del viento lento.

Por espacio de mucho tiempo el fuego fatuo de un pestilente e insoportable efluvio se encendió como espectral mofeta voladora por los oscuros y laberínticos entresijos de la interminada Catedral. Disfrazado entre las piedras enfermizas que exhalaban aquel pus destructor —entre verdoso y amarillento—, lamía con fruición las superficies ciegas de los sótanos de la iglesia maldita, en cuyos cimientos anidaban ratas y gelatinosos murciélagos y todo un curioso estercolero de humana mendicidad que se apilaba allí para celebrar estérilmente el noctámbulo aquelarre de su propia pobreza. Era la secuela que Martín Martel había legado en herencia a la ciudad de Salbago, amparado tal vez en el derecho que asiste siempre a los fundadores. Cada mañana, desde que el sol agrisaba el día hasta que terminaba por abandonarlo, ciertos rumores eran propalados en las plazoletas, en las alamedas, en los mercados, en los mataderos y lonjas de carnes y pescados, en todos los lugares de reunión cotidiana. Especulaciones que, bien examinadas, no resistirían la seria dimensión de la certeza, pero venían a indicar la existencia casi palpable, dado que el espeso hedor podía cortarse con cuchillo como si de un ser solidificado se tratase, de un fétido gas inmortal que embriagaba de asco e impregnaba de podredumbre —lo que venía a representar el mayor de los sacrilegios— el triángulo geográfico más noble y sagrado de Salbago, zona sobre la cual se asentaba su todavía incipiente identidad: la formada, por azar, por la siniestra silueta de la Catedral de Herminio Machado, la temida superficie de la Plaza de Armas y la construcción del Palacio del Gobernador Juan Rejón, que finalmente no había podido borrar el rencoroso mensaje que su maestre de campo, con su propia sangre putrefacta y en los delirantes estertores de la muerte, había grabado sobre la losa del templo como epitafio personal: "Tierra de mierda. Hijos de puta todos".

Pululaba, pues, aquella hediondez gaseosa. Resquebrajaba el fondo de la tierra en los mismos lugares que la Santa Inquisición había escogido para juzgar y condenar, para quemar y hacer público escarnio de herejes e insurrectos de toda laya, lugares divinizados en los que el Obispo Frías había cantado la primera misa en Salbago, en los tiempos de la fundación, y en los que ahora seguía rezando como un autómata epiléptico don Fernando de Arce, Eminencia que, como su antecesor, había empeñado gran parte de su fortuna personal —labrada en la Reconquista de la Península— en la lucha contra el satánico moho que impedía la terminación de la Catedral, mientras Hernando Rubio liquidaba rebeldías a golpe de decreto de quema y Simón Luz administraba sinecuras y canonjías; mientras Rejón marcaba sus huellas leonesas en la piel —poco a poco endurecida por los años— de la bella Zulima y Herminio Machado se dejaba las cejas y los ojos en la inútil e insensata perfección de planos y diseños de aquellos reales y sagrados sitios en los que festoneaban, al cálido viento del trópico inconcluso, las banderas, los pabellones y los estandartes de Aragón, Castilla, de León y Navarra. Exagerada por el hambre y la penuria, la mente de algunos mendigos —que buscaban en la noche el alimento que el cielo les negaba con la luz— aseguraba haber visto la sombra del fantasma desnudo de Martín Martel sobrevolando las paredes interiores de la Catedral y dejando sobre ellas las huellas de sangre de su cuerpo destrozado y carcomido por la muerte. Se hicieron así necesarios los exorcismos y las preces. Arce, pues, rociaba de agua bendita y rogativas cada una de las piedras que supuestamente había endemoniado el fantasma; rociaba los muros, las construcciones y callejones de la zona noble de la ciudad, impulsado por un mesianismo triunfalista tan esquizofrénico como inútil. Para entonces ya estaba Pedro Resaca al frente de la administración del Palacio de Rejón y él mismo había sido el encargado de vigilar, en la lúgubre oscuridad de las noches, el chismorreo que había dado pábulo a la leyenda. "Yo no he visto nada, señor", recalcó Resaca al Gobernador, "son cosas que se inventa la gente y que difícilmente pueden ser eliminadas por las buenas".

"¡Hay que joderse!", sentenció Rejón entonces entre jocoso y meditativo, "se ha hecho más famoso después de muerto que cuando organizaba las matanzas".

Los rumores arreciaron como un vendaval que barría sigilosa y sagazmente Salbago, convertida ya desde hacía tiempo, y por los siglos de los siglos, en lugar de paso: Martín Martel respiraba mucho más fuerte después de muerto y el final de su expiación parecía depender de su propia voluntad. Creció hasta tal punto la exacerbada superstición en torno a la existencia de aquel oscuro fantasma, encarnado en la imagen ingrávida de Martín Martel, que el Inquisidor Hernando Rubio no tuvo otro remedio que decretar fuera de la ley cualquier comentario que se originara a partir de la vida y milagros, proezas y muerte del lugarteniente de Juan Rejón. Condenas que irían desde la simple multa pecuniaria hasta las más temidas de tortura, pérdidas de bienes y libertad personales, lograban paulatinamente que la memoria de Martín Martel se mutara en fantasma prohibido. Más que una leyenda, había alcanzado la categoría de una tradición clandestina que se transmitiría de boca en boca como blasfemia proscrita, plagada de fluorescencias, escolios y todo tipo de variantes universales a través de los siglos, de modo que en Salbago tuvieron antes fantasma casi palpable que Catedral terminada, inmolados ambos años más tarde, al unísono, cuando la furia holandesa asaltó las calles de la ciudad y el pirata Vanderoles prendió fuego a los espectros del Real ya para siempre.

Mientras mordisqueaba ahora la mojama, el Gobernador Juan Rejón, arrebujado ya en una legañosa vejez sin tasa ni venerabilidad alguna, olvidado de los tiempos y los años, como si aquella pétrea figura impertinente que se levantaba frente a los meandros y los volúmenes de su propia historia alimentara su inmortalidad, refunfuña para sus adentros, allá donde en sus tripas se contraen los líquidos más ácidos de su cuerpo y donde las carnes se hielan imperceptiblemente al recuperar los recuerdos escondidos en el pasado. Lentamente, como si no demostrara interés por hacerlo, revuelve en su mente la memoria de tantos cachivaches que hasta entonces carecían de lugar definido, retazos de acontecimientos, trozos maltrechos de hechos y circunstancias que pudieran aclararle aquella maldición de bucanero irrecuperable que, desde siempre, lo había perseguido como si hubiera sido parte de su ser, como una epidemia incurable, un hongo maldito que se aferraba aún a las entrañas de Salbago, una brisa que se levantaba poco a poco para terminar siendo viento rumoroso que estercolaba de podrido excremento todo aquel territorio y echaba el ancla sobre la frente y el alma de sus habitantes. Se le viene hasta los ojos, por ejemplo, la rabieta cincelándole el rostro a Martín Martel, retenido el coraje dentro del pecho de su lugarteniente, las venas del cuello hinchándose como cuerdas gritonas de un extraño instrumento que habría de saltar por los aires de un momento a otro, la espuma regurgitante pugnando por salir de su boca, apelotonándose en blancuras en las comisuras de los labios, manchándole la barba, enrojecida de odio toda la cara. Se le viene hasta los ojos aquel rostro demudado del guerrero que había secundado siempre sus locuras, el día en que no pudo más y vino a quejársele de la conducta inicua del judío Simón Luz, que todo lo estaba administrando a su antojo. Alcanzó los umbrales de sus habitaciones palaciegas tal como antes, en la época de la fundación, se acercaba a sus tiendas de capitán, como si nada hubiera cambiado entre ellos, aunque esta vez era evidente que la furia le encorvaba el cuerpo: literalmente le habían arrancado de las manos a su niña mora. Eso es lo que había pasado, Gobernador. En los embarcaderos, nada más pisar tierra. Una niña que desde el principio estaba llamada a convertirse en un pozo de interminables obsesiones lujuriosas para los oficiales, cabecillas e insaciables funcionarios del Adelantado: sería entonces la primera vez que Rejón oiría hablar de Zulima. Cuando Pedro Resaca volvió a llenarle la copa de mixtela, que calmaba la sed de su estómago y apaciguaba dulcemente la tráquea, Rejón alcanza ahora los brillosos refilones de la otra parte de la historia, el cuero interior de una memoria entenebrecida, el proceso de lenta recuperación de los recuerdos posteriores al escándalo, que en aquel momento se van ordenando taxativamente en su mente. Cómo él mismo, Rejón, había ido aquella tarde a enamorarse de ella, cómo le había brillado en los ojos un deseo desorbitado la primera vez que la había visto bailando en el enarenado patio de aquella formidable casa de putas de renombre universal, *El seis de copas* de Maruca Salomé, la hacedora de trucos, la celestina vital, la jugadora de gallos; cómo aquel cuerpo insólito le había ido descubriendo mil secretos a los que se llegaba por caminos que la tosquedad del guerrero jamás había soñado hollar; cómo le fue, poco a poco, imperceptiblemente, desapareciendo aquel dolor vertiginoso que se le había clavado entre los muslos, a la altura de los testículos; cómo sus ardores de macho embravecido en la violencia de las batallas y en las aventuras iluminadas habían ido dejando paso a otras satisfacciones más íntimas, más personales, gracias a la perfección de Zulima; cómo la había convertido, en fin, en su concubina favorita, mientras ella fue tomándose atribuciones de gobernadora y rodeándose de aquella guardia mora, de leales de su propia raza —mestizados con los castellanos, incluso— con los que paseó (haciendo de ello un mito) algunas veces en las tardes siempre primaverales de Salbago; cómo el día que llegó a saberse en la ciudad que el Gobernador, don Juan Rejón, Adelantado de Castilla, había hecho su esposa verdadera a una bailarina alárabe a quien casi todos sus oficiales aseguraban fanfarronamente haberse pasado alguna vez por la piedra —revocando él, de paso, por su propia y exclusiva voluntad autoritaria el sagramo vínculo matrimonial que lo unía a la estéril María Isabel—, todos guardaron un minuto de silencio (no se supo nunca si de estupor o de luto metafórico) y cómo después creció una inmensa y colectiva carcajada anónima, que llegó hasta los oídos del Gobernador como una burla cruel a su comportamiento (no se sabe si de nerviosismo la carcajada o de simple impotencia y ridículo). Ni por esas lo hicieron desistir de su conducta. Detrás de todo, eso había sido siempre la conclusión de Juan Rejón, no se escondía sino un sentimiento vil de mezquina envidieja por parte de sus súbditos, aquellos rebaños de desarrapados que estaban allí, con nuevos nombres y apellidos, gracias solamente a él. "¡Que se jodan!", gritaba entonces desde las oscuridades de su lecho, aliviado y reconfortado por las siempre renovadas caricias de aquella lasciva silueta que se revolcaba sobre su cuerpo encallecido y que le insuflaba una vida desconocida para él hasta entonces. Recuerda, por ejemplo, aquel mismo día en el que la trasladó a su casa, ya casi terminados sus aposentos y un lujo vulgar comenzando a dibujarse en el mobiliario y las techumbres de madera; cómo se materializó el sarcasmo de Martín Martel en aquella broma obscena y macabra que habría de ser el principio de la ruptura definitiva de su amistad; cómo habían llegado hasta las puertas del Palacio dos de los soldados del lugarteniente, ignorantes por completo de la suerte que transportaban y de la que a ellos les tocaría por semejante indignidad. En sus manos se alcanzaba a ver una formidable vasija del Sahara, de barro cocido y policromado con dibujos alusivos al amor y escenas festivas.

—¿Quién os envía? —preguntó el propio Rejón, el ceño fruncido como prueba irrefutable de su severidad y de la sospecha que lo acuciaba.

—Martín Martel, señor, vuestro lugarteniente que os honra con este regalo.

Dentro de la vasija, en efecto, ningún otro veneno podría haber más terrible para el Gobernador Rejón, ni serpientes ni alacranes habrían hecho más daño a su amor propio que el mensaje que, escrito con letra lenta y solemne —trabajada para la ocasión por algún cómplice escribano que demostraba una notable capacidad de amanuense—, reposaba escondido en el fondo de aquella terracota, como secreto de piñata, la leyenda fatal que resumía todo el pasado de Zulima en una sola frase que ahora su primer amante dedicaba al Gobernador para que celebrara con ella sus apócrifos esponsales, para que brindara en ella con los vinos malvasías que Rejón guardaba en sus bodegas palaciegas. "Para que puedas romper algo en el día de tus bodas con la niña mora, capitán", leyó Juan Rejón avergonzado, mientras la sangre se agolpaba en sus venas, golpeaba sus sienes y alcanzaba el corazón que se desbocó como un caballo salvaje asediado por una locura desconocida. Como contrapartida inmediata, retuvo a los dos mensajeros y los hizo, al instante, ensartar a manos precisamente de aquella guardia mora, su guardia personal, que lo había rodeado desde el mismísimo momento en el que Zulima había tomado posesión del Palacio. Después, una vez muertos, mandó que los empalaran en la Plaza del Pilar y que no se culpara a él de aquella venganza. Era el justo castigo que merecía la bravata de Martín Martel.

"¡Que se joda, que se joda para siempre!", rezonga ahora Juan Rejón al imaginar el cuerpo del lugarteniente agujereado, medio devorado como un queso por las glotonas ratas callejeras de Salbago. "Era el final que merecías, cabronazo", concluyó para sí.

Ahora ya no había remedio. Lo habían dejado solo. Todos,

excepto Pedro Resaca, lo habían abandonado lenta, paciente, paulatinamente, como si se tratara de un apestado que se deshacía deslizándose hasta la muerte, como si se tratara de una estudiada operación de desenganche de un navío viejo e inservible que inclinaba ya su proa para hundirse en las aguas que rodeaban Salbago. Vagaba por los corredores del palacio arrastrando la soledad como un sonámbulo a quien se le iba estrechando su círculo vital. Se entretenía en la luz de los patios oyendo los gritos desafinados de los loros y las guacamayas, sonreía con tristeza cuando los animales lo llamaban a su paso y recibía en la frente el sol que le acercaba secuencias de los recuerdos de su vida, rostros alterados que le saludaban en alguna tregua entre batallas del pasado, rostros que él se imaginaba caprichosamente que le rendían un homenaje tardío e inservible. Acompañado por aquellos verdes mastines, que envejecían también junto a él, penetraba en la musaraña claroscura de sus aposentos vacíos, hablaba consigo mismo, embriagado de una rara ansiedad que le hacía vislumbrar su final. Poco a poco, la telaraña de su solitario destino había ido acomodándose a su silueta como un cinturón, tejiéndose a su sombra almidonada por los años como rémora que iba chupando la sangre coagulada, como una sanguijuela insaciable que iba pacientemente constriñendo su cuerpo, achicándolo, encogiéndolo. Podían verse aún las huellas de los dedos de los contrincantes posadas sobre las petrificadas y muertas peonzas del juego del ajedrez, en el rincón de la sala donde solían, tiempo atrás, sentarse el Duque Negro y él, antes de que el enigmático noble desapareciera sin dejar el más mínimo rastro y la partida reposara sobre el tablero imperturbable e interminada para siempre, como tantas y tantas cosas en Salbago, que habían sido iniciadas con la más febril de las voluntades para quedar a medio camino entre la apatía y el desinterés, una forma muy particular de arruinar las cosas. Hasta después de su propia muerte tampoco iba a regresar a la isla su hijo Alvaro Rejón, que había crecido al borde del mar, hipnotizado por las aguas, enloquecido por las leyendas de peces gigantes y monstruosos, atraído por la mar

131

como si de un imán se tratase. Resaca lo había criado junto a su hijo Pedro y los dos, una vez que pusieron en orden sus bártulos y sus ideas, una vez que comprendieron la inutilidad de aquella quietud letárgica y sin aventuras, navegaron hasta conocer como las palmas de sus manos la costa occidental del Africa, desde el Norte hasta el Sur. Después, se lanzaron a la aventura continental, el sueño del oro, de las especias. La fiebre de las riquezas empezó a arrasarlo todo cambiando la dimensión de la vida y de las cosas que fueron poco a poco perdiendo su original valor en beneficio de los relatos, las ambiciones y las leyendas que recalaban en las costas del Real de Salbago desde el Nuevo Mundo conquistado por los españoles, de modo que no resultaba nada extraño que los hijos vendieran por unas miserientas monedas las haciendas recién heredadas de sus padres. Después, todo el esfuerzo consistía en apiñarse brutalmente en los embarcaderos para comprar su plaza de viaje al paraíso, cosa sumamente castigada por el Consejo de Indias en Sevilla, o para corromper con el metal valioso los escrúpulos de marineros y capitanes. Y si nada de esto era posible, se alistaban gratuitamente en alguna de aquellas carabelas que, transportando esperanzas e ilusiones desorbitadas, fondeaba cada vez con más frecuencia en los puertos de Salbago para repostar mercancías y alimentos.

Bartolomé Larios, por ejemplo, tomó la firme decisión de marcharse después de recomponer en su cabeza la pérdida de tiempo que su vida significaba en Salbago. En un rasgo de locura, que de todos modos honraba toda una dilatada vida en sus postrimerías, había soñado ver la Tierra Firme del continente como si estuviera a la altura de sus manos entumecidas por el timón. Deambuló entonces por el puerto, por los barrios de los pescadores, hablando consigo mismo, convenciéndose de su secreto más preciado. Noche tras noche se iba obsesionando con el viaje imposible. Noche tras noche cuadraba nuevos planes, apuntaba aproximaciones e historias que oía en los tugurios del puerto y que luego traducía a su propia experiencia, comentarios dichos entre putas y marineros que cantaban las excelencias de una tierra ilimitada. Despertaba rejuvenecido, sudoroso y febril, hipnotizado por su actividad y por el deseo del viaje trasatlántico, acuciada su respiración por la certeza de que aquel mundo estaba situado inmediatamente detrás de las olas que a diario estallaban sobre las playas arenosas de Salbago. Estaba loco. Había perdido la razón en la más soledosa de las ancianidades. Una mañana, haciendo caso omiso a su exigua servidumbre y a los más cercanos amigos que, advirtiendo algo raro y nuevo en el brillo de sus pupilas, le sugerían que no saliera hoy a la mar, se echó al agua a puro golpe de remo en una barquichuela que no alcanzaba los seis metros de eslora. "Voy a pescar", respondía tercamente a quienes le aconsejaban que se quedara en tierra. Una aguja inservible, que desde hacía tiempo había dejado de marcar el norte para dedicarse a bailar caprichosamente sobre los cuatro puntos cardinales, era el único instrumento de navegación que pudo llevarse a bordo. Enfundado en su viejo traje marinero, ropas raídas por el tiempo y el desuso, había quedado convencido del éxito total de su empresa. Un solo palo central, al que se ajustaba una vela latina que Larios no podría ya maniobrar por falta de fuerzas, componía la arboladura del bote. El viejo piloto desapareció de Salbago tal como había venido y vivido en la isla: sin dejar rastro alguno. El mar, selva inmensa y silenciosa, se lo tragó para siempre y su memoria, también para siempre, quedó apaciblemente flotando en las aguas verdes de los alrededores. Su barca, como un caballo domesticado, había regresado sola a puerto y se había estrellado, tres días después de su salida, contra la parte exterior de la escollera.

"Estaba loco", se comenta el Gobernador Rejón al recordar el asunto.

Ahora mismo, además, temía el Gobernador que le llegaran noticias desde Europa, hechos que a él le importaban un bledo, una mierda, decía ante las acusaciones. La nobleza y el Rey de España, el glotón de Carlos, lo darían a él, a Juan Rejón, como máximo responsable de un contubernio escandaloso que hundía sus raíces en la suciedad de las intrigas políticas: el Duque Negro, después de escapar de Salbago, estaría en Francia, en la Corte podrida del Rey Francisco. "¡Menudo mariconazo, ahí tuvo que ir a tener, con esa pila de afeminados que son los franceses!", decía Rejón esgrimiendo una pobre defensa que desdeñaría aquellas acusaciones. Después se concentraba, se escudaba en un silencio que se suponía lleno de misterios concéntricos y recuerdos deshilachados. La estela de los rumores alcanzaba también la ciudad y reclamaba de Juan Rejón responsabilidades de su cargo: le endosaban sin tapujos la culpa de la huída de aquel traidorzuelo de maneras refinadas que había desaparecido de la isla dejando tras de sí la huella contumaz de ciertos escándalos que, allí mismo, había repetido una y otra vez, sin que la justicia se hubiera hecho cargo de ellos. Siempre, pues, había hecho Rejón oídos sordos a aquellas habladurías con las que le llegaba Hernando Rubio. "Le tienen envidia, Hernando", respondía al cojo Inquisidor. ¿Era o no era, por ejemplo, verdad que el Duque Negro se desnudaba de todas sus ropas, a pleno sol, en la azotea de su casa y así era masajeado por las manos concupiscentes y el cuerpo enclenque, sospechosamente femenino, de Lord Gerald, aquel británico (del que no cabía la menor duda, por sus maneras y sus famas) que había pasado repentinamente a su servicio desde las galleras y los cuchitriles puteros de *El seis de copas*, reclamado, según confirmó María Salomé, por el propio Duque Negro, que lo había comprado como si se tratara de un esclavo africano? "El amor es ciego, Gobernador, y lo puede todo", le dijo a Rejón Maruca Salomé. Pero él, enceguecido también por la amistad que le dispensaba al Duque no quiso nunca entender la verdad que Hernando Rubio le llevaba todo los días. "Son modos cortesanos, Hernando. Otra forma de educación que no tenemos nosotros", frenaba Rejón las ganas del Pálido. ¿Pero acaso no era un indicio suficiente de amores orgiásticos y escandalosos, prohibidos incluso por la ley natural? "Cada uno en su casa y con su culo", concluía invariablemente el Gobernador Rejón, "puede hacer lo que le dé la real gana". De este modo, la suerte siempre se inclinó de parte del Duque Negro, familiar además de la

Santa Inquisición, por lo que sólo Hernando Rubio podía atreverse a ponerle las manos encima. "Tú", acusaba el Gobernador al Pálido, "tú eres un pajillero y te bastas a ti mismo. Así cualquiera, cabrón". Era, de todas maneras, una complicidad excesivamente complaciente.

Durante años, el Duque Negro había esperado pacientemente en su exilio insular la ocasión más idónea para escaparse. Entre partidas de ajedrez, exquisitas lecturas, paseos nocturnos por las playas solitarias, asuetos libertarios con Lord Gerald —que para eso, y no para otra cosa, lo había comprado a Maruca Salomé—, educaciones sentimentales ajenas a la vana tosquedad de aquella tierra, gestos gratuitos que ayudaron a consolidar su respetada leyenda de tipo enigmático e injustificadamente retenido allí. Durante años, toda maledicencia que la voz de la calle volcaba sobre los oídos de Rejón y de Hernando Rubio fue tomada por simple habladuría, historia creada por la imaginación menor y enfermiza de gentes inferiores que no podían llegar a comprender la nobleza del Duque y que se negaban a la grandeza incógnita de su destierro. Enfundado en su ropaje negro, casi siempre de calzas largas, paseando por Salbago una desusada e insólita majestad, acallando con masajes de Lord Gerald los ardores febriles de su hiperhidrosis —cuyo único vestigio era el constante catarro de garganta que el Duque padecía—, nunca rompió el más mínimo hilo de su venganza, una malla que siempre llevaba en su pensamiento, ni jamás pudo observársele ansiedad alguna cada vez que las carabelas se acercaban hasta Salbago o se alejaban de la costa. Las miraba con desprecio como si nunca las hubiera deseado. Todo el tiempo anduvo ganándose la confianza de Rejón, preparándose para la única ocasión que se le iba a presentar en su vida de exiliado forzoso. Así durante muchos años. Así hasta que las circunstancias cuadraron y la huida fue algo más que una simple ilusión, más que una sombra en la imaginación de aquel hombre siempre imperturbable.

Tampoco Lord Gerald iba a ser olvidado sobre aquella tierra calcinada por el simún a la hora de traspasar el límite proscrito del Malpaís, frontera impenetrable de una zona maldita de superficies renegridas y estériles donde nadie se atrevía a entrar por temor al vacío, a la misma sonora soledad de aquel vastísimo territorio de nadie —donde el viento trasegaba melodías que volvían locas a las personas— o porque desde cualquier recoveco sin luz, como señalaba la leyenda del lugar, podía brotar en cualquier momento la voz ronca de los condenados a perderse en aquella bíblica sequedad, en aquel mar de lava, esparcidos como cenizas o como recuerdos fantasmales. Educado en la mayor de las discreciones, el aspirante a fugitivo había ido trazando a lo largo de muchos años, con toda minuciosidad, un plan de huida irreversible. Aguardó a encontrar la persona indicada (un anónimo capitán de navío francés que llegó hasta el embarcadero isleño a reparar ciertas deficiencias surgidas en las largas singladuras junto al sur de la costa africana). Era, en efecto, un negrero que quería rehacer su vida, volver a Francia, entrar en Marsella como un héroe nacional que pudiera contar sus aventuras sin que lo encarcelaran y terminaran por matarlo. Desde la azotea de su mansión, el Duque Negro había observado el repetido itinerario del barco francés, las idas y venidas a Salbago cada dos meses aproximadamente, brillando los ojos del Duque Negro como si se tratara de una visión o un espejismo deseado, como si sólo un sueño le trajera hasta su vista las velas desplegadas del barco y los colores de la bandera francesa bajo la cual navegaba incólume el capitán pirata. Latentes todas las ilusiones de escapada, surgieron entonces los jugos renovados de la esperanza dentro de aquel cuerpo que jamás había delatado, ni en sus más mínimos gestos, su irrefrenable deseo de evasión, sus verdaderas intenciones de alejarse para siempre de Salbago. Sabía además lo que no sabían o querían ignorar aún en la isla sus autoridades: España estaba prácticamente en guerra abierta con Francia. La enemistad y desconfianza entre Francisco y Carlos era un hecho que sólo podía escapar a los patanes o a aquellos seres de otro mundo que vivían su vida como si aquella tierra fuera el ombligo del planeta, de donde emanaba toda la realidad y toda la noticia.

Muy bien sería, entonces, acogido en la refinada Corte parisina aquel teórico de la profecía más dislocada, aquel frenético defensor del desmantelamiento y desmembración de un imperio —el español— que empezaba recién a cristalizar, un insólito e inexplicable personaje —educadísimo, pulcro hasta la petulancia, afectado hasta la extenuación— que pregona a voz en grito la insensata y —sin embargo— profética majadería que ahora vendrá a caer como fruto maduro en manos del monarca galo; un excéntrico filósofo que recita incesante la necesidad de independencia de una tierra inmensa, el Nuevo Mundo, que el Tratado de Tordesillas había concedido a España y a Portugal, trazando las fronteras del reparto con la bendita anuencia del Papa imparcial —Roma al fin y al cabo, Roma con la que siempre acababan topándose todos los pensadores de la historia—, sin que ni siquiera se hubiera esperado a conquistarlo del todo, sin que tampoco se supieran sus exactas dimensiones; un loco irresponsable que fustiga la fiebre del oro, la suprema ambición de los españoles según él, un pensador único y perverso. En suma, un heterodoxo molesto como sólo España a través de los siglos los había parido por docenas: perfectos, tenaces, incombustibles a pesar de la proximidad cotidiana de la hoguera.

Aquella extrema rebeldía era el preludio inefable de todo un siglo de matanzas encarnizadas, de malentendidos históricos, de desafueros y revueltas, de guerras civiles y guerras de liberación, de glorias que fueron convirtiéndose en derrotas, de engendros falsos y de pasos perdidos: de conquistas que conquistarían y terminarían por atrapar a los propios conquistadores. Había, pues, que otorgarle sitial de honor al Duque Negro, levantarle un púlpito políglota para que extendiera, *urbi et orbe*, aquella doctrina, por todos los salones, por todos los pueblos, la ciudades, por todas las aulas universitarias, por todos los rincones y arrabales de la verdadera capital del mundo europeo y civilizado, la ciudad de la libertad y la concupiscencia, la ciudad del mármol, la ciudad del alabastro, la novelería y el refinamiento, la ciudad de los perfumes y los lujos, la ciudad del desenfreno y la carcajada, del espectáculo más procaz y la intriga más astuta, la urbe en la que todos los mercachifles del mundo eran tenidos por honestos negocieros que desembalaban sus ficciones para venderlas al asombro de un público cosmopolita y dilapidador, la ciudad siempre abierta, donde el concepto tirano del pecado había desaparecido para siempre y donde, finalmente, se solventarían en gloria las dudas y las elucubraciones que acuciaban al Duque Negro, que encontraría allí, en París, el complemento ideal a su carácter díscolo y reflexivo a un tiempo, brillante y arrebatador a un tiempo en la discusión igualitaria con profesores y pensadores, con sabios y gentes que, como él, conocían otras lenguas y entendían otras culturas, gozaban de una educación mundana y transigente donde era adorada la tolerancia, con personas hechas para la conquista del espíritu y no para las bárbaras proezas y las hazañas del oro y la caballería que reventaban las mentes de los españoles. Todo un siglo posterior iba a ver venir lentamente la doctrina emancipadora del Duque Negro, en cuya alma incubaban los resabios biliosos de todos los traidores que en España habían sido, desde Prisciliano a don Julián, desde el Conde pasado al Islam hasta el Duque pasado a la pérfida Europa.

Con paciencia y suma reflexión se guían ahora el Duque Negro y el Lord. Atraviesan las siempre sospechosas latitudes de una obligada clandestinidad. Obvían el error fácil, huyen del nerviosismo en el que una excesiva premiosidad los enfangaría. Saben que transitan lugares de frágil porcelana cuya quebradiza materia es un pozo abierto a sus pies. No importa, por tanto, perder algunas horas más en cumplir con toda exactitud cada uno de los complicados pasos del plan previsto de antemano. Se juegan sus vidas como inverosímiles y al mismo tiempo expertos tahúres de tugurio: a una sola carta y a cara descubierta. Una esperanza irrefrenable lanza en el interior de sus pechos, mientras caminan, destellos intermitentes que los empujan a huir de aquel imantado territorio en el que el mito de Circe, ellos mismo lo habían comprobado, se convertía en cotidiana realidad. Franquean obstáculos y rastrojos, sarmientos secos y algas que flotan sobre la superficie de la tierra volcánica barrida por el viento tibio y arenoso, huyen a través de la luz límpida que en la noche tropical arrojan las estrellas con la mano. El sigilo y la prudencia son aquí arte sacro, sal de huesos de arrojados funambulistas durante las horas que el peligro persiste rodeándolos como una próxima posibilidad. Hasta la saciedad había estudiado el Duque Negro el rudimentario mapa que había dibujado para él aquel anónimo mercenario francés, hasta el punto de que resultaba un riesgo innecesario cargar con el reclamo que podría delatarlos en cualquier momento, pirograbado como estaba ya en su memoria privilegiada cada uno de los zigzagueantes caminos que los llevaría hasta la evasión final. Dejando tras de sí el eco ronco de sus apresurados pasos, a pie y embozados en el silencio y en la ciega complicidad de la noche, atraviesan primero aquel odioso poblado donde quedaban tantos años de inutilidad, tanta desidia escrita en las paredes de las casuchas y suburbios, aquellos contornos hostiles en los que ambos —el Duque Negro y Lord Gerald— se habían sentido como personajes de comedia, fuera de juego, barajas sin figuras, muestras sin valor de otro mundo olvidado, donde sus costumbres y sus modos eran una simple parodia, no conducían a otro sitio que a la hoguera y ni siquiera correspondían, en modo alguno, a los de la más alta aristocracia insular, nacida en los tiempos del descubrimiento, una élite de bastardos y recogidos, de entenados y privilegiados que había asumido ininterrumpidamente, como si hubieran abolido el tiempo, un poder corrupto hasta la gusanera, lleno de insolvencias y contradicciones desde la época en la que Juan Rejón fundara la ciudad y poblara de cualquier manera la isla irrecuperable de Salbago; una ciudad límite, siempre fronteriza, una ciudad en la que ellos dos habían conocido la sensación de la asfixia, una ciudad plagada de inmundicias y de aventuras estólidas, rehenes ellos de la moral más contrahecha, obligados ellos mismos a conducirse con la mayor ambigüedad, a penetrar en la maraña y los gestos de la hipocresía cotidiana; una ciudad, en definitiva, donde el desajuste histórico que había provocado el descubrimiento y la conquista del Nuevo Mundo, al otro lado del Levante, se traducía maníaca y mecánicamente en la dinámica provisionalidad inconsciente a la que vivían apegadas y doblegadas aquellas muchedumbres, obsesionadas por las leyendas de todos los géneros, las historias y las fiebres repentinas de un universo que se les antojaba de dimensiones desorbitadas.

Por estrechos caminos de rocas volcánicas, que aparecen a punto de soltar determinados monosílabos de advertencia al decidido paso de los evadidos y que muchas veces a lo largo de la noche los regresan al hipotético punto de partida —horas enmarañadas en los parajes que semejan un laberinto sin sentido que los vuelve atrás, hasta las fronteras que ellos creían superadas—, desgarrados sus vestidos, confundidos una y otra vez pero inasequibles sus espíritus a la fatiga y al desaliento, poco a poco van tomando confianza en sus propios deseos, se adentran en aquel mundo de figuras fantásticas, lleno de la nada a la vez más hermética y hermosa, sin permitirse ni el más ligero descanso sobre el picón lunar de ese paisaje inhabitable, desconocido y quemado por las sucesivas erupciones de los siglos perdidos. Siguen reconociendo senderos lenta, minuciosamente, como almas gemelas que el mismísimo diablo conduce a través de los parapetos del infierno hasta que al final logran alcanzar, casi en los albores del día, la otra cara de la isla, el silencio oculto de Salbago, el borde sin retorno donde cortado a pico se yergue a más de cien metros sobre el nivel del mar un monstruoso acantilado que muestra las estrías de aquella increíble escultura que semeja órganos gigantescos de una iglesia enorme, al aire libre, instrumentos que suenan ahora melodiosos al choque de la blanca espuma de las olas, juegos de notas que el aire y la ventisca producen sobre el litoral, en la playa en cuyas orillas las lavas petrificadas se retuercen plagándose de formas caprichosas, como un museo de horrores, dejando entrar por sus innumerables agujeros el agua tibia convertida en espumas al chocar el mar contra ellas.

El Duque Negro admira extasiado por un momento aquellos bloques de piedra retorcidos, como en un retenido paroxismo mineral, las enrevesadas columnas en cuyas figuras se mezclan los estilos ya clasificados por los historiadores del arte y los retazos de otros que sólo son apuntes aún y cuyo desarrollo corresponderá a los siglos venideros. Es un bellísimo fenómeno geológico, oculto desde las tierras de Salbago, sólo visible desde ese sendero que desciende hasta las playas de cantos rodados, un espectáculo que refleja para siempre los destellos del universo ardiente que, en su momento, reventó a la isla, la penetró, la lanzó por los aires y le dio finalmente nueva configuración, pulverizada en mil nuevos pedazos, al llegar derretida hasta las espumas marinas que frenaron su marcha hacia el océano. Ahora hierven ahí las espumas, como despojos de la actual geografía de la isla, rebullen las quietas lavas seculares entrechocándose con el mar que salta hasta enchumbar de sal líquida las primeras estribaciones de la inmensa pared, terminada arquitectura de una catedral arqueológica que esconde los secretos de la isla en el interior de su bóveda.

A lo lejos, a sólo milla y media de la costa, flamígero en el mar brilloso por los reflejos lineales del sol de la incipiente amanecida, resplandece levemente agitado el mesiánico navío francés que ahora mismo descubren los dos agotados fugitivos. Bajo sus ojos, la playa de piedras negras, inmenso reborde donde casi desesperan por ellos el bote y los tres hombres adormilados que empiezan ya a desperezar sus siluetas aún entre sombras. Sólo falta desarbolar, sendero abajo, aquel espectro negro que se levanta junto a ellos, el espectacular acantilado de los órganos que bordean hasta, jugándose la vida, alcanzar lentamente las señales dormidas de la luz del bote. La aventura de la evasión, el riesgo corrido a través de los roquedales volcánicos, a través de los vientos silbantes y las ambiguas oscuridades de la noche, había valido la pena. El Duque Negro sabía que ninguna otra ocasión igual volvería a repetirse. Soñaba con París.

Comenzó a escribir el libelo (soñando con París) con suma ansiedad desde el momento en que el barco surcó la mar abierta y perdió de vista la isla —que poco a poco fue convirtiéndose a los ojos del Duque Negro en una especie de recuerdo, de pesa-

141

dilla dejada atrás ya para siempre— como si en su fuero interno algo oscuro y viscoso lo obligara a permanecer ante el escritorio de su camarote, quemándose las cejas, corrigiendo los desafueros, ahondando en la profundidad visceral de sus herejías. Las noches y los días sólo suponían para él, en incesante sucesión, un acicate más para la terminación de su obra interminable. No eran exactamente las memorias de un resentido, las sentencias dislocadas por un largo exilio que provocaba errores de perspectiva sobre la realidad. No era tampoco el ensayo controvertido de un hombre derrotado, de un pensador incomprendido por la pétrea cerrazón de sus compatriotas. Ni siquiera el latido de la venganza de un traidor, de un español de sangre noble que había despreciado las normas de su origen para buscarle las vueltas negras a la historia y a la vida. Era simplemente el grito ensordecedor, el estallido necesario de una tesis de libertad, la voz discordante que implicaba en sus desaforadas teorías una extraña y nueva visión del mundo. Siguió escribiendo noche tras noche, día tras día, mes tras mes, como si para él no existiera en el universo ninguna otra cosa tan importante como dejar sellada e impresa con su propia letra los pensamientos que tanto tiempo había mantenido archivados en la mente.

Allá en la isla quedaba la sombra perturbada de Juan Rejón, el gobernador fuera de todo tiempo, el soñador de epopeyas sin cimientos, anclado entre sus perros y las memorias inventadas de una conquista que jamás tuvo lugar, una historia que paulatinamente el mismo Adelantado enriquecía con batallas y gestas que su mente demente y desquiciada inventaba conforme se iba perdiendo en las esquinas del tiempo que ya no le correspondía vivir. Sus fervores, sus horrores, sus fobias, sus temores, sus obsesiones, crecían como hiedras a su alrededor, formando parte de su misma historia como si un bosque vegetal fuera poco a poco recubriendo el interior de su palacio, sus paseos solitarios por las galerías de piedra que hacían rebotar el eco de sus pasos sobre las paredes. Al acecho de la mínima suspicacia rondaba Rejón hasta los ínfimos estercoleros de su casa. No podía olvidar, desde la marcha del Duque Negro, que la traición había impregnado de odio una y otra vez su vida. Sin perder su arrogancia, encerrado dentro de aquellas gruesas paredes de piedra, arrastraba su sombra como un fantasma en pena, recurriendo a ratos a la inútil película de su existencia. Momentáneamente le asaltaba la fiebre del miedo. Ahora era posible que lo que él creía su obra grandiosa —la construcción y posesión de Salbago— le fuera arrebatada gracias a la locura de aquel intrépido personaje que durante tantos años había ganado su intimidad y su confianza. Ahora era posible que lo mandaran a buscar desde la Corte, que lo hicieran ir en viaje de regreso y lo obligaran a esconderse entre las agrestes montañas de León o, lo que venía a ser muchísimo peor, lo sacaran de aquel destierro al que él mismo gustosamente se había condenado de por vida y lo condujeran en una carabela cargado de cadenas hasta la Península. Era probable que todo eso ocurriera y aún más: que fuera definitivamente empujado a una crujía solitaria y húmeda donde sus huesos darían de nuevo con el rechazado anonimato del que había salido. Su nombre sería borrado de la historia después de un corto proceso en el que los testigos estarían todos de acuerdo y en el que los jueces militares no tuvieran otro trabajo que mandarlo a la oscura tumba de por vida. Comenzaba a temblar entonces Juan Rejón, crecía como una premonitoria realidad el viaje de regreso en su mente, el viaje a una tierra que ya había olvidado por completo, sentía los mareos que en su anciano cuerpo imbuía el vaivén de la carabela, oía soplar el viento en el inicio de una tormenta que poco después arreciaba oscureciendo el cielo y haciéndolo vomitar como un epiléptico. Prisionero de sí mismo, Juan Rejón especulaba adelantando acontecimientos que nunca habrían de llegar, porque de otro modo jamás se cumpliría la maldición de Pedro de Algaba, la que el rebelde le había hecho tantísimos años atrás, en la época en la que él mismo desencadenó sobre Salbago la furia inquisitorial de Hernando Rubio, el Pálido. Después, recuperado del ataque, afiebrado aún y al mismo tiempo empezando a sosegarse, mojado de un sudor gelatinoso que le pegaba las vestiduras al cuerpo, se desmoronaba hasta quedar dormido para, de nuevo, despertar a gritos en el silencio del palacio, comenzar tal vez a correr torpemente a través de las galerías y encerrarse en el primer galpón que encontraba, mientras el resuello sorprendido de loros y guacamayas aumentaba el estruendo de su corazón desbocado.

Todas aquellas visiones eran sólo eso: apetencias que el miedo iba construyendo a su lado, sólidos estertores de una soledad que se había ido levantando a su alrededor y que había alcanzado su clímax con la traicionera evasión del Duque Negro. "Ese maricón me ha desquiciado", vomitaba su voz para sí mismo entonces, mientras boqueaba el aire que se había corrompido en sus pulmones durante el ataque.

Todas aquellas visiones quedarían reducidas a eso, a la tensión enardecida que la marcha del Duque había provocado en su mente fuera del tiempo. Ni el Rey de España y de todo el Nuevo Mundo, el hombre en cuyos dominios tampoco se ponía el sol, iba a mandarlo a buscar para arreglarle las cuentas de su incapacidad, ni jamás sería juzgado por los funcionarios de la Corte, distinguidos siempre por la implacabilidad de sus determinaciones. Ni siquiera su nombre existía, ni había existido nunca, como un ente sólido y a tener en cuenta, en la imaginación de su Majestad Imperial Carlos V, un europeo que nunca llegó a entender de otras dimensiones que las que el Viejo Mundo, del que había sido elegido por la fortuna como hijo predilecto, le había marcado. Jamás supo de islas, ni de Rejones, ni de Obispos Frías, ni de judíos Luz, ni de catedrales a las que aquejaban males sobrenaturales que impedían acabar de construirlas, ni de viajes por mares interminables ni de conquistas de tierras inhóspitas. Su mundo era un mundo de glotonería, un mundo de fortuna, de lujo, su constancia estaba entregada para siempre a los festines de la mesa, a la victoria constante y a los triunfos que le servían en bandeja de plata y oro los locos conquistadores españoles, surgidos de las estepas castellanas, de los baldíos extremeños, y de los puertos y arrabales andaluces. No tenía Carlos V razón para preocuparse: Dios estaba siempre a su lado, aconsejando con astucia omnipotente cada uno de los pasos que el Católico debía ejecutar. Jamás un error desbordó los oídos de su Excelsa Majestad. Jamás, pues, había oído hablar de Rejón ni de sus falsas conquistas. Sólo el oro denunciaba su interés por el Nuevo Mundo. El oro y la indiscriminada expansión de una religión que traumatizaba las mentes y las seculares tradiciones de los aborígenes del Nuevo Continente. Por eso mismo, todas las pesadillas de Rejón se convertían —en el fondo— en una entelequia, en una historia que jamás había existido, en un libro que jamás había sido escrito. Sus memorias, al lado de la fundación de aquel mundo que crecía descomunal más allá de Levante, eran un párrafo confuso, sin ninguna importancia, un escollo sin valor que los historiadores se saltarían en sus crónicas sin ningún esfuerzo. Sus actuaciones siguieran o no al pie de la letra la ley del monarca, no eran para nada tenidas en cuenta. Matara o no matara, conquistara o no conquistara, fundara o no fundara, el producto siempre era el mismo y la traducción de los hechos arrojaba la misma lectura: nada de lo que hiciera —por acción u omisión— tenía el más mínimo valor. Simplemente no existía.

Por eso, todas las herejías escritas por el Duque Negro jamás iban a llegar a ser leídas por nadie. Jamás el Duque se vería envuelto y rodeado por el mundo que siempre soñó mientras había permanecido en Salbago. Nunca podría relatar, con el género de detalles y la minuciosidad que era una de sus más seductoras características, las peripecias padecidas en aquel lugar salvaje y perdido del Atlántico en el que había permanecido por espacio de tantos años que había terminado por trastocar las fechas de su propia biografía. Su panfleto contra Carlos V, titulado *De Salbago a París*, alegato interminable y lleno de improperios contra la España imperial, sus monjes, sus obispos, sus conquistadores, sus gobernantes, nunca habría de llegar a su destino. El barco que el bucanero francés había acercado a las costas isleñas, para sacar de aquella tierra baldía a una mente privilegiada que habría de enseñar al mundo las patrañas del mezquino e hipócrita catolicismo de los españoles, habría de perderse por los siglos de los siglos vagando impertérrito e insomne por todos los rincones del Océano. Su singladura, empero, tampoco entraría a formar parte de ninguna leyenda importante, sino que la historia de aquellos tiempos dejaría reducida la fuga del intrépido y enigmático Duque Negro a una sombra más o menos difuminada, paralizada y mareada en medio de tantos acontecimientos superiores, aquéllos que presagiaban la luz de una nueva época gracias a la conquista de tierras cuyos descubridores jamás llegaron a sospechar sus indescriptibles dimensiones.

De Salbago a París quedaba así en la mente del Duque Negro, como un intento de desestabilización del Imperio, una gota de aceite que el sol había secado no más empezar a rugir en un mundo lleno de visajes nuevos, de códigos novedosos y de inéditas especulaciones. Los ecos de aquella leyenda jamás llegaron tampoco a París. Que un hereje español se pasara el resto de la eternidad divagando sobre lo divino y lo humano, doblemente encerrado en la prisión de su camarote y del inmenso mar en el que el navío flotaría por los siglos de los siglos, siempre avistado desde lejos como un fantasma, repudiado por las marinerías de las otras carabelas como un espectro perteneciente al diablo, no tenía en realidad mayor importancia. Que algunos serios investigadores hicieran crecer, años o siglos más tarde, con sus reivindicaciones y rescates intelectuales, la imagen del heterodoxo perdido entre las aguas y las tierras que conducen a la ciudad de París, carecería también de verdadera envergadura. Tantos y tantos otros aventureros habían perdido sus vidas en aras de cualquiera de las falacias detrás de las cuales habían corrido que la historia del Duque Negro, engrandecida por sus fanáticos seguidores o enaltecida más tarde por tantas universidades del mundo, no obtendría de todos modos el calificativo que le era necesario para entrar a formar parte de la tradición científica de la Humanidad.

Juan Rejón, en su fuero interno, podía seguir dormitando —como hasta ahora había hecho— entre sus ensueños de conquistador frustrado. Nadie era el Duque finalmente para importunar su pequeña historia y sus proezas inventadas. Pedro

Resaca, el único de los fieles que lo seguía con paciencia a través de los rincones del palacio, se había convertido ya en su sombra, en su nodriza, en su cocinera. Era el único que seguía entendiendo a Rejón, metamorfoseado ya en un manojo de manías y de supersticiones. El único, en suma, con quien compartía aquella pena que a ambos oscurecía la bilis: la marcha de sus hijos a los confines del mundo. El único que estaría presente el día fatal de la insólita muerte del Adelantado don Juan Rejón. Mientras tanto, mientras el tiempo traspasaba lentamente las barreras de los años como si nada ocurriera en los alrededores de la isla, como si aquel territorio se hubiera convertido en la única tierra habitada del planeta, Resaca llegó a odiar tanto al mar, a pesar de ser un avezado pescador, como a su propio señor. A ambos los veía todos los días sin poderlo remediar.

"El mar, Pedro", resollaba también Juan Rejón de vez en cuando, "esconde siempre una maldición. El mismo es una maldición. Todos se pierden en él porque esta tierra de la que escapan es su único refugio. Huyen buscando la muerte. Nosotros, Pedro, somos ya los únicos que quedamos".

El día en que estaba señalado que habría de morir, Juan Rejón se levantó de la cama con un agobio que apenas le permitía respirar. Era, sin duda, el peso de la premonición de su final que se traducía en una dolorosa migraña. Desde el alba, al abrir los ojos, pensó que un insecto inmenso y de especie desconocida (que él se imaginó como un escarabajo blanco y mullido, con ojos humanos y poderosos élitros) había albergado en su cabeza mientras dormía e iniciado allí (ronroneando o afilando los instrumentos musicales) un concierto de notas extrañas que, en efecto, preludiaban su muerte. Estaba, como advertía Pedro Resaca, indispuesto. Tuvo, como siempre en medio de esos raros arrebatos, urgencias repentinas por acabar faenas que, de repente, recordaba haber dejado a medias (olvidadas, quizá, desde mucho años atrás) y cuyo interés inicial se había ido enmoheciendo en su alma.

"La Catedral, carajo", memorizó de improviso. "¡Cómo estará eso! Le prometí a Herminio que iría a ver las obras." Por un extraño mecanismo sin control alguno, saltaban a su memoria asuntos que había olvidado entrando a jugar la mala conciencia de su memoria, mientras como bagatelas nublosas se reproducían en su mente mapas, planos, dibujos y siluetas interminadas del edificio sagrado.

En esos días aciagos, abandonaba labores que en la jornada anterior había iniciado con carácter prioritario y con un desusado empeño para su edad. Cosas, a decir verdad, ya sin importancia a las que había concedido, en momentos de dislate senil, un excesivo interés. Quiso después despejar por sí mismo aquella duda, sin preguntarle a nadie y mucho menos a Resaca, que lo tenía atolondrado a todas horas. "¿Cómo se llamaba ahora este pendejo que mandaba la tropa?". También recordó esa interrogativa que tenía abierta todavía. Se empeñaba así, tal vez para ahuyentar las maléficas sombras que revoloteaban a su alrededor desde las primeras horas de la madrugada, en pasatiempos fuera de moda que podrían incluso ser considerados como manías normales en una persona que no hubiera caído en la cuenta que estaba ya a las mismas puertas de la muerte.

De este modo pasó tiritando, sentado ante el tablero de ajedrez, observando como un tonto las huestes ensartándose en la batalla inmóvil, las primeras horas turbias de aquel alba que para él se convertiría en anunciado funeral. Como un demente pacífico, en cuyos ojos flotaba el máximo desconcierto y orfandad, fijó la mirada ante la colocación de las piezas que él no se había atrevido a tocar para nada desde el momento de la premeditada huida del Duque Negro, cuando la partida había quedado indefinidamente interrumpida. Iniciaba ahora, mentalmente, estrategias de envoltura, maniobras sobre el campo de batalla silencioso, adivinando los hipotéticos movimientos que el Duque habría hecho, haciéndose trampas a sí mismo, pero sin llegar a tocar las piezas cubiertas por una espesa pátina de polvo y trapecios de telarañas. Estaba decidido a no mover más ninguna pieza. Ni siquiera un peón de infantería —de los que sacrificaba sin ningún remordimiento de conciencia en épocas pasadas—, hasta ganar imaginativamente la partida o, cosa que sabía harto imposible, esperar el regreso del Duque y reanudar la batalla como si nada hubiera pasado. Incluso al borde de aquel precipicio, que era una verdadera sensación de muerte anticipada, seguía manteniendo una altivez inútil, una tozudez castellana que había conseguido fama más allá de las fronteras marinas de Salbago.

En este punto, también seguía ejerciendo —al menos de derecho— un poder que, de hecho, había desaparecido muchos años atrás, cuando sus hombres fueron uno a uno yéndose, muriendo, abandonando la isla, haciendo mutis, fracasando en sus ilusiones, abandonando los papeles protagonísticos de la escena histórica y a Juan Rejón le sobrevino sorpresivamente una senilidad que lo recluyó casi para siempre en sus habitaciones de Palacio, un ala acondicionada a sus gustos y manías que servía, al mismo tiempo, para mantenerlo apartado del mundo. Ahora, la propia realidad ejercía el poder por inercia, bamboleándolo de un lado a otro por efecto exclusivo de la autoridad que aún emanaba del hecho de invocar su nombre.

Hubo momentos en los que se le creyó muerto y enterrado. La chusma, entregada a la amable idea de su desaparición, distorsionaba sus costumbres cívicas y celebraba entonces improvisados carnavales cuya etiología no sabían explicar bien a la hora del orden que, más tarde o más temprano, terminaba por reinar de nuevo en la isla. Entonces, y como excepción que no habría de volver a repetirse, Juan Rejón hubo de ser paseado por las callejuelas del Real de Salbago, salir en procesión como un santo del cielo por la ciudad y sus andurriales díscolos para demostrar a los que se atrevieran a sublevarse que su respiración seguía latiendo, que estaba vivo y que era capaz de seguir castigando con la misma crueldad y justicia de siempre cualquier insolencia o gratuita provocación. En esa misma ocasión se sintió verdaderamente Majestad, Rey o Papa. Santo, pues. Saludaba ostentosamente con la mano en alto (y los ojos acuosos por la emoción) a los que le aplaudían y arrojaban flores a su paso, sonriendo orgulloso porque los parroquianos de aquel villorio que había fundado hacía tantos años aún se acordaban de él y lo reconocían único adalid posible, adorándolo como a un dios.

"Ahí los viste, Pedro. Bailan en la palma de mi mano, como si el tiempo no hubiera pasado", comentaba al final de la insólita fiesta acarnavalada, en el momento mismo en el que el mayordomo, hincado ante él, se esforzaba en sacarle de los pies helados las relucientes botas. "Si yo les ordenara que se tiraran desde lo alto de los muros de la catedral, ni siquiera dudarían un instante en dar sus vidas por mí. Ellos lo saben, Pedro. Después de mí, nada, el caos. Ellos lo saben mejor que nadie". Era, en esas fechas, una ruina humana en la que los tiempos se habían cebado con fruición. "El caos, Pedro, el caos", repetía aún muchas horas más tarde, envanecido todavía al recordar las imágenes que había visto durante la procesión.

Todo había sido una teatral estratagema de Cabeza de Vaca, comandante ahora de las tropas del Real de Salbago y el episodio había tenido lugar nueve o diez años antes de aquella jornada de su muerte, como canto de victoria sobre los piratas holandeses del capitán Vanderoles, que había sometido a Salbago a un inútil asedio para rendirlo por medio de algo que era cotidiana costumbre en la isla, pero que el bucanero europeo desconocía en aquella ocasión: el hambre. Juan Rejón tuvo, entonces, que asistir engalanado como un pavo real y llevado bajo palio, a la alegre e histérica locura que se había desatado en los ciudadanos del Real desde el momento que vieron que sus cuellos, una vez más, quedaban a salvo al alejarse de la isla la flota holandesa que, ya desde esa época casi inmediatamente posterior a las fundaciones y a los descubrimientos, había asolado todos los mares conocidos con un eficaz salvajismo y que, como tantos otros bucaneros a lo largo de tantos años y tantos siglos, habían puesto sus ojos codiciosos en la conquista de Salbago porque entendieron con razón que la isla era un peñón obligatorio desde donde podían lanzar sus naves armadas hacia tres continentes: Europa, Africa y el Nuevo Mundo.

No obstante, Rejón no se había enterado de nada, arropado en su líquida candidez senil. Durante los largos días en los que se consumaba el asedio holandés al puerto y a los embarcaderos, a las costas y a las playas de Salbago, el Gobernador había guardado un prudente retiro en sus recámaras y apenas asomó la cabeza fuera de aquellas estancias que los funcionarios del poder por inercia habían determinado destinarle para su servicio personal. Pero oía, eso sí, un murmullo como de refriega, gritos estentóreos que retumbaban extendiéndose por toda la ciudad. Ecos como de cargas de artillería, de bombardas que pasaban por encima de los edificios y de culebrinas disparando quizá desde el mar cercano, ruidos como de explosiones que algunas veces daban la impresión de pasar muy cerca del palacio. Escuchaba maldiciones en alta voz, trasiego de tropas y armaduras, observando con cierta preocupación las carreras de algunos guardias del palacio que iban de un lado a otro, yendo y viniendo por las escalerillas y pasadizos, desde las almenas a las torres de vigilancia, desde las murallas hasta los confines perdidos de su casa. Olvidado de los tiempos que podía estar viviendo sin saberlo, Rejón desechaba por malévola y superflua la original idea de que en las calles y en los puertos del Real de Salbago podía estarse librando una batalla en toda regla, una guerra que él no había advertido. "Me lo hubieran dicho", pensó ensimismado, mientras los ruidos y los rumores se reduplicaban por los cuatro costados de la ciudad.

—Pedro, ¿qué coño es esa mierda que hace tanto ruido? —preguntó al mayordomo Resaca.

—Es el mar, señor —mintió con descaro Resaca, a sabiendas de que lo que hacía era una pequeña obra de misericordia con un anciano—. Es el mar que está embravecido, señor.

—¿Embravecido, carajo? Si parece que se está peleando con toda la gente de la isla.

Juan Rejón hablaba desconfiado, mirando de reojo las reacciones secretas de Pedro Resaca. Después, con la excusa de dar de comer personalmente a los loros y las guacamayas, se aventuró a salir hasta uno de los patios más cuidados del Palacio. A cada paso, el eco de la contienda cobraba dimensiones acústicas imposibles de disimular, rebotando el ruido de la refriega contra las paredes interiores del patio y haciendo temblar los suelos de piedra. "Coño, es como un terremoto esta tormenta seca", comentó con sorna Rejón. Cada bombardazo rompía la espesura cerrada del aire calmoso, recorría con su estampido cada estancia del Palacio, llegando ya un poco apagado a los bajos y yendo a morir (como un trueno que se hubiera agotado poco a poco) a la cripta del Palacio de Rejón, destinada a albergar para siempre los restos mortales de aquel emperador de juguete que desafiaba a los tiempos empecinado como estaba en no abandonar nunca este mundo.

Era la primera vez que los holandeses se habían atrevido a lanzar un ataque en toda regla contra Salbago, como mandaban los bélicos cánones de la época. Por espacio de cinco o seis días asediaban silenciosos, incitando con aquella provocada calma chicha a una rendición que nunca habría de llegar como ellos esperaban. Después, desataban sobre el Real una auténtica tempestad de proyectiles y artillería que se estrellaban contra la tozudez de los desarrapados insulares. Entraban en tropel los piratas hasta las playas, hundiéndose en sus arenas negras. Alcanzaban incluso a hacerse con alguno de los embarcaderos. Tomaban algún que otro espigón de los muelles que les servían de circunstancial parapeto, hasta que el mar —en su violencia— arrastraba sus cuerpos arrancándolos de los escondrijos y sumergiéndolos como si se tratara de pequeños moluscos indefensos. Quienes, en un histérico ataque de euforia que más tarde serían los primeros en lamentar, se dejaban hipnotizar por el fragor del combate y se atrevían a gritar a muerte a través de las callejas de Salbago que se encontraban más cercanas al mar y, en un alarde que muchos años más tarde repetirían con éxito absoluto, intentaban prender fuego a la Catedral que Herminio Machado había planeado en los primeros tiempos de la fundación (como si en ese fetiche chato y nunca acabado del todo se encerrara la voluntad de resistencia de los isleños), se arrepentían nada más darse cuenta del resbaladizo y desconocido terreno que pisaban, perdidos en los rincones de aquel laberinto que los españoles llamaban el Real de Salbago. Totalmente rotos por una chusma rencorosa e insobornable a la hora del asedio, entregaban la heroicidad sin ninguna contemplación, rindiéndose tardíamente a la evidencia de un engañoso espejismo al que Vanderoles los había inducido.

"Yo sé que me engañas, Pedro", insinuaba directamente Juan Rejón ante la incesante escandalera. "Ese ruido es de pelea, carajo. Y huele además a mucha mierda, que es el olor de la muerte. Hasta aquí me llega el hedor. El mismo olor que acompañó hasta la horca a Pedro de Algaba, el mismo olor que lo rodeó en sus fechorías e inútiles intentos de sublevación. Yo tengo la culpa. Si lo hubiera matado cuando debía, nada de esto estaría ocurriendo ahora. Ordénale de mi parte a Martín Martel que le corte los cojones sin contemplación alguna. Que me los traiga aquí para que yo tenga plena constancia de que mis órdenes han sido cumplidas. Que luego los cuelgue de un palo alto, carajo, a la entrada del puerto o en el mismísimo centro de la Plaza de Armas, para que todos se enteren de lo que cuesta sublevarse contra la autoridad de Juan Rejón."

Deliraba incesantemente ante aquel olor a batalla y a chamusquina que se le enquistaba en sus narices, acercándolo a una sensación de ideas que, paradójicamente, lo alejaba de su época. "¿No es acaso él quien manda la tropa, Pedro, no es acaso Martín Martel?", preguntaba despistado, despreciando el hecho, más o menos ambiguo, de que él mismo era consciente de haber perdido la exacta memoria de los tiempos y las cosas.

—No, señor —contestaba pacientemente el mayordomo—.

El que manda ahora es el joven capitán Cabeza de Vaca. Ya no existe Martín Martel, señor. Ni Hernando Rubio. Ni Simón Luz. Ahora quien vigila y castiga es el Inquisidor Montalvo. Y el que lo revuelve, resuelve y decide todo es un loquito, señor. Un muchachito llamado Chaves, ayudante de campo de Cabeza de Vaca. Ellos son —dijo Resaca con ironía— los que mantienen la ciudad en calma total.

Rejón guardó silencio por unos instantes. "Cabeza de Vaca, Cabeza de Vaca", se repetía meditabundo, mientras distraídamente cortaba los plátanos verdes en pequeñas rodajas que alimentarían a los guacamayos del jardín. "Pero, carajo, ¿no era ese el nombre del clérigo aquel a quien liberamos de su sotana para que se dedicara a escribir la historia de la conquista de Salbago, por expresa recomendación de Hernando Rubio? ¡La puta que lo parió! ¿No es ese acaso aquel murciélago barbilampiño que juró dedicarse sólo a hacer las crónicas de nuestras gestas y descubrimientos?".

—Se pasó a mandar, señor —contestó el mayordomo—. Juan Chaves lo convenció. Le dijo que los hombres de letras siempre habían sido una mierda, una miseria, gentes que estaban a expensas de los que mandaban. Le dijo que tú estabas todo el día chismeando, que si tú decías que él comía en tu mano como un guacamayo de tus patios, que si era tu esclavo y todas esas mierdas de comentarios que sirven para enardecer a los mediocrones y ambiciosos y sacarles los pies del tiesto en el que los tienen metidos. Ahora Cabeza de Vaca es el comandante de la tropa. Ya no es maricón ni sabihondo y va haciendo todo el ruido que puede por donde pasa. No se quita la armadura ni para dormir.

—Y Chaves, ¿qué hace? —preguntó sin mirar al mayordomo, dando toda su atención a los guacamayos del patio.

Pedro Resaca se encogió de hombros. "Es un paniaguado de Cabeza de Vaca. Un loco de atar que posee poderes e influencias sobre el capitán", dijo.

—¡Carajo!, ¡pandilla de maricones! No los puedo dejar solos ni un minuto. Me doy la vuelta y ya me están dando por el culo como si tal cosa. ¡Cómo han cambiado los tiempos!

154

—Para peor, señor, para peor —contestó lacónico y resignado Pedro Resaca.

—Y mi papel, Pedro. ¿Cuál es mi papel en esta historia, sigo mandando sobre ellos o soy un simple comparsa?

—Así debería ser, señor. Tú eres el Gobernador de Salbago de por vida, señor.

"Un Gobernador de mierda, un Gobernador de nada", musitó mascando un poco de plátano verde. Los guacamayos comenzaron a picotear fruta, la fruta que amorosamente el Gobernador de Salbago había cortado para ellos. Extramuros del Palacio continuaba desarrollándose la pendencia entre los piratas holandeses y los aguerridos, valientes, tenaces defensores de la isla.

"Haga lo que haga, ese cabrón de Algaba siempre será un perdedor nato. Todo lo que toca lo deja oliendo a mierda para siempre", pensó. Se volvía lentamente ahora a mirar las verdes hiedras que, desde los suelos empedrados hasta las azoteas, cubrían la parte interior de los muros del patio. "Están preciosas, Pedro", exclamó maravillado, con un marchamo infantil en el tono de su voz, solazándose satisfactoriamente en sus palabras. "El cepillo, Pedro, alcánzame el cepillo", ordenó a Resaca. Era otro de sus trances favoritos. Cuando caía en él, se pasaba horas y horas en un entretenimiento que la soldadesca de guardia en Palacio juzgaba en sus comentarios en baja voz como una inútil manía senil. Usaba el Gobernador toda su paciencia en ese menester, como si las hojas verdes de la hiedra fueran pieles preciosas que regalaría a otro de sus fantasmas preferidos, la mora Zulima, a quien prácticamente ya nadie recordaba con frecuencia en el Real, pero de la que todos habían oído hablar. Una pátina de limpieza, excepcionalmente brillante, iba dando paso al verde aún más brillante del color original de la hoja. Tampoco, en esta tarea, llegaba a importarle mucho el riesgo que podía correr subido a aquella tosca escalera de madera sobre la que trabajaba. Lustrada, hoja tras hoja, hora tras hora, embebido, sin preocuparse por el tiempo, volviendo sobre sus propios pasos en la limpieza si ello fuera preciso. Lim-

155

piaba el polvo que había quedado pegado a las hojas de la hiedra, eliminaba los bichos, el moho, las telarañas y los desperdicios y cagarrutas que la lenta labor de las palomas, los loros y las guacamayas había ido depositando sobre las plantas afeando su aspecto. Esa faena podía comenzar con el sol y acabar casi en el ocaso, pasando un día completo en el más absoluto de los silencios, dedicado exclusivamente a cultivar la rara limpieza de las plantas que embellecían las paredes del patio, espacio al que lo habían confinado sin que él llegara nunca a darse cuenta del todo.

"Están lindas, Pedro, ¡muy lindas!", gritaba, enardecido como un niño al final de la jornada inútil de embellecimiento. "Parecen de museo. Y aunque tú no lo creas, ellas agradecen mucho este gesto, mis palabras, mis caricias. Me hablan y me cuentan secretamente lo que pasa en el Real de Salbago, todo lo que me ocultan los demás, las traiciones de siempre, las estúpidas ambiciones de toda esa jarca de mierdas. Ellas también saben que es Algaba quien anda alborotando sin que nadie se atreva a pararle los pies, ni siquiera ese ganapán de Cabeza de Vaca, que cree que está haciendo historia dor de ninguno de nosotros pudo. ¡Hay que joderse! Yo sé que ellas, las hiedras, son las únicas que me dicen la verdad", explicaba mirando a Resaca, retorciendo sus manos hasta que el rostro consumido se volvía una extraña mueca de loco. "Pero no soy un demente, Pedro", interrumpía así los pensamientos de su mayordomo. "Yo las oigo y me alegro de que ellas me entiendan. No importa que no hablemos. Nos comprendemos y eso es suficiente". Entonces recordó la frase del Duque Negro y exclamó regocijado: "¡Yo también soy un poeta lírico, carajo!".

El día que la parca le había destinado a morir, Rejón no se arredró por ello. Vio venir una jauría de sombras revueltas que lo llamaban, pero él rechazó —como otras tantas veces— la loca idea de desaparecer voluntariamente de este mundo. "No sé por qué coño iba a hacerles caso a estos humos de mierda", pensó. Como otras tantas veces, barruntó también que bastaba un soplo de su propia voluntad para que los espíritus que ya lo tenían carcomido por dentro deshicieran su sombra en polvo sin llegar a vencer finalmente su aliento putrefacto. "Sólo faltaba que ahora, a la vejez y cuando ya os conozco a todos la jeta, me llevaran para el carajo, al mismo lugar de ustedes. ¡A la vejez, viruelas!", se dijo. Se mantenía, mientras tanto, sobre sus pies, como si de ese equilibrio dependiera su supervivencia, como si supiera que dejarse llevar por la corriente del sueño que lo iba inundando significaba dejar para siempre de respirar.

De todos modos, esta vez las premoniciones poseían otra dimensión, atacaban desde cualquier ángulo descubierto, herían los flancos más débiles, se concretaban en dolores que, como agujas de cristal, se incrustaban en su cuerpo y lo obligaban a doblarse con cierta frecuencia. Sintió fríos muy raros que le atravesaban los espacios huecos y paralizaban sus más nimios esfuerzos y reflejos. Para eliminar el miedo, que se cernía como fina lluvia sobre su alma, anduvo todo el día gritando y exigiendo tonterías, cosas absurdas que no podían ser y, además, eran del todo imposibles. Trataba, con esta extraña parafernalia ceremonial, de defenderse engañándose a sí mismo y despistar a la muerte. Quería, primero que nada, una revista completa de la tropa. "A ver qué mierda va a pensarse ese niñato de Cabeza de Vaca. ¿O acaso será cabeza de chorlito? Que ni siquiera se presenta al Gobernador a dar las novedades. Tendré que cortarle los huevos y echárselos a los perros, para que vaya por el mundo el resto de sus días maldiciendo la hora en la que se pasó mis órdenes por sus lindos cojones y para que sirva de ejemplo a todo el que intente el mismo gesto". Tras la retahíla, quedaba sumido en un intenso sopor que le hacía olvidar sus propias órdenes y promesas de pocos minutos antes. Poco a poco, la artritis había ido ejerciendo su poder sobre aquel despojo aún vivo que ladraba de ira para detener la inexorable llaga de la muerte, porque (decía) morir en la cama es de viejos y maricones, de gentes que no pasan a la historia por mucho que lo hayan intentado, Pedro, de hombres que no supieron aprovechar la oportunidad para quitarse de en medio en el momento preciso. Todo su cuerpo, a esas alturas, era un mecanismo herrumbriento, que chirriaba a cada paso como si sus músculos hubieran adquirido la dureza de un material sideroso, como si sus miembros hubieran perdido ya para siempre su flexibilidad natural. Un dolor ambiguo e interminable acidaba aún más los jugos medio podridos que se movían con dificultad en su interior. La sangre se iba paulatinamente coagulando en sus venas, mientras él deambulaba como un sonámbulo por la recámara, dando órdenes que nadie cumplía y que a nadie iban finalmente dirigidas. Arrastraba los pies por galerías polvorientas y, de repente, regresaba enfebrecido a sentarse junto al fuego que Resaca, hiciera frío o calor, encendía todas las mañanas en su cuarto de Gobernador de la nada.

La pareja de perros verdes había envejecido con su dueño. Caín y Abel, mientras tanto, seguían como sombras los pasos de su señor Juan Rejón, con la misma pesada lentitud que éste se movía, de modo que nadie dudaba al ver aquella escena que Rejón había transmitido, tal vez por ósmosis, su propia enfermedad progresiva a los animales que le servían de guardianes perpetuos. Cuando el Gobernador andaba de lado a lado de sus estancias, los perros seguían a su señor. Una escandalera de cacharrería, como una orquesta desafinada y de mal gusto, se oía entonces en toda la casa, dejando tras de sí un mohoso olor a orines y restos de polvo de herrumbre. Porque, con el tiempo, los perros se habían ido identificando con Rejón, con sus manías seniles, aunque muy adentro de su memoria tribal, que habían heredado de su recóndita y exterminada raza, guardaban el sulfuro de la venganza, esperando quizás el momento en el que el Gobernador fuera ya solamente un esputo de sí mismo, incapaz para gritar o defenderse. En ningún momento, por ejemplo, desataron la fiereza que todos los años pasados a los pies del Gobernador habían ido alimentando contra él en su negro corazón. Para nada mostraron el poso de resentimiento que se escondía en el fondo de sus ojos. Tenían, por eso también, la confianza absoluta del que aún seguía creyéndose guardián y dueño de la isla de Salbago, ellos eran sus vigilantes de oficio y beneficio y todo lo que él les ordenaba, aunque sólo

158

fuera con un casi imperceptible movimiento de su mirada, lo cumplimentaban al instante. Su borrascoso, montaraz y mítico pasado racial parecía haber quedado como petrificado en el tiempo mismo de la fundación (la misma época de las locuras de Larios, de las canciones provocativas de Otelo, de las putas hermosas de Maruca Salomé, de las brujerías inútiles de Tomás Lobo, del levantamiento traicionero de Pedro de Algaba, del fantasma de Martín Martel, del mesianismo del Obispo Juan de Frías y su campana o del no menor enajenamiento de Fernando de Arce, su sucesor, que seguía paso a paso el sueño demente de Herminio Machado, de las *razzias* pensadas por el judío Simón Luz). Todo cuanto rodeaba a Rejón en sus recámaras eran nombres de muertos, catálogos y nóminas de locos y desaparecidos, apariciones que campaban ahora a sus anchas colgándose de las vigas de la techumbre y reclamando su parte de venganza aún no cumplida, crónicas todas que Cabeza de Vaca se había comprometido a convertir en historia escrita y casi sagrada antes de que el tiempo mismo las dejara olvidadas en la hojarasca del pasado. Navegaba, pues, Juan Rejón en un líquido viscoso, con torpes movimientos que ofrecían a cada paso distorsionados recuerdos de batallas y refriegas, de fundaciones y piraterías, una lista interminable de cosas que no había hecho porque no había querido o de cosas que había ejecutado ciegamente, sin ningún escrúpulo o reflexión. Hablaba con ellos, con los recuerdos, como se habla con una persona a la que se tiene delante, en carne y hueso, en voz baja y respetuosa, distendido el Gobernador incluso en el momento de los reproches. Soportaba aquel martirio, previo a la muerte, como una revisión necesaria de una historia que jamás sería escrita. Agarró al vuelo ahora la memoria del Duque Negro, que se negó a servirle de confidente y cronista. "Era todo un maricón", proclamó en voz alta. "Todo se lo achacaba a la política, pero yo sé por qué estuvo aquí desterrado, en esta mierda de islote africano. Fue por maricón escandaloso. Lo casaron con la Duquesa de no sé qué, una viuda que dicen que aún estaba de muy buen ver, y lo que hizo fue mostrarle su impotencia. ¡Hay que joderse! Y después todo se le iba en pensar en el absolutismo y en la tiranía y todas esas historietas que intentaba contar del Rey Carlos".

Se entregaba a sus soliloquios como si estuviera declarando ante el último tribunal, cumpliendo con un rito que probablemente (así podía él pensarlo) le traería la paz. Pero cuando a su transtornada cabeza se acercaba una sombra envuelta en olor de rosas, reconocía inmediatamente la hora del tercio de su amada Zulima. Quedaba como tonto, aquietado, durmiendo en un éxtasis intemporal que lo alejaba de todos y de todo, tal como un esquizofrénico catatónico a quien, después, costaba siglos de paciencia sacar de aquel empecinado silencio. La mañana de su muerte volvió a repetirse la visión de la mora, sus bailes desnudos, sus contorsiones provocativas y sus cánticos que sólo él oía (explicaba), porque para él sólo habían sido compuestos en el jardín de los cielos. "Zulima, Pedro", dijo antes de sumergirse de una vez y casi para siempre. "Viene Zulima". Poco tiempo después cayó en un estado de letargo que Pedro Resaca conocía ya a la perfección y a lo largo del cual había que alimentarlo en una oscuridad casi absoluta con sopa caliente de bocinegros, hierbabuena y leche fresca, desayuno que el mayordomo preparaba al Gobernador como ingredientes disolutorios de su propio sueño.

Desaparecían para él, en ese único y deseado trance, todas las demás apariciones que atormentaban sus noches y sus días. Cuantas deposiciones, mayores o menores, el cuerpo le deparaba las hacía sobre la cama, sobre sí mismo. Y aquella larga parálisis terminaba siempre igual. Ofuscándose su respiración como si estuviera al borde de expirar. Empezaba a despertar de la narcótica visión cuando sobrevenía un poderoso jadeo que marcaba, en clímax ascendente, el principio del final. Un largo y frenético temblor epiléptico, que removía de extraño placer todos sus podridos miembros, ocurría después. Finalmente, eyaculaba un líquido espeso, entre blanquecino, amarillento y almidonoso, cuyo hediendo olor se expandía por el cuarto impregnándolo todo. Era el aviso olfativo que el mayordomo entendía como el fin del sueño. El ataque, entonces (pensaba Resaca), había pasado y el espíritu de Zulima desaparecía de nuevo sin rastro alguno, tal como había venido hasta el Gobernador, dejando sólo aquella muestra triste de placer sobre las escuálidas piernas de Juan Rejón. "Ya lo jodió otra vez la muerta", mascullaba entre dientes Pedro Resaca. Soportaba así el asco y las bascas que le enturbiaban la tráquea y le arrimaban una fuerte sensación de náuseas, mientras limpiaba la cueva del delirio y el cuerpo de Rejón, encogido ahora hasta pasar a ser un vegetal que se agitaba entre sueños y pesadillas. Tras la limpieza, por cumplir con las órdenes absurdas del Inquisidor Montalvo, un funcionario rígido y caprichoso, llegaba el exorcismo cristiano (algo en lo que ni siquiera Resaca había creído nunca), el hisopo sagrado, el bálsamo salvador que se enfrentaba a los restos de los demonios que habían permanecido en las estancias del poseído como señales invisibles de su incorpórea, sobrenatural y maligna presencia.

Invariablemente se encontraba Rejón, al despertar, con la misma pregunta de Pedro Resaca: "¿Cómo le fue esta vez, señor?". Era una pregunta de cortesía. E, invariablemente, Juan Rejón contestaba con las palabras que Resaca se sabía de memoria: "Como siempre, Pedro, como siempre. Zulima es una diosa". Y, con ligeras variantes de ocasiones anteriores, detallaba toda la ceremonia de amor que la muerta le había consumado, dejándole en el cuerpo un hambre agobiadora. "La paja", murmuraba para sus adentros el mayordomo, "no es igual que el trigo".

Ese día tan singular para el Gobernador de Salbago, Resaca le había estado preparando, durante sus matutinos sueños orientales, algunos de sus manjares favoritos. Intuía, desde por la mañana, que el Gobernador cumplía el ritual de sus últimas fiebres y quiso despedirlo con todos los honores, agasajándolo con un festín de lujo que a Juan Rejón siempre le había entusiasmado. Era temporada de viejas, suavísimo pescado blanco que sólo vivía en los mares cercanos a Salbago y a Cerdeña, una isla del Mediterráneo de la que Resaca había oído hablar a su señor Gobernador en algunas ocasiones. Hirvió dos piezas de rojas escamas, terciadas de tamaño y las dejó en un remojo avinagrado, acompañándolas con una guarnición de papas que el mayordomo acostumbraba a sancochar sin quitarles la piel y en agua de mar. Mientras Rejón mordisqueaba hilachas de cangrejo machacadas y cocidas en su propio jugo (otro de sus platos favoritos), Resaca se ocupaba de limpiar de espinas y escamas las carnes de las viejas y de rociarla con un mojo hecho de perejil, matalaúva y aceite de oliva de la más pura. Un vino riojano mojaba además las exquisitas viandas.

Caín y Abel paseaban nerviosos por la recámara en la que Rejón calmaba la glotonería. Habían olido, quizá, la hora de la venganza e, intranquilos, iban preparándola con la misma delectación que adivinaban en el Gobernador. Miraban de reojo, una y otra vez a Resaca. El mayordomo, por su parte, en los ojos de los canes notaba ahora un brillo acerado y cortante, que hasta entonces desconocía que podía ser característica de aquellos animales que hubiera jurado que estaban domesticados para siempre.

Rejón, tras la comida, volvió a caer en un sopor placentero. Ahíto y satisfecho de todo, o nunca alcanzó a comprender lo que a su alrededor se cernía o se hacía (como casi siempre en los últimos y muchos años de su vejez) el despistado, procurándose una estratagema que muchas veces le había dado el apetecido resultado y que, en realidad, utilizaba como un verdadero amuleto: no pensando en las cosas que no deseaba que ocurrieran, éstas nunca llegarían a ocurrir. Sabiduría extraña que aprendió a través de la experiencia en sus incontables singladuras y trapacerías y que le rindieron, hasta el momento presente, beneficios que habían hecho de él un monarca sin tiempo, sin cetro y sin corona, pero que había sobrevivido a todas las épocas maléficas, a las guerras, a los asedios, a las epidemias y a todas las calamidades que una autoridad de su envergadura debería arrostrar en vida. "Ahora quiero dormir", dijo. Aquel ruido de follaje revuelto y embravecido por la imaginaria tempestad de su cerebro ya había cesado y una paz inconscientemente buscada se había aposentado en su espíritu.

162

—Saco a los perros, ¿verdad, señor? —se atrevió premonitorio Pedro Resaca.

—No, no. Déjalos ahí, como siempre. A los pies de la cama.

Pedro Resaca no se resistió, a pesar de sus intuiciones. También su particular sabiduría le había enseñado a no tocar el destino de los demás, porque las cosas que habrían de ocurrir, habrían de ocurrir de todos modos en su momento preciso, cumpliéndose cada uno de los pasos que la vida de los hombres les marcaba en la frente a cada uno a la hora de nacer. Ahora tenía para él que la hora de la verdad, el tiempo del último y definitivo combate, estaba a punto de iniciarse y que el Adelantado que había fundado Salbago quería enfrentarse en solitario a su destino único.

Fue ya a la mañana siguiente, cuando Pedro Resaca volvió a entrar en las habitaciones del Gobernador. Las sábanas de la cama de Juan Rejón aparecían completamente ensangrentadas. El cuerpo estaba descoyuntado, esparcidos sus miembros por la amplia recámara, como restos inservibles de una horrenda batalla que el muerto, en sus últimos momentos de reyerta, debió haber librado contra seres de una fuerza sobrenatural. Fueran quienes fueran, los asesinos se habían ensañado en el cuerpo del anciano Gobernador, cortándolo en pedazos y dejándolos envueltos en un mar de sangre. Observó las huellas profundas que fuertes incisivos habían dejado en las manos cortadas del Gobernador, tal vez en el momento en que éste quiso defenderse de sus enemigos. El tronco, destripado y sanguinolento, lleno de arañazos y sin que por ningún lado mostrara los testículos ni el falo, apareció en el centro mismo del cuarto de dormir, como un despojo fundamental por el que asomaba un revoltijo de enrojecidas entrañas que ya empezaban a oler mal. De los perros, como si se los hubiera tragado el tiempo pasado de sus padres, no quedaba sino el rastro ensangrentado de sus huellas que se extendían, de manera revuelta y desordenada, por toda la habitación. La cara del Gobernador era el colmo y el resultado final de aquel aquelarre repentino. Los ojos flotaban fuera de las cuencas, sobre la carne tumefacta del rostro que hacía irreconocible la cara del Gobernador. Un insistente olor a azufre quemado corría como humo invisible por la recámara y una disyuntiva nefasta se fue abriendo paso en la mente del mayordomo. O los perros rencorosos habían desatado su contenida furia contra el Gobernador obedeciendo órdenes que se escondían en las más oscuras intrincaderas de su sangre y habían destrozado el diminuto cuerpo del Adelantado o éste había sido bárbaramente asesinado por quienes, devorados por la impaciencia del poder, no supieron esperar el momento de una muerte que ya no iba a hacerse esperar demasiado. Por propio sentido de la supervivencia, agrandado ahora ante la falta de su señor, no quiso reclamar ante los guardianes. Ellos, señor, no habían visto ni oído nada durante toda la tarde. Mucho menos en la noche, señor, cuando las estancias del Gobernador permanecen cerradas siguiendo sus órdenes. Ellos, los guardianes, habían estado allí todo el tiempo, cumpliendo con la misión de velar las estancias en el exterior de las recámaras en las que dormía el Gobernador. No eran, pues, responsables de lo que dentro ocurriera y no habían visto entrar ni salir a nadie de allí.

Pedro Resaca imaginó en un momento ambas escenas, las dos posibilidades que había pensado. Los pelos se le pusieron como puntas de cobre. Primero, la furia enloquecida de los perros verdes cayendo sobre aquel despojo humano que yacía dormido. Imaginó sus ojos aterrorizados en el instante de sentir los dientes vengativos y los salvajes zarpazos de Caín y Abel. Se imaginó después las babas rabiosas de los animales emponzoñando el cuerpo arrugado, rompiendo sus músculos, deshaciendo sus miembros. Oyó, como un espasmo, el silencio con el que el confiado Juan Rejón contestaba a las dentelladas de los monstruos que habían sido sus fieles guardianes durante años. Imaginó, finalmente, la furtiva carrera de los perros escapando por secretos pasadizos, una vez cumplida la venganza.

Casi simultáneamente sintió los pasos del traidor atravesando galerías en la oscuridad de la noche y llegando hasta las puertas de las habitaciones. Imaginó su sigilo, su rapacidad y la orden con la que habría convencido a los perros para que desaparecieran antes de cometer el crimen... Borró, en una excepción que confirmaba la regla por él sostenida durante toda su vida, el nombre del traidor —que brotaba repetidas veces en su mente, como una jaculatoria—. Y, como si ya nada le retuviera en Palacio, recogió todas sus cosas, sus artes de mar y todos los demás objetos que, en su día, había trasladado al Palacio de Rejón y, después, abandonó el noble edificio en el que había vivido tantos años. Regresaba así él también, entrado en la ancianidad, a su destino de pescador, a su barrio del Refugio, allí, extramuros del Real, junto al puerto donde se apilaba diariamente aquella chusma sin nombre y ambiciosa de aventuras. El olor a mar y la brisa tibia le secaron las lágrimas de cristal que caían hasta la arena. Mejor que nadie sabía él que aquel era el único modo de salvar la vida, aventando como cenizas los recuerdos en las orillas del mar, sin esperar siquiera a ver cómo celebraría Cabeza de Vaca las exequias del fundador de Salbago, ni qué honores finales rendirían a aquellos despojos de Juan Rejón, Gobernador y Capitán General del Real de Salbago.

Un profundo olor a azufre se extendió durante todo el día por la ciudad. Dijeron que Rejón estaba endemoniado. Que, como era de esperar, lo habían matado finalmente los fantasmas que siempre lo habían poseído. Y que en su cama había aparecido un insecto enorme, de especie desconocida pero lo más parecido a un escarabajo blanco y mullido, con ojos como de hombre y alas poderosas...

Álvaro Rejón regresó del Nuevo Continente hecho una sombra herida por múltiples soledades, taciturno y oscuro como la tumba en la que habían sido enterrados finalmente los despojos del cuerpo de su padre, Juan Rejón. Nada más poner pie sobre los negros y arenosos litorales de Salbago sintió abatirse en su espíritu cansado un profundo malestar que le arrimaba penurias físicas cercanas al mareo o a una cierta obsesión de claustrofobia y abotagamiento. Difícilmente podía someter, en su fuero interno, aquel indómito y repentino deseo de huida ya imposible. Más de veinticinco años de ininterrumpida ausencia era todo el bagaje que cargaba sobre sus hombros en el día del regreso, enturbiada y barrida en ese mismo momento aquella geografía insular —largamente memorizada en el Nuevo Mundo— por la burda gravedad de la calima, asfixiante lluvia de ceniza que arrojaba a los cielos la perenne proximidad del desierto africano, cuyas costas, muchos años atrás —en la irrepetible plenitud de una edad que apenas perduraba sólo en su recuerdo—, Álvaro Rejón había recorrido palmo a palmo, secreto a secreto, desvelando todos sus sagrados recovecos y guiado por la mano experta de Pedro Resaca, aquel pescador casi anónimo que, empero, llegó a ocupar el cargo de mayordomo mayor de su padre, el Gobernador Juan Rejón, todopoderoso señor de la isla, Adelantado de Castilla y Conquistador de Salbago.

No había tenido tiempo de recrearse de nuevo en el paisaje

166

tantas veces recordado de su infancia y juventud. Mucho menos, entonces, de darse cuenta de todo. Pero sabía que, con aquel retorno que ahora se le antojaba un gesto superfluo y gratuito —estúpido producto del sentimentalismo—, la vida había terminado de engarfiarlo para siempre entre sus duras garras de herrumbre, después de haberlo obligado a caminar de ilusión en ilusión, de espejismo en espejismo, levantándose después de cada caída mientras se deshacía poco a poco, hasta marchitarlo y convertirlo en una reliquia de sí mismo. Ese mismo día de su regreso, en plena amanecida y con la sal atlántica estirándole aún el pellejo en su cara, Alvaro Rejón tuvo que convenir que el Real de Salbago, aunque sus dimensiones seguían siendo diminutas en comparación con las nuevas fundaciones e ingenios de la Tierra Firme y de las ciudades que en ella se habían visto crecer desde los tiempos del Descubrimiento, había cambiado extraordinariamente su fisonomía externa durante aquellos más de veinticinco años de prolongada ausencia. En el fondo de esta superficie de nadie se habían multiplicado por ciento los mismos vicios de origen, desarrollándose defectos y taras que, aunque al principio aparentaban ser flor de un día, habían cobrado ya carta de naturaleza en aquel estercolero de Salbago.

Tuvo, pues, que acostumbrarse a observar con singular disimulo a gentes de toda condición y ralea pasearse majestuosamente por los mercadillos y callejuelas, como pomposos caballeros que, surgidos de la nada, arrastraban por los suelos sus costosísimos oropeles, conversando a media lengua en jergas locales cuya semántica había dejado ya de ser familiar para él. O pedían a voz en grito —con una bastarda e insolente autoridad que a sí mismos se habían otorgado en el reino interior de las sucias tabernas de los puertos— vinos y alcoholes de caña, orujos, anís, ron, guarapo, órdenes de pescados en salazón rociados con picantes especias rojas venidas también del Nuevo Mundo o fuentes repletas de pulpo troceado, cocido y bañado en cebolla y en el zumo del pimiento verde. Todos aquellos garitos de antaño habían prosperado, al amparo de los nuevos

167

tiempos, hasta florecer en ellos palacetes de ilusión, aventura, riqueza y poder. Como si los años no hubieran pasado y la clepsidra hubiera detenido su lento pero incesante camino, la leyenda del Nuevo Mundo seguía en pie, más alta que nunca, más religión hoy que ayer. Allí, en aquellos interiores oscuros y cómplices, rezumantes las paredes de hedores entremezclados, se jugaba fuerte el destino individual de quienes pretendían a toda costa escapar del anonimato, se le daba a toda hora al naipe creador de fortunas y fracasos que adquirían reciedumbre definitiva, se trasegaban negocios de ultramar —sólo entrevistos con los engañosos binóculos de la imaginación— o tierras insulares de labrantío, se proyectaban ingenios azucareros que jamás habrían de existir tal como en los planos aquellos mercaderes de tres al cuarto los habían soñado, o se iniciaban verbalmente (entre las brumas de una insinuante clandestinidad) los primeros preparativos de expediciones que habrían de acercarse ladinamente hasta las costas del Tiris-el-Garbia y Sakia-el-Amra, en las cuales la *razzia* repentina de treinta esclavos negroides vendría a coronar sin duda el éxito de la empresa por la que ahora comenzaba a brindarse con animosa alegría. Nadie mejor que Alvaro Rejón conocía esos sueños, esos trapicheos de la vida, sus quebradas, valles, barrancos e ilusos meandros.

El Real, pensó Alvaro Rejón en aquel mismo instante, había llegado a ser finalmente un mercado sin escrúpulos, un trasiego de mezquinos intereses, un variopinto bazar plagado de ínfulas que cualquier personaje, apenas con nombre y apellidos recién incorporados a sus oscuras señas de identidad, se hacía comprar o vender al precio del día en la lonja más disoluta.

Había querido dar una sorpresa inútil a gentes (los suyos, sus abandonados familiares, sus amigos, los criados del Gobernador) que ya no existían. Vagamente, como si se recuperara de un largo letargo, iba comprendiendo ahora, antes de entrar finalmente a saco en la última realidad de las cosas, que su padre hacía ya un buen tiempo que había desaparecido de aquel mundo dislocado por la nueva época de las navegaciones y los descubrimientos constantes. El mismo, Alvaro Rejón, descendiente directo del fundador y gobernador, había llegado ahora a ser un personaje anónimo, de los tantos que, desconocidos para los ciudadanos de Salbago, pululaban a sus anchas por el Real, ya fueran simples nómadas de una sola noche o seres que quedaron anclados para siempre en la triste galbana sedentaria, habitantes circunstanciales de un territorio que flotaba en el mar casi por efecto mágico, un islote al que denostaban y, al mismo tiempo, adoraban. Aquella había sido, desde sus orígenes más o menos torpes, su más paradójica y contradictoria condición de ser. Allí seguía ahora, como una estatua de mármol helado, aquel factor discordante de los isleños, después de tantas vueltas dadas por el tiempo, cumpliendo el rito eterno de su presencia en la cotidiana vida de Salbago.

Deambuló más tarde por las calles emporcadas, transportado como en vilo por la inercia del tráfago de la muchedumbre. Solitario y hosco, como si empezara a encontrarse desconfiado extranjero en propia tierra o aventurero recién llegado a patria nueva, anduvo perplejo, distraído y ensimismado a un mismo tiempo, recorriendo sin mucho interés las miserables tahonas que iba encontrando a su errante paso. Mesones, tabernas, posadas, cantinas, prostíbulos que aún guardaban en alguna parte de su memoria (gracias a sus conocidas correrías infantiles y juveniles) o aquellos otros nuevos burdeles que se alzaban ante sus ojos como surgidos de la nada, en cualquier sitio, en cualquier esquina; cuchitriles y mercados, lonjas llenas de desechos y porquerías, lugares de proscrita reunión, lupanares de todo tipo, fueron pasto de su estupefacta mirada en un inútil esfuerzo de búsqueda de rostros conocidos que, a decir verdad, sólo existían ya en sus recuerdos llenos de telarañas, originando en su interior un fenómeno psicológico de difícil explicación pero que terminaba por embargar todos sus sentimientos y reflejos. En efecto, existían ahora en Alvaro Rejón dos memorias que entrecruzaban sus influencias y pasiones, dos formas de pensar, dos historias, dos cosmovisiones distintas, dos modos especulativos contradictorios a la hora de recibir las sensaciones externas. Una era la memoria antigua, todo lo que había respirado libremente en sus años de adolescencia y juventud, la memoria de aquel Salbago que dormitaba bajo el látigo implacable de su padre, Juan Rejón, y él, Alvaro Rejón, poseía moneda para todo con su sola presencia, patente de corso que acabó en el preciso momento de su marcha a la Fernandina, alias Cuba. Otra era la marcada por la definitiva obsesión de aventuras, que había nacido en el confiado viaje hasta la Tierra Firme, el Nuevo Mundo, sus tierras y sus gentes, sus fulgores hipnóticos, su impalpable realidad, toda una película interminable de historias ocurridas o simplemente imaginadas por el delirio de grandeza —pero, al fin y al cabo, deglutidas por su mente analítica y convertidas en retazos de recuerdos—, un catálogo de nombres y hechos, de accidentes e intuiciones que, en la lejanía de la presente claustrofobia, no sólo se enseñoreaban de su apatía sino que acrecentaban cualquier embuste transformándose en una realidad nítida que, no obstante, jamás había vivido del todo. Así, cuando se encontraba en las tierras inmensas del Nuevo Mundo, surcado por los cauces de ríos que eran mares y abigarradas geografías que estaban preñadas por el verdor de las selvas que crecían incesantemente, Alvaro Rejón llegó a pensar que él era un insular trasterrado y quizá por eso mismo —recordaba ahora— jamás había estado de acuerdo con los planes de aquel visionario mestizo, Camilo Cienfuegos, aunque en un momento determinado sus ideas secesionistas llegaron a enfebrecerle las vísceras. Ahora, después del triste regreso a Salbago, se le clavaba en su alma la seguridad de que, habiendo dejado de ser lo que él creía haber sido (un insular trasterrado), se había convertido en un continental constreñido, un personaje dividido entre dos mundos distintos y distantes, un trasterrado —en fin— en cualquier lugar que se encontrase. Por otra parte, sus señas de identidad tan claramente marcadas por la gloria y el poder a la hora de su marcha en pos de la aventura, se habían diluído a lo largo del tiempo, cayendo finalmente en el pozo de la desaparición y el olvido.

Rapaz aventurero ya de vuelta de todo, Alvaro Rejón había dejado de tener presente que, en aquellas coordenadas temporales, sus más de veinticinco años de ausencia continuada representaban una vida entera, un siglo e incluso un milenio que borraba por completo la memoria de las cosas, relegándolas al mito, que cambiaba los nombres de las personas, mutaba rostros y geografías de lugares ya avejentados —abandonados de la historia que continuaba surcando su curso— por otros renovados, totalmente desconocidos para él, que no permitían el reconocimiento de alguna huella o rastro de los anteriores. Se le hizo entonces presente, como un eco que traspasaba repentinamente las hilachas de su memoria golpeada por los tiempos, el consejo del anciano Resaca a su padre, Juan Rejón, en las ocasiones en las que el Gobernador, sumido en las inclemencias febriles que le levantaban sus propias frustraciones, buscaba la aventura como procedimiento de escape, de huida de Salbago, como si la nefasta influencia del Duque Negro se hubiera enquistado en sus obsesiones. "Gobernador", advertía entonces el mayordomo Resaca, "el fin del muerto es el hoyo. El del ausente, el olvido". Tal vez, pensó ahora Alvaro Rejón, aquella demoledora advertencia sirvió para que Juan Rejón quedara relegado a Salbago y su nombre fuera tenido por la historia como un conquistador de segunda categoría. Salbago, entonces, había sido la fijeza de su padre, una tierra que le había servido de ancla a pesar de todas las tentaciones que, a través de su larga vida, habían ido brotando en su alma y que siempre le aconsejaban huir, como en su día hizo el piloto Bartolomé Larios, de aquella tierra maldita y llena de sombras enemigas, de perros verdes y de recuerdos borrosos pero siempre presentes.

Alvaro Rejón alcanzó a ver su propio físico, claro ejemplo del deterioro que implacablemente los tiempos había ejercido sobre su persona. Sus cabellos, ahora totalmente canos y maltratados por el descuido, lucían sucios, como cabalgando al viento sobre grandes alopecias, y un tono extrañamente azulado se había ido apoderando de ellos hasta arrebatarles la memoria de aquellas crines rubias y largas que desbordaban esplendor entre los oropeles circunstanciales del Nuevo Continente. Esos cabellos, reflejo de su actual personalidad, lo mos-

171

traban como un viejo surgido de una caverna ya inservible para la época que se estaba viviendo. Sus ojos, hundidos en las cuencas y surcados por infinidad de venillas amarillentas que marcaban el lento paso de las cataratas, al dar crédito a las secuencias que por ellos estaban pasando, aceptaban ya la contemplación de un mundo distinto al que, tantos años atrás, él había abandonado. Su rostro presentaba las características esenciales de una prematura ancianidad que marchaba acorde con la vestimenta. Todo él era consumación, triste y consentida, de la más cruel impropiedad e indeterminación.

Comenzaba a sentirse cansado, agobiado por la aglomeración de recuerdos, el viaje y todas aquellas sensaciones que se traducían en una inseguridad que había acabado definitivamente con sus sueños de incrustarse de nuevo en el viejo solar patrio de la isla, allí donde había nacido y desarrollado sus más grandes e ilusas ambiciones vitales, alejado ahora de los dislates y las delirantes aventuras que en el Nuevo Mundo, en su inabordable dimensión, había experimentado. Claro que aquella era la misma tierra de siempre, Salbago. Claro que él seguía apellidándose igual, Rejón. Pero el villorrio del Real que él había dejado atrás para encaramarse en una vida distinta y más amplia devenía, a la vuelta de tantas y tantas aventuras, la otra cara exhausta de una misma moneda: allí también estaban presentes los inútiles afanes cotidianos, las intempestivas lujurias desbordadas, las más despilfarrantes locuras surgidas de proyectos planteados siempre en el aire, toda una serie de desaciertos que caracterizaban a una raza pendenciera que se extendía por el mundo como insobornable hiedra epidémica. Los aventureros y sus siempre dudosos inventos, los profetas ansiosos de nuevas tierras (inexistentes en las características que ellos se imaginaban), los falsarios y todas sus fechorías convertidas en fabulosas visiones, marineros en su mayor parte que en las tardes nostálgicas se abismaban hasta el espigón del alcohol y los aguardientes para que sus sueños despertaran entre monólogos de tesoros y riquezas que no podían medirse con los números hasta entonces conocidos, opulencia de humo que tuvieron al alcance de la mano y que la mala suerte de última hora siempre les vetó. Rumores, refriegas, historietas, leyendas que habían cobrado piel eterna y que en Salbago, a medio camino entre el Nuevo Mundo y la vieja Península de la que todos, más tarde o más temprano, habían salido y en el espectacular trasiego de los que ya venían con sus cabezas bajas o los que a pesar de todo siempre estaban dispuestos a partir, florecían por doquier —en un solo día incluso— creando alternativas y posibilidades que el propio Alvaro Rejón, casi mejor él que nadie, conocía de memoria. Todo se reducía a la quimérica fiebre que, envuelta en mantones de cruel y feroz espejismo, tiraba de ellos hacia el Occidente. Recordó entonces, en el esplendor plomizo y vespertino de aquel interminable murmullo de mercados, perdido entre una muchedumbre que nunca más habría de prestarle el menor caso, cómo él y Pedro Resaca habían ideado aquel fabuloso viaje, saltando por encima de las advertencias del viejo mayordomo, cómo habían dado pábulo a todas aquellas historias de más de veinticinco años atrás que, como si el tiempo no hubiera pasado por ellas, seguían repitiéndose en Salbago, amalgamadas ahora con todo género de detalles embusteros. Toda una vida codiciosa quedó sumergida con suma rapidez en sus pensamientos que ahora cabalgan por las retorcidas costas del Caribe, palpan las aguas tibias y densas que rodean la isla de Margarita, recorren mares siempre recién descubiertos por locos que terminaban por olvidar su propio sentido de la orientación y que entraban en picado en el purgatorio laberíntico del delirio. Jugaba ahora, en su memoria, en las aguas turbias y revueltas de las desembocaduras de inmensos ríos en cuyas orillas los indios apilaban sus cuerpos en tribus, vegetando en palafitos que los asombrados descubridores jamás habían visto antes de entonces. También se le hizo clara, en el más abominable de los anonimatos, la imagen de Puerto Vigía, aquel embarcadero construido por Resaca y él en la costa oriental de la Gobernación de Venezuela, siempre mirando al naciente, primera fundación en la que se involucraron, torreón donde los vientos encontrados peleaban todo el día cruzando sus afilados marfiles y sacudiendo insaciables los manglares y las primitivas plantaciones de azúcar. ¿Estaban seguros de levantar desde Puerto Vigía un imperio de riqueza cuyas extensiones se perdían en el horizonte más lejano de los llanos de Venezuela? Puerto Vigía era el primer refugio, el lugar donde esperaron la rápida asimilación que de sus modos de ser acometió la fuerza continental. Allí habían recalado con su único tesoro, una preciosa carga de negroides inmundos que antes habían arrancado de los litorales saharianos. Según las leyes expedidas por la Corte, se trataba de salvaguardar a los indios conquistados, muchas veces además amigos o cómplices de su misma conquista. Se trataba de librarlos de los peligros de la esclavitud y ganar sus almas para la cristiandad, patente para todo y excusa para cualquier cosa. La actitud de aquellos primitivos negreros estaba a salvo de cualquier acusación —legal o de conciencia— y quedaba a resguardo gracias a la mismísima letra impresa de la Corona, debajo de la cual brillaba la influencia de Bartolomé de las Casas, un cura loco a todos los efectos, un fraile repetitivo y machacón que defendería desde el principio a los indios basándose en su natural condición de debilidad física y, por el contrario, asegurando que el poder físico del negro africano con respecto a los aborígenes del Nuevo Continente era de cinco a uno. Ser negrero, pues, inaugurar toda una época de comercio de carnes sin almas, era hacer imperio gracias a Las Casas, levantar los cimientos del palacio más formidable y jamás entrevisto.

Recordó por un instante, paseando despistado por los puestecillos de frutas tropicales que se transportaban con cierta regularidad desde el Continente hasta Salbago (siempre de camino de vuelta a la Península), su arribada posterior a la Fernandina, su asentamiento temporal entre la población flotante de Nuestra Señora de la Asunción de Baracoa, puerto obligatorio para todos los que, interna o externamente, ambicionaban saltar hasta la Tierra Firme, pisar la deseada península del Yucatán, emborracharse hasta el hartazgo en las tabernuchas de la Vera Cruz. Recordó, como si nuevamente el tiempo hubiera hecho con él una excepción y se hubiera detenido ante los turbios ojos de su memoria, los negocios frustrados, las traiciones, las compraventas de intereses, el tráfico de influencias, las trifulcas entre los propios conquistadores, las intrigas tejidas durante las noches y desbaratadas al alba por los mismos agentes que las habían provocado en la oscuridad, las reyertas y leyendas, las historias increíbles del rebelde Hernando Cortés, la vida con Mademoiselle Pernod, la historia demoledora de Camilo Cienfuegos. Sus pensamientos se perdieron cabalgando por encima de las tierras yucatecas, recalaron como acariciantes sobre los puertos de la Vera Cruz, allí donde sus ansias se convirtieron con suma facilidad a la febril creencia de aquéllos que, regresados del fastuoso Tenochtitlán, se embarcaban en una odisea aún más inútil que la irresistible tentación que hasta allá los había conducido: contarlo todo con palabras, intentar convencer a todos los demás, como si fueran apóstoles de una nueva religión, de que todo lo que se decía de la región donde el aire resultaba el más transparente del mundo, era absolutamente cierto. Que allí, en México Tenochtitlán y en sus alrededores, la fantasía había cobrado taumatúrgicamente color de tangibilidad, aunque el paso de las cabalgaduras de Hernán Cortés había ido domeñándolo todo a su imagen y semejanza. Porque la conquista era, al mismo tiempo, una liberación y una profanación necesaria. Recordó Rejón, casi en el mismo momento, la leyenda de las naves quemadas, la historia que pocos se atrevían a contar en alta voz pero que él había oído por boca de muchos cristianos viejos desde sus tiempos de Baracoa, iluminados sus ojos y los de Pedro Resaca por la ansiedad que sus pechos ya no podían contener, los líquidos de sus cuerpos afiebrándose y calentando la ambición de ambos. ¿No había sido aquella historia de las naves quemadas como una cruz que los había enardecido, una suerte de símbolo, un suceso sin igual que había entusiasmado a los dos aventureros y les había insuflado la fuerza suficiente para introducirse en selvas desconocidas y ascender lenta, paciente y despaciosamente hasta las faldas del Popocatépetl y el Iztaccíhualt, atravesar las llanuras casi desérticas, acercarse a aquel poblado de Quauhnáhuac —que el propio Cortés había elegido como residencia particular y que los siglos venideros terminarían por llamar Cuernavaca— y finalmente conseguir soportar el vértigo que en sus ánimos provocó la repentina visión de Tenochtitlán, el paraíso soñado flotando entre las aguas, una ciudad construida por semidioses en el centro de una esplendorosa y sagrada laguna, levantada en honor de divinidades que, a juzgar por las bendiciones, hasta la llegada del conquistador habían derramado sus gracias sobre sus poderosos, felices y confiados habitantes? Quemar las naves era, pues, un destino insólito, pensó Alvaro Rejón, era luz de héroes enceguecidos por la convicción de su indestructible mesianismo, una loca determinación que adquiría carta de naturaleza en las manos de un verdadero caudillo. Quemar las naves era provocar el destierro definitivo, proclamarse dios, llegar más allá de toda la profanación posible, romper los caminos de una vuelta atrás, recalar obligatoriamente en la gloria, despertar en la más recóndita de las hieles el gusto agridulce y tembloroso de la huida hacia adelante, procurar como única posibilidad de supervivencia la imposible mutación de humanos en dioses, en *teules* indestructibles y temidos ya para siempre, ahondar en suma en el desbordamiento de toda la irreductible irracionalidad que el español loco que se identificaba como Hernando Cortés llevaba escondida en lo más profundo de sus inflamadas vísceras.

Ahora, de nuevo en Salbago, regresado por la puerta de los condenados al silencio, sin ninguna fortuna, sólo con la palabra para contar la fantasía que, aunque real, nadie iba a creer del todo si se exceptuaba a los jovenzuelos de la misma calaña, palpaba —en las puertas abiertas de su prematura senilidad— la estulticia de toda aventura. Incluso se apelotonaban en su memoria los nombres de quienes habían llegado a ser célebres y los de aquellos otros que, a pesar de haber bordeado las mismas características, los mismos lugares, los mismos riesgos que los que habían adquirido renombre jugándose su suerte en circunstancias igualmente parecidas, no pasaron jamás de la injusta frontera del anonimato. En este momento, reseñando en su memoria todo un cúmulo de anécdotas, hazañas y gestas —mientras el cansancio comenzaba a agobiarlo, casi en los mismos lugares que, años atrás, se había despertado su afán de aventuras al observar el horizonte occidental—, no tuvo otro remedio que apuntar su nombre en la lista de los fracasados, los vencidos del tiempo y la conquista.

Flotaba sobre el ambiente y la atmósfera de Salbago una brisa inquieta que hacía revolotear a través del Real un olor revuelto de salazones y fritangas, de aceites y especias almizclados de cualquier manera, un efluvio vivo que alentaba, hoy como ayer, mil fórmulas imaginarias para correr por encima de la mar y alcanzar la tierra siempre prometida. Alvaro Rejón, por su parte, iba perdiendo poco a poco el aliento. Sus miembros, enronquecidos por las raras sensaciones despertadas al llegar al puerto de la isla, apenas respondían ya a sus órdenes. Era seguro que él, Alvaro Rejón, estaba fuera de juego en Salbago. No contaba para nadie. Y esa situación, casi de pura mendicidad, le acompañaría como costumbre por el resto de sus días, resignado a escuchar las noticias que necesariamente seguirían viniendo de uno y otro mundo, de la Península y de Ultramar. Ultramar le sonó entonces a territorio que jamás llegaría a ser descubierto, juego de pesadillas, sueño nunca acabado de realizar en las esquirlas del cual todo lo había abandonado, dándolo por perdido, donde rebullía una vida llena de colores e imágenes renovadas, donde el camino no tenía límites, donde las leyes iban siendo fabricadas paso a paso, sobre las piedras, conforme el profanador entraba hasta el corazón del continente, sólo por instinto descubriendo un mundo primitivo que habría de conquistarlos a ellos precisamente, a los profanadores que alzarían sus voces de falso triunfo sobre las ruinas de los dioses ya huidos de los lugares de poder.

Allá, en Ultramar, también como abandonado a su propia mala suerte, pero (al contrario que Rejón) totalmente convencido de la torpeza que significaba la vuelta a la isla, había permanecido Pedro Resaca, el hijo del mayordomo, su socio y amigo, arruinado ahora y medio muerto, pero prefiriendo la rotunda mendicidad en aquel continente lleno de sorpresas y sucesos inesperados antes de soportar la vergüenza de un regreso vacío que expresaba, a voz en grito, el fracaso de su vida. "Me quedo para siempre aquí, Alvaro, en el reino del anonimato", le dijo Resaca a Rejón cuando éste se atrevió a vislumbrar el viaje de vuelta. Era, pues, la última palabra de un personaje, Pedro Resaca, que siempre sobreponía su voluntad a la de los elementos. Desde niño había tomado la loca resolución de convertirse en otro hombre distinto al hijo del pescador. Había nacido en Salbago, pero quiso desde siempre abandonar su condición de isleño soslayado e introvertido. Aún ahora, en su ensimismamiento y con los tiempos confundidos y entremezclados por la obcecación, Rejón alcanzó a memorizar la frase que, a bordo de la carraca de vela latina que los llevaba hasta el Nuevo Mundo, Resaca había pronunciado mientras la isla se iba quedando atrás en la lejanía. Como en un rito que hubiera pensado durante mucho tiempo, dejó las botas de cuero de buey sobre la cubierta. Descalzo, haciendo que su mirada oficiara de veredicto y maleficio a un mismo tiempo, sacudiendo después la tierra insular que quedaba en el interior de su calzado, la arrojó al mar como si se tratara de cenizas de un cuerpo apestado. "De Salbago", dijo mirando fijamente a Alvaro Rejón, "ni el polvo". O aquella otra, recordaba también Rejón, en la que se condensaban todas las sus fuerzas a la hora de encontrarse ante un callejón sin salida: "Estas botas se hicieron para caminar", lo cual implicaba una orden, dando por segura la leyenda de Cortés, siguiendo los pasos de la locura del conquistador: quemar las naves si fuera preciso trece veces por minuto.

Recordó —también por un instante— los colores cambiantes de la cara del agua, desde el canoso espuma hasta el vinoso violeta, pasando como en una visión de caleidoscopio por el verde esmeralda o todos los tonos del azul que en el universo existen. Nadó por encima de los mares a los que, mientras los surcaban, iban poniendo nombres nuevos porque pensaron siempre que nadie antes los había desvirgado con sus quillas. Imaginó entonces que todo lo que como experiencia había atesorado entre sus manos durante años de viajes y periplos podía servirle para comenzar una nueva empresa, entrarle de otro modo a la vida, como si nada hubiera ocurrido, un camino emprendido ahora con la certeza de ir evitando a su paso sinsabores y fracasos, derrotas siempre superfluas, errores siempre gratuitos. Un viaje nuevo, pensó, hasta el fin del mundo y de los tiempos, hasta encallar en el último reducto de los mares que aún nadie había conocido. Llegó a comprender, siempre dentro de la turbiedad de los recuerdos, que todo lo que había ido buscando por el mundo eran los pedazos de la nada, lo que exactamente ahora había encontrado en la isla de Salbago, otrora territorio de su padre, Juan Rejón.

Todo aquel día de regreso lo estaba pasando en un interminable revoltijo de contradictorios recuerdos, vientos de un tifón tropical que se había desatado en su mente provocando fiebres y sudores. Poco a poco fue cayendo en un sopor que empezaba a serle sumamente conocido, una especie de modorra que no terminaba nunca de ser reclamada como sueño profundo sino como simple e incipiente duermevela, rincón del subconsciente donde las amarras de los tiempos se rompían, saltaban por los aires los nudos de las gúmenas, se juntaban el pasado y el presente, se entremezclaban en una ya olvidada juventud y aquella decrépita madurez que ahora arrastraba, se confundían las ilusiones de un futuro que nunca llegaría con los fracasos recogidos uno a uno durante su larga experiencia en el Nuevo Mundo. Se asomó entonces, como si de un fantasma que desconociera el terreno que pisaba se tratara, hasta la última tahona maloliente que quedaba aún abierta en el puerto de Salbago, entrando ya la madrugada plena, donde se reunía una informe escoria sin nombre, toda una muchedumbre sin hogar y sin apetencias que poblaba la noche en todo su extenso recorrido carcajeándose y burlándose de su propio sentimiento de frustración entre sombras opacas y luminarias, entre aguardientes y chamuscados pedazos de carne de camello en adobo.

En esos momentos de desidia absoluta, cuando se le arrimaba al alma un exceso asmático y vertiginoso que le hacía ver la muerte a dos pasos, Alvaro Rejón echaba mano de la *coca*, una extraña hierba originaria del Nuevo Continente y prácticamente desconocida en Salbago por aquellos tiempos, en la Península Ibérica y en el resto de la Europa civilizada y culta. Los oriundos de las tierras de Nicaragua habían dado en llamarla *yaat*, término oscuro de la cultura maya, mientras que en algunas extensas zonas de la Gobernación de Venezuela, donde precisamente Alvaro Rejón había visto mascar las hojas a los indios por primera vez —sin atreverse él a probarla—, la denominaban *hado*. Fue en la larga expedición que realizara hasta el Perú, en una de esas odiseas perdidas que inició con su socio Resaca, cuando Alvaro Rejón comenzó a aficionarse con aquel regalo de la tierra que los indios de todo el continente tomaban, bajo uno u otro nombre, para envalentonarse, para sentirse como dioses a la hora de atravesar a pie grandes extensiones de terreno (como era el caso de ese viaje hasta el Cuzco y Lima) abrupto, inhóspito, desconocido y hostil, que exigía de ellos un esfuerzo fuera de lo común. Rejón observó asombrado cómo hombres que estaban a punto de perecer rompían las leyes que rigen la selección natural de las especies no más comenzaban a mascar el divino jugo de aquellas hojas verdosas. Solían los indígenas traer al cuello unas bolsitas semejantes a pequeños calabacinos, en el interior de los cuales guardaban celosamente las hojas de la hierba sagrada con la que la llamada Diosa Blanca se vengaba de todos los seres, naturales y sobrenaturales, exigiendo esclavitud. La *coca*, una vez triturada la hoja por los dientes expertos de los indios, tomaba el aspecto de la espinaca cocida y sus efectos iban, poco a poco, procurándoles una sensación de creciente bienestar que se traducía espontáneamente en una fuerte, vital y duradera euforia. Al principio, Alvaro Rejón había observado con disimulado interés cómo los indios no dejaban jamás de transportar aquellas misteriosas bolsitas que él creyó amuleto contra el maleficio selvático, siendo como eran los indígenas del Continente de natural y monomaníaca superstición. Así, animados por aquel jugo de la hierba, sin rechistar apenas, caminaban como bestias de carga, subiendo y bajando cordilleras, vadeando ríos, inmunes a los insectos y al invento de los malos espíritus a los que siempre hacían referencia en el momento preciso. De ese mismo modo, silenciosos —como si no estuvieran siendo humillados y ofendidos—, soportaban la locura de aquel ejército de desarrapados castellanos que, con estandartes y armaduras, con crucifijos y vírgenes, atravesaban diagonalmente y sin saberlo apenas un enorme Continente del que, en ese mismo momento y durante mucho tiempo, lo ignoraban todo o casi todo. Estudió entonces Rejón, con suma paciencia, las reacciones de aquellos seres apáticos que se convertían en brillantes, musculosos y pequeños dioses una vez que la *coca* entraba a formar parte de sus jugos corporales. Y en cuanto la probó, tras sucumbir a tentaciones que inmediatamente consideraría del todo inútiles, sintió que todo lo que veía era verdad, que todo lo que imaginaba estaba a punto de serlo, que el mundo era suyo (sin entender ahora por qué no lo había sido antes), desapareciendo la horrible sensación de sed continua que la selva hacía caer sobre seres pocos acostumbrados a andar por ella y el cansancio finalmente era olvidado como un efecto físico que jamás había existido. Después, también paulatinamente, fue entrando en los círculos concéntricos que la *coca* y su ciencia iban descubriéndole, en sus distintos usos y tratamientos, en el rito secular de unas razas que desconocían sus propios orígenes pero que siempre miraban al cielo a la hora de especular con su venida de otros mundos distintos de éste. Experimentó un placer jamás sentido, y nunca más repetido, la primera vez que aquel silencioso indígena del altiplano andino, extrañamente ojizarco, hosco, superior y altivo, como si estuviera en perpetuo contacto con la divinidad que daba color de mar a su mirada y en cuyo rostro las arrugas se contaban por cientos, le desentrañó todos los secretos y misterios de la hierba y dejó en sus manos, también por primera vez, la posibilidad de construir él mismo su propio paraíso natural, sin necesidad de compañía y siempre bajo su exclusivo y libre albedrío.

Usaba siempre Yaquís, que antes de la llegada de los españoles Rejón suponía que había sido un viejo notable de un pueblo ahora perdido para siempre, una determinada cal de veneras y la esponjosa carne de caracoles de mar y de río que, como necesario tesoros, acompañaba al quechua a todas partes.

—Es mi única ley, señor —balbució Yaquís ante la silenciosa interrogativa de Alvaro Rejón, mientras en la mente del conquistador revoloteaban ya pensamientos encontrados. Jamás llegaría el indígena, por sí mismo, a comprender las razones verdaderas de por qué aquellos aparentes dioses redentores, que tanto habían esperado los aborígenes a través de los incansables siglos, ahora se habían vuelto tan crueles como si de viracochas se tratara, como si de demonios malignos que habían traído la desgracia a sus pueblos.

Después, ensimismado en el rito, encendida su devoción por la *coca*, entusiasmado por aquella extraña y cotidiana ceremonia que él conocía en cada uno de sus ínfimos detalles, Yaquís oficiaba en silencio. De otra bolsita, que también traía colgada al cuello, sacaba aquella gomosa y pestilente carne de caracol y con un palito vegetal la mezclaba con la pasta masticada, revolviendo el verde de aquella hierba de la Diosa Blanca y metiéndoselo todo en la boca, como una pelotita de caucho que sus dientes iban domando y exprimiendo hasta saciar su cuerpo con el zumo salvador. Toda la Gobernación de Venezuela y los territorios por los que se extendía el finiquitado imperio inca que Francisco Pizarro había esclavizado estaba plantado de aquella hierba de iniciados que también para Alvaro Rejón llegó a convertirse en una necesidad de vida, sin importarle para nada que su dentadura fuera perceptiblemente arruinándose, volviéndose negra y de una suciedad repugnante. Yaquís, en un raro exceso de confianza, le transmitió gratuitamente todos los secretos, los oscuros y seculares efectos que la hierba producía, sus posibles mezclas, sus usos, las cantidades necesarias para que se produjeran los efectos deseados. Alvaro Rejón convirtió aquella hierba en alimento obligatorio a la hora de sus torturas nostálgicas, a la hora de sus desajustes psicológicos, a la hora del hastío, del cansancio y de las depresiones.

182

No había, pues, nada extraño, a pesar de las apariencias, en los manejos que ahora Alvaro Rejón, en el fondo de aquella inmunda tahona de Salbago, realizaba cumpliendo ritos que para todos los demás parroquianos de la madrugada resultaban absolutamente desconocidos. Un loco más, otro del montón, podían pensar en ese mismo momento aquellos marineros de la noche, de piel curtida por el fracaso y los espejismos que sin cesar corrían por encima de la superficie del mar, como leyendas que cobraban vida propia con el paso de un continente a otro.

—Es mi única ley —atinó a comentar Alvaro Rejón en voz baja, ante los silenciosos gestos del tabernero—. Mi única ley, señor —repetía pensando en el desaparecido Yaquís.

Apenas unos minutos más tarde, una casi olvidada voluptuosidad comenzó a correrle por sus miembros, un escalofrío placentero y acariciante que lo llenaba poco a poco de un vitalismo impropio de sus años cansados y de aquella parda madrugada. Los recuerdos, entonces, fueron ocupando su lugar de siempre, colocándose de común acuerdo en sus respectivos archivos. Los tiempos, como por arte de magia, mutaron sus raras alternancias y volvieron a ser simples etapas superadas (y, por tanto, despreciadas), películas de una vida aventurera que a lo mejor no iba a terminar allí, al borde de aquel mar inmenso que, gracias a la imponente ambición del Almirante don Cristóbal, había dejado de ser desconocido para siempre, desvirgado

183

ya como estaba, rasgado por cientos y cientos de quillas que encontraban en la brújula nuevos caminos para lanzarse sobre las aguas en busca de la fama, la gloria, la riqueza y la tierra prometida a tantos necios que, como siempre, confundían valor y precio. Eso era todo. Un círculo vicioso, una constante viajera de ida y vuelta, un ciclo de construcción, conservación y destrucción.

—No hay nada nuevo bajo el sol —habló Rejón sonriente, mientras con lentitud mascaba la *coca* reteniendo algunos segundos aquel jugo de nueva vida en el velo del paladar. Sus ojos, mientras tanto, habían cobrado un color verde tigre y los reflejos iridiscentes que salían de ellos alcanzaban los rostros taciturnos de los parroquianos de la taberna.

Inmediatamente se revolvió en él aquella cualidad que había perdido su original brillantez en los últimos días del viaje de regreso a Salbago y fue cobrando de nuevo sus colores naturales. De su lengua se adueñó una locuacidad que los circunstanciales feligreses de la madrugada poco habían podido imaginar unas horas antes, cuando aquel deportado con inequívoco aspecto de mendigo comenzó a relatar historias llenas de retorcidas hipérboles, gestas que rozaban la inverosimilitud, hazañas cuyo eco dibujaba difusamente la incredulidad en los rostros de los oyentes, viajes que demostraban a las claras un conocimiento de todo el orbe navegado, detalles presumiblemente exactos de mapas y cartas marinas como si ahora mismo, sobre la mesa de madera embromada en la que se apoyaba el cuerpo de Rejón, se estuviera desvelando un mundo fantástico del que ellos jamás habían oído hablar con tal precisión.

—¿Y Eldorado, capitán? —apostilló interrogante e hipnotizado alguno de aquellos jóvenes y anónimos marineros.

Alvaro Rejón se tomó su tiempo —tal vez excesivamente largo— para contestar. Teatralmente enarcó las cejas ante el expectativo silencio de todos. Dejó después que los hombros se curvaran sobre el tórax, hundiendo en sombras su figura. Los ojos perdieron, en esa nueva mirada hacia la nada, un poco de aquel brillo salvaje que tenían al hablar Rejón. Inspiró reposadamente.

—Eldorado no existe, señores —dijo elevando la voz en un

punto de su tono natural—. No existe —repitió en voz ahora más baja, moviendo al mismo tiempo y negativamente la cabeza ante el estupefacto auditorio.

—Entonces, capitán, ¿qué carajos hay allá, qué hay del oro y de todas esas historias que llegan hasta aquí? —preguntaron al unísono voces incrédulas de los noctámbulos que protestaban ante la afirmación de Rejón. Un tono burlón flotaba en los gestos de los presentes.

—Un callejón sin salida —contestó Alvaro Rejón—. Eso es lo que hay allá. Un hueco enorme donde acaba el mar y empieza la tierra, más allá de los acantilados y los arrecifes, más allá de las leyendas y las historias, donde los hombres se hunden una vez que se deshacen los flecos de los espejismos con los que siempre han soñado. Donde nosotros, españoles de mierda, pasamos todo el tiempo buscando un metal de engañifa, una mina agotada. Donde construimos ciudades que deseamos que sean nuevas fundaciones, sin llegar nunca a imaginarnos que la selva es un magma que nunca nos dejará ver del todo la tierra. Donde nos convertimos en hombres desahuciados, sin raíces y sin historia, nos procuramos los mismos placeres que los indios a los que hemos conquistado y acabamos, a los pocos meses, siendo como ellos son, pasto de la inmensidad del territorio, como si toda la vida hubiéramos estado pateando aquella tierra que es nuestra sí, que es nuestra y que nunca llegará a serlo del todo. Una tierra que no puede medirse. Una tierra que nosotros, tristes conquistadores, soñamos con transportar sobre nuestros hombros y acercarla más a la Península, cuando en realidad lo que termina siempre por ocurrir es que nos pasemos a su religión, a sus credos y a sus costumbres, a su altanero salvajismo y a su primitiva vitalidad que, poco a poco, como una vieja sabiduría que para nosotros siempre carecerá de explicación, se nos va metiendo en las entrañas hasta hacernos olvidar todo el mundo anterior, hacernos dudar de la existencia de España, de Castilla, del Rey, de Dios, de todo. Eso es Eldorado, señores. Y yo soy de aquí, aunque ustedes ahora no lo crean. Sí, de Salbago, de donde partí hace más de veinticinco años en busca de Eldorado, el mismo tiempo que deambulé por el Continente viajando sin parar, fundando misiones e ingenios, testificando cómo otros locos como yo se sacaban de la manga nuevas ciudades, nuevos territorios, nuevos imperios, nuevas fundaciones, o conquistaban tierras que nunca llegarían a ser suyas. Todo es de un Rey que ni siquiera puede llegar a imaginar la vasta extensión del mundo que cree administrar. Viví también algún tiempo cerca de la historia que hacen los cronistas y los monjes. He sido conquistador, pirata, negrero, tabaquero y mil mierdas más. Todo para el Rey. Todo para la gloria y la fama de España. Vi a Cortés algunas veces, en México. Y estuve también cerca de Pizarro, de los dos Pizarro. Allí, en Lima, estaba Gonzalo reinando sobre gentes de todas las estirpes, gobernando selvas y ciudades que fueron creciendo en mitad de los desiertos. Conocí de cerca a todos esos locos que siguen soñando con España, a pesar de haber dejado de ser españoles desde hace tanto tiempo y sin apenas saberlo, porque suponen que la sangre y un nostálgico y nebuloso recuerdo que guardan del pasado es la traducción del presente, el reconocimiento final que siempre han perseguido. Están encerrados en un inmenso error. Repartidos entre dos mundos, jamás van a encontrar paz para sus almas tortuosas fuera de aquello que ellos creen haber conquistado, una tierra que tiene vida propia, que no necesita de ellos, una tierra que los ha conquistado, transformado y hechizado para siempre. Esa es la única realidad de Eldorado, señores.

Un espeso silencio avanzó por el interior de la taberna tras las palabras de Alvaro Rejón, discurso pronunciado casi sin respiración, apenas con pausas, arenga que llenaba de incertidumbre a los parroquianos. Quizá fuera en sus palabras demasiado lejos. Había ido subiendo la voz paulatinamente, conforme avanzaba, como un caudillo que de pronto recuerda que conoce perfectamente el manejo de las armas dialécticas en las que se encierran los secretos del convencimiento de las multitudes y los pueblos. Poco a poco también, había ido procurando, con esa hábil tenacidad que lo había hecho destacar largo tiempo por encima de todos los demás, que su nombre quedara silenciado, dejando la sorpresa para el final de la sesión, cuando la expectativa que había quedado señalada en los rostros de los oyentes hubiera dejado paso a la decepción, reventando el creciente asombro de aquellos pobres parias al descubrir ante ellos el apellido del fundador de Salbago, en el instante preciso en que la misma atención que él había despertado con sus palabras empezara a decaer entre aquellos fieles momentáneos, precisamente porque era más fuerte la creencia en la ambición propia y no realizada aún que la experiencia que pudiera pertenecer a los demás hombres.

—Sí —dijo con cierto deje melancólico—. He venido a parar, después de tanto, a mi tierra de origen. Yo soy Alvaro Rejón, hijo del fundador del Real de Salbago.

Para entonces, en el momento de desvelar su verdadera personalidad, ya había comprendido que su padre había muerto. Que había, por tanto, dejado de poseer aquel apellido omnímodo poder sobre Salbago. Que otras gentes, otros caballeros, otros seres extraños, usufructuaban las tierras insulares que él jamás habría de reclamar. Para entonces también, la mitad del incrédulo auditorio se había cansado de las interminables patrañas de aquel escuálido desconocido que ahora, como una clara provocación, decía ser hijo de don Juan de Rejón, sin darse cuenta que al pronunciar ese apellido despertaba en los más viejos la nostalgia pálida del tiempo perdido y el sentimiento de una finísima pero siempre perceptible sensación de claustrofobia. Rejón examinó los rostros cansados y expectantes de los misérrimos perdedores, soñadores con una tierra y unos tesoros que el tiempo se había ido encargando de mutar en herrumbrienta utopía, en profunda soñarrera de borracho, en cháchara de aguardiente que se deshacía en humo en cuanto el cansancio, día a día y tajantemente, doblaba los miembros de los aspirantes a aventureros y asentaba en sus cuerpos aquella añeja desidia que había pasado a ser esencialísima característica de los insulares. Algunos, los mayores en edad de aquella carroña humana que movía sus ojos de un lado a otro, al unísono, como una jauría hambrienta, recordaron al Gobernador Rejón como en un sueño, como si de un golpe todas las historias, todos los cuentos, todas las gestas y hazañas que sus padres les habían exageradamente transmitido de boca en boca cobraran una espectacular y repentina existencia en el centro de lo que para ellos se había convertido, hacía mucho tiempo, en un vaivén de ilusiones, en un invento continuo de viajes y periplos que jamás habrían de realizar, anclados como estaban ya para siempre en Salbago.

Así había sido desde el principio de la fundación de la ciudad, desde los tiempos del descubrimiento de la isla. Para ellos, para esa muchedumbre sin apellidos que se apilaba en los puertos entre el miedo y la obsesión por el viaje imposible, recordar el pasado —volver a los días del Gobernador Rejón, aunque sólo fuera por unos instantes— era un error, la certeza de que cualquier tiempo pasado fue siempre mejor que el que ahora se les venía encima. El regreso de un Rejón, la vuelta del único vástago de Juan Rejón a quien las crónicas legendarias habían dado por muerto en el Nuevo Continente, no representaba nada, salvo naturalmente el mezquino regusto de una hilacha de desconocida venganza que en sus vísceras tomaba cuerpo consistente. Allí, repentinamente, tenían la personificación exacta del fracaso apellidado Rejón. Un hombre joven que había abandonado la isla pletórico de facultades y ansias y que ahora, en el círculo vicioso que todos intuían pero que ninguno acababa por clasificar con claridad, volvía como si tal cosa a Salbago, a dar con sus huesos en el mismo cuchitril del que había salido sonriente y envidiado por gentes (tal vez sus propios padres entre ellas) de las que habían heredado aquel regusto por no hacer nada, por quejarse de todo, por añorar otros mundos que no se atrevían nunca a explorar, por pensar en musarañas de ensueño que nunca habían visto y por imaginar tierras y riquezas que jamás habían poseido ni poseerían. ¿Era el maleficio que Pedro de Algaba les había dejado a la hora de su muerte? ¿Aquella repentina y solitaria aparición de Alvaro Rejón había que interpretarla como el final del mito de una clase de hombres que habían nacido para dar vueltas a la quimera que ellos mismos, los hombres-leones, habían inventado en la época del fastuoso pensamiento de las fundaciones? ¿Merecía entonces la pena jugarse el pellejo en la aventura del descubrimiento o era preferible, tras largos años de inútil singladura, que un pendejo de las mismas características que ellos viniera a echarles unos cuentos que quería hacer pasar por dogmas y que a lo mejor ni siquiera él mismo había vivido, sino que, como ellos —anclados en Salbago y recorriendo siempre los mismos vericuetos y callejuelas del Real—, se estaba imaginando para deslumbrar a gentes que nunca habían experimentado en sus testículos el vértigo de la huida, la oportunidad del viaje al Nuevo Continente, la tierra —mientras más se avejentaba— cada vez más mística y lejana?

Un estupor corrosivo, como si hubieran dejado de creer en aquel aparecido cuentista de otras tierras, tomó cuerpo en los rostros de los borrachitos de la madrugada y actuó como alevoso detonante de la dispersión que se inició minutos después, abandonando a solas a aquel mosquetero del embuste que seguía diciendo llamarse Alvaro Rejón, que no se inmutaba para nada cuando negaba la existencia de Eldorado (la única verdad admitida sin ser vista en aquellos tiempos), que se hundía en recovecos en los que nunca se sabía a ciencia cierta si se andaba en la realidad o en el campo abierto a la imaginación. El era, pese a la incredulidad de aquellas sombras sin firmas conocidas, Alvaro Rejón.

"Pandilla de incapaces", pensó en un raro momento de lucidez. "Atrofiados", se dijo como un eco que difamara su propia estirpe, su propio pasado, su propia experiencia, un eco que empezaba ahora a entorpecerle la pronunciación de las palabras, una vez pasados los largos efectos de la *coca* que, tal un indígena más de aquellas tierras ya para siempre perdidas, lo acompañaba a todas horas. Claro que se sabía de memoria todo el proceso y recolección de la planta y el uso posterior de la hoja. Ese era el único secreto que jamás profanaría. En plena conciencia ya de su papel de paria, Alvaro Rejón recorrió uno a uno, en un estado de soledad que incluso alcanzó a enervarlo agradablemente, cada uno de los pasos que el futuro le depararía en Salbago, última y primera tierra que sus ojos habrían de ver. Entregarse a la *coca* en cuerpo y alma, adelgazar hasta la extenuación y la muerte en aquel territorio que seguía siendo de todos y de nadie, en aquella ínsula que el delirio de su padre había inventado como una roca salvavidas de innumerables vagabundos que jamás dejarían de serlo. Entregarse a la *coca*. Levantar en secretos e inalcanzables terrenos el imperio de la hoja verde en la que todos, insulares y continentales, caían como en un pozo sin fondo, como en una tentación irresistible de la que acababan siempre siendo solícitos esclavos. Ese sería su último destino. El de su padre —recordaba— había sido envenenar a aquellos malditos perros verdes, raza ahora desaparecida, de la que sólo se conservaban puros ciertos ejemplares que habían sido trasladados a los castillos y palacios de la Corte, allá, en lo que empezaba a ser la capital del Imperio, un villorrio que crecía a orillas del Manzanares, en el centro mismo de una Península que había dejado de ser el *finisterrae* para convertirse en la patria cabal de los *plusultra*, una ciudad-mercado que iba poco a poco tomando prepotencia en las tierras de Castilla, predestinada por los tiempos a ser la Corte, la metrópoli loca del sueño real de Felipe II. En esa ciudad (que ya se llamaba y se llamaría, por los siglos de los siglos, Madrid) los perros verdes habían perdido su montaraz mirada, su rebeldía de gestos, su prestancia de libertad. Instalados fuera de Salbago perdieron toda su primitiva presencia y se amoldaron a las formas muelles de la Corte de Carlos, aquel avispado y glotón europeo que desterró de por vida al siempre misterioso Duque Negro.

—Todavía vive el mayordomo Resaca, señor —gritó desde la barra el barbudo mesonero, frisando en los cincuenta y pocos años, ojos despiertos incluso a aquellas horas, prominente barriga y generosos y rojos mofletes—. Todavía vive —repetía sonriendo, como si aquella información representara un regalo para Alvaro Rejón, como si en la frase y en el modo de pronunciarla se escondiera la intención de levantarlo del hastío en el que nuevamente parecía estar cayendo—. Todavía vive.

—¿Dónde?

—En la misma cueva de siempre. Desde que murió el Gobernador. Junto al Refugio. El señor debe saber, ¿no?

Alvaro Rejón oyó repicar las palabras del irónico tabernero en el epicentro de una turbiedad que, a no ser por los residuos de los efectos de la hierba, jamás habría soportado en estado de plena consciencia. Sus ojos volvieron a cobrar, en un espasmo de supervivencia, como si de nuevo un fuego interior hubiera reavivado sus dislocados recuerdos, aquel brillo vital (color verde tigre) y guiándose por reflejos que ya estaban a medio olvidados y que, no obstante, respiraban memoria cada vez más nítida, salió tambaleante de la tahona, sin despedirse siquiera del tabernero y mucho menos agradeciéndole un servicio que era, de todos modos, impagable. Recorrió vertiginosamente algunas callejuelas de aquel barrio que seguía, después de tantos años, perteneciendo a la casta de los pescadores: El Refugio. Buscó como loco la orientación necesaria dentro de aquel laberinto de chabolas y barcas de pesca, de innobles andurriales y suburbios porteños que habían dado lugar a un nuevo y populoso barrio de Mancebía.

El recuerdo de Pedro Resaca se volvió para Rejón una obsesión caprichosa en la que se unían el pasado y el presente y de la que dependía el futuro. En efecto, parecía un milagro que Pedro Resaca, el mayordomo de su padre, continuara vivo.

Escribía a toda hora del día y de la noche, atosigado por la idea de terminar el panfleto antes de alcanzar las costas de Marse-

191

lla. El Duque Negro, en la larga e interminable singladura que estaba representando su marcha hacia la libertad, sabía a ciencia cierta que su eternidad dependía de lo que escribiera en el navío francés que lo había sacado de la isla. A su lado, imperceptible, sin molestarlo en su quehacer intelectual, retozaba Lord Gerald, brillando en sus ojos las ilusiones en las que pensaba en las largas horas de silencio en las que el trabajo ocupaba todo el afán del Duque. Lo miraba a hurtadillas, mientras los sudores se iban haciendo patentes en las sienes del Duque Negro. Se regocijaba en la idea de que pronto estarían juntos, conviviendo en la ciudad de la libertad, lejos de la primitiva promiscuidad del mundo que iban dejando atrás para siempre. Apenas lo sentía el Duque cerca de él. Apenas le daba atenciones ahora. El comprendía. Se hacía cargo de la obsesión del Duque Negro, de su voluntad por terminar de escribir aquel alegato en el mar, sobre las últimas jornadas del destierro. El librito, el quehacer del Duque, le había arrebatado aquellas noches de Salbago, pasionales, entregadas, siempre soñadas como repetición de sensaciones que habían quedado ya enquistadas en el alma afeminada de Lord Gerald. Quería al Duque aún a costa de aquellos sacrificios que le retorcían la carne. Lo comprendía, pero a la vista de aquella nueva obsesión del Duque Negro, Lord Gerald sufría la orfandad de sentirse relegado a un segundo plano. Como podía, disimulando cuanto era capaz, soportaba aquel enturbiamiento de sus relaciones, en la idea de que pronto, al finalizar aquel viaje, todo volvería a su cauce normal. Lejos estaba, pues, de imaginarse que la derrota del navío francés sería siempre la misma: un rumbo en redondo que recorrería todas las esquinas de todos los mares, llevado por los vientos y sin terminar nunca de alcanzar el puerto deseado.

Afiebrado en su quehacer, el Duque no prestaba atención alguna a otra cosa que no tuviera implicación directa con el texto que escribía contra España, contra sus instituciones, sus vicios seculares, sus historias mentirosas, sus dogmáticas ortodoxias y sus excusas históricas. Era una venganza rumiada largamente en Salbago, la tierra de destierro, su cárcel, la espada que siempre penduleaba sobre su recuerdo y su cabeza. Ahora, encerrado en otra cárcel que él creía su instrumento de libertad, trabajaba enloquecido, al borde siempre de la taquicardia, inventando anécdotas, lanzando en voz alta regocijadas maldiciones, embebido en aquella crónica negra que había en enseñar al mundo la verdad de la católica España. Había perdido ya la noción del tiempo. Le daba los mismo que pasaran los días y las noches como en un abrir y cerrar de sus ojos cansados. Lo único que le interesaba es tener el tiempo suficiente para poder terminar su obra maestra, la puntilla definitiva que los europeos estaban esperando para borrar a España de la memoria histórica del mundo.

Poco a poco, el Duque Negro iba cayendo en su locura. Una locura que, sin darse cuenta, él había rebuscado en todos los rincones de su existencia y que había encontrado ahora en el mar, a bordo del navío francés que jamás habría de conducirlo a la libertad y a la fama...

SEGUNDA PARTE

LOS REINOS PROMETIDOS

"No debí enseñarles nada de esto", se reprochó a destiempo y pensativo el mayordomo Pedro Resaca cuando comenzó a comprender que su hijo, Pedro Resaca —también—, y Alvaro Rejón, único vástago del Gobernador de Salbago, acabarían como tantos, huyendo a la desesperada, escapando de una vida circular cuya quietud terminaba por cansar a los animales de sangre caliente.

El los había educado en todo o casi todo, creyendo que embadurnándoles la infancia con diversiones marinas y entretenimientos de pescadores, los muchachos crecerían con la certeza de reafirmarse y conservar una tierra que sus progenitores habían descubierto, conquistado y organizado para ellos. "Uno prepara mundos", cavilaba Resaca, "a imagen y semejanza de nuestras ambiciones. Nunca prevemos lo que pasa después. Esos mundos, sus cadenas, sus fronteras, sus costumbres, no sirven para los hijos, que desprecian todo cuanto uno hizo por ellos. Mejor dejarles hacer lo que quieran, a su aire. Al fin y al cabo ellos serán los verdaderos dueños de sus vidas", concluyó desanimado, encogiéndose de hombros y aplicando su atención a desenhebrar sus anzuelos de pesca.

Sin quererlo, sin proponérselo ni remotamente, había inclinado a los muchachos a favor de la aventura, despertando en el alma de ambos la irresistible tendencia a escribir de su puño y letra su propia historia personal. Ahora, a aquellas alturas de la vida, no podía mostrar ninguna extrañeza. Si escuchaba el eco

197

era porque antes alguien —él mismo— había producido el ruido. El, pues, tenía gran parte de culpa en todo lo que estaba pasando, concluyó para sus adentros. Intuía, mientras sus ojos de escarmentado observador de la mar evitaban las lágrimas con un ligero pestañeo, que se habían marchado para siempre, que jamás habrían de volver juntos a Salbago. Era la moda de los tiempos lo que se imponía, viajar por encima de los mares en busca de destinos que quizá no acabarían nunca por encontrar. Ellos, los jóvenes de ahora, estaban hechos de otra pasta distinta a los viejos: una madera más fácil de embromar y pudrirse, pero flexible y ágil como la carrera de una gacela sahariana, flotante como un corcho siempre superviviente y capaz de levantarse después de cada una de las caídas que la misma aventura les deparara. Poseían un sentido de la orientación totalmente distinto al anárquico y primitivo de sus antecesores y si habían decidido marcharse del Real de Salbago era porque allí, en aquel puerto de paso lo más parecido a un burdel que imaginarse pudiera, nada ni nadie les retenía ya. Sólo los fantasmas de la historia y sus viciosos observadores podían habitar aquella tierra asolada por la dejadez y la desidia.

Volteaba en su memoria cada una de las lecciones, de los consejos, de las sugerencias, de las maniobras marinas, de las historias y epopeyas que les había inculcado y que fueron curtiendo, mientras crecían y se hacían hombres intempestivos, la mente de los dos muchachos. De vez en cuando, empeñado en los resabios de esa misma memoria, se perdía en vericuetos sin salida, asustado ante la dimensión que cobraban ciertas anécdotas del pasado, perplejo ante la claridad que a la luz de los acontecimientos presentes cobraba el brillo que tantas veces había observado, sin apenas prestarle interés, en los ojos de Alvaro Rejón y su hijo. Había que concluir, aunque él ahora lo hiciera a regañadientes, que en el Real se daban dos tipos de isleños. Los que (sin saberlo) habían nacido para quedarse, para ver marchar a los demás hacia el futuro y hacerse a la idea (mientras envejecían en todos los sentidos) de que ellos serían los próximos en seguirlos; los que habían nacido para soñar desde los roquedales de la isla o en lo alto de los precipicios que acababan a pico sobre el mar y condenaban sus vidas en el fondo de los barrancos de aquellas tierras volcánicas en las que, por una rara abnegación de su trabajo más o menos confuso, comenzaba ya a prender la vid; los que después de oír cientos de veces la leyenda secular de San Brandán se quedaban exhaustos tras la momentánea visión de la roca en el horizonte del mar, conformándose con haber aprendido de memoria cada uno de los resquicios del mito y dándose sólo con ello por contentos; los que con la palma de la mano desplegada sobre la frente hacían su propia sombra y pasaban la vida ilusionándose con un viaje a ultramar que nunca habrían de atreverse a emprender, como si de una fuerza invisible que con los años había ido tomando cariz de realidad los mantuviera atados a la isla. Eran los insulares parados, aquietados, conformes, satisfechos con la memoria de la historia, reticentes a la hora de su propia experiencia. Y los otros. Los locos, los disparados, los inquietos, los tránsfugas, los que nunca se conformaban con nada; los que obligaban, día a día, a sus pensamientos a volar por encima de las aguas que los rodeaban, mientras en su interior maquinaban la huida; los que lentamente se vieron crecer, conteniendo su lujuria de otras tierras mirando al horizonte y esperando despegarse de la isla sin volver la vista atrás; los que inventaron, tal vez para convencerse a ellos mismos primero que a nadie más, cualquier excusa y se escudaron en mínimos incidentes para llenarse de mala sangre y conseguir la voluntad de marcharse; los que tuvieron la fuerza de guardar silencio hasta que llegara el momento indicado sin levantar ninguna sospecha en su torno, hasta que la determinación había sido tomada y ya estaban completamente seguros de que nadie habría de hacerlos volver sobre sus propios pasos; los que, detrás y al otro lado del mar, entreveían aquellas inmensidades de las que cotidianamente se hacían lenguas y voces en el Real de Salbago: el Imperio que se estaba construyendo a marchas forzadas en Occidente, el Nuevo Continente descubierto por el Almirante, la tierra prometida a quienes demostraban haber nacido para ganársela a pulso. Eldorado, las selvas, los desiertos, las cordilleras interminables, los ríos que eran más grandes que el océano, las lluvias que caían del cielo como piedras, los espejismos todos convertidos por mor del atrevimiento de un puñado de soñadores arrojados en palpable realidad. La *terra nostra* que, como madre dadivosa, concedía todo a cambio de nada, excepción hecha de la necesaria voluntad de aventura.

Pedro Resaca y Alvaro Rejón fueron almacenando, mientras crecían, todas las energías necesarias para sus almas y sus cuerpos, se convencía el mayordomo resignado su destino a una soledad que descendería como buitre sobre él y no pararía hasta enquistarse en sus pulmones.

El, sin apenas darse cuenta, los había iniciado desde niños en todas las artes de la mar. Les había dado las alas necesarias a sus imaginaciones. Al principio, en las aguas azulverdosas que lamían tibiamente los litorales de la isla, para que se fueran poco a poco acostumbrando a verla desde fuera, a conocerla en cada una de sus cuevas marinas, sus corrientes, sus vientos, sus manías y aprendieran a guardar el equilibrio de la barca mientras se acrecentaba en ellos el sentimiento de la claustrofobia. Después, los alejó hasta que casi pudieran tocar con sus manos ya encallecidas la raya prohibida del horizonte, señalando por su nombre a cada uno de los vientos que hacían su aparición durante el día y la noche. Los enseñó a tumbar la vela latina en el momento en que fuera preciso hacerlo, antes de que los mismos vientos y las mareas llenas de traición pudieran tumbarlos a ellos. Y cuando ya supieron por sí mismos que el mar era un ser más puta que cualquiera de las mujeres con las que se empezaban a divertir en las tardes dentro de las tabernas de Salbago; cuando aprendieron a balancearse siempre en la misma dirección que las aguas y así dominar la tentación del vómito, se aventuró con ellos hasta las costas africanas, quedando a sus espaldas el horizonte que jamás pensaron traspasar tan fácilmente y ante sus ojos la franja interminable de una tierra prácticamente incógnita y salvaje, perteneciente a otras razas extrañas, a otras civilizaciones dueñas de otras religiones y leyendas:

el Sahara amarillo y rojo, encendido de fuego en las madrugadas y los atardeceres que caían sobre el desierto repentinamente, una cambiante orografía que era barrida cada día y cada noche del año por el incansable soplo del simún.

El, Pedro Resaca, pescador primero y mayordomo después por la gracia y el capricho gastronómico de su señor Juan Rejón, los sacó al mar para que le perdieran el miedo a las olas, para que aprendieran a nadar en altamar, olvidados de las corrientes, para que conocieran todos los trucos y artes de la marinería y la pesca, qué significado escondían en las profundidades los colores que se dibujaban en la superficie de las aguas, dónde descansaban los bancos de palometas, bocinegros y brecas, por qué caminos ocultos corrían escurriéndose de sus enemigos las sardinas perseguidas, los roncales y las caballas, en qué cuevas se escondían las viejas rojas y negras y las langostas, dónde se criaban las ostras y las clacas, los erizos y los cangrejos que podían comerse crudos. Los había sacado a la mar para que se entusiasmaran con el esfuerzo de pescar una albacora, elegida de aquella jauría que saltaba sobre el azul oscuro de las aguas como si fueran galgos corredores. Y para que entendieran que la soledad que allá se siente, mientras la barca se balancea a expensas de lo que las fuerzas del fondo del mar decidan en cada momento, era una falsa tribulación humana que, superándola, se convertía paradójicamente en fiel compañera ya para siempre. Para que, en fin (ahora lo veía con claridad, con una luz cuya contundencia lo aplastaba), soñaran con otros mundos, inventaran en su interior sus propios mitos e imaginaran como reales sus propias ambiciones.

El había hecho todo eso, sirviendo como maestro de todos los caprichos que la mar era capaz de sacar desde sus profundidades y enseñándoles a curtirse ante los obstáculos que pudieran surgirles en una eventual travesía. Tempestades, galernas, borrascas, marejadas o mar gruesa, remolinos, corrientes, trombas repentinas o sorpresivas calmas chichas que podrían darse en la inmensidad de las aguas, fueron pasando a engrosar el lenguaje y la experiencia de los dos muchachos, gracias a su pedagogía. Y ellos, Pedro Resaca y Alvaro Rejón, perdieron con el tiempo la turbación y el desasosiego que les provocaba la mar y sus caprichos, aprendieron a dilucidar con intuición digna de encomio códigos y visiones, espectros y quimeras que —como espejismos— surgían ante ellos en las largas horas de la sed y la soledad, cuando quizá daban vueltas en zonas que nunca habían abierto con la quilla y que estremecían las aguas de una manera que ellos jamás habrían visto ni imaginado. Avezados navegantes desde sus comienzos, insistieron en las excursiones hacia el sur, bordeando los embarcaderos anémicos que se sucedían a lo largo de la Costa de Marfil, dibujando milimétricamente cada una de las cartas marinas que nadie les había procurado para la navegación sino que sólo ellos habían ido dibujando con infinita paciencia, de manera que hubo un momento en que nadie mejor que ellos llegó a conocer los litorales del Sahara, las bahías enormes que se abrían como refugios a quienes hasta allí se habían atrevido a llegar, las playas, las restingas, las bajas y los arrecifes en su exacta dimensión situacional. Nadie mejor que ellos pudo entonces adentrarse en las calmosas aguas tibias que bañaban acariciantes las arenas rubias de Río de Oro, *la costa* que alcanzaron a recorrer palmo a palmo como si de sus propios territorios se tratara. Toda esta geografía, que muchos años atrás había parecido misteriosamente maléfica al maestre de campo Martín Martel, era para ellos algo más que una alberca sin secretos en la que campaban a sus anchas sin que nada ni nadie se atreviera a interrumpirles nunca su labor. Allí, en esa extensa franja marina que marcaba la acuosa frontera entre Salbago y Africa, Alvaro Rejón y Pedro Resaca comenzaron a levantar su mundo de mitologías personales, fraguando sus planes y tomando previsiones, llegando poco a poco a un callejón que no les dejaba más que una salida: la tierra de la isla les quedaba como un corsé estrecho e inservible en el que sus más ligeros movimientos despertaban sospecha e indignación y donde ellos mismos, indóciles y agresivos, se sentían presas de una inquietud y una picazón espiritual poco menos que insoportable.

Los pocos ratos que pasaban en la ciudad, fuera de la mar que los convertía en seres diferentes —dueños de sus propios reflejos e intuiciones—, su presencia fue tornándose molesta e inaguantable. Se perdían ambos en francachelas y absorbentes borracherías en la destartalada casa que fuera, en mejores tiempos, de la bruja prostituta Maruca Salomé, *El seis de copas*, donde había bailado Zulima, donde su padre se había quedado prendado de ella sin que Alvaro Rejón llegara a suponer nunca que la mora era, en efecto, su madre. Devino el antro en burdel derruido, casi olvidado ya por los altos funcionarios del Real que mudaban con facilidad el honor de sus caprichos, en el interior del cual —como si se tratara de una repetida revista teatral— emulaban los muchachos bacanales que en los buenos tiempos de la fundación tuvo como protagonistas a sus padres, configuradores de una legendaria coreografía de jolgorio y puterío que había tenido tiempo de llegar aún viva a sus oídos. Restaba al lupanar de Maruca Salomé el sabor de los recuerdos y la clase reminiscente de una época que, aunque en realidad fuera de puro cartón piedra, se recordaría por los viejos como una epopeya única y sobresaliente. Gritones, esperpénticos y aspaventosos recorrían, entregados a los más desbocados escándalos, los barrios marineros del Real —sus predios—, persiguiendo a las mujeres de la vida que vivían extramuros, en cuevas inhumanas donde atendían a sus incontables clientes. Intempestivamente irrumpían en los lugares públicos, en plazas, lonjas, mercados y tabernas, sin que nadie se atreviera nunca a levantarles la voz y mucho menos a reprocharles sus abusos y vesanías. Raptaban y violaban con patente de corso a todas cuantas, por casualidad o porque así lo habían decidido ellos conjuntamente y de antemano, se les ponían por delante. Infringían leyes que, por otro lado, tampoco habían sido demasiado respetadas en aquel territorio del Real que a ellos se les venía encima, definitivamente pequeño para sus ambiciones.

"De tal palo, tal astilla", resollaba Hernando Rubio, ya en las postrimerías de su vida. "Sí, señor", refunfuñaba, "aquellos barros trajeron estos lodos de mierda que ahora se pasean por las calles como si esta ciudad fuera su fundo particular".

"Lo mejor", aconsejaba por su parte Juan Rejón cuando las quejas airadas llegaban a sus oídos y ya no podía seguir por más tiempo haciéndose el sordo, "es que los muchachos estén siempre en la mar, Pedro. Ahí, carajo", y soltaba la exclamación haciendo caer la fuerza de su puño derecho sobre lo primero que tenía a mano, "si que no pueden hacerle daño a nadie. Si siguen aquí se van a cargar el Real".

Era un hecho cada vez más palpable que habían nacido para marcharse, que estaban llamados a caminar por encima de los mares para terminar asentando sus reales en otras tierras más afines a sus inquietudes. Alrededor suyo seguían creciendo cotidianamente las discordias y los desafueros que provocaban amparándose en la gratuita impunidad que, por otra parte, nadie se atrevía a repudiar. Funcionarios, alguaciles, alcaides, corregidores, alféreces, tenientes, oficiales del Santo Oficio, autoridades eclesiásticas y todos cuantos intentaron hacer valer su mando ante Alvaro Rejón y Pedro Resaca salían trasquilados, atropellados por aquel par de matones, ridiculizados como esclavillos de tres al cuarto por una pareja de abejorros cuyo vuelo raso era más temido en el Real que las plagas de langosta africana (que todo lo devoraban a su paso), que las sequías (que agrietaban en sus ciclos las tierras de labranza y terminaban por arruinarlas), que los vientos maléficos (que con frecuencia flotaban sobre la isla de Salbago dejando caer un polvillo azul que volvía mustias las incipientes plantaciones de tomate) y que las crecidas de las mareas (que todos los años, en las primeras jornadas de septiembre, destrozaban sin compasión los embarcaderos y se tragaban mar adentro las negras arenas llenando las playas de piedras que bramaban durante el temporal). Ellos eran peor aún que cualesquiera de esos azotes y las gentes de la ciudad respiraban tranquilas cuando los veían trasponer la raya del horizonte y perderse en alta mar. Se sentían, los ciudadanos del Real, libres de ordalías. Pero sólo por algún tiempo, hasta que el capricho de aquella epidemia desoladora regresaba de sus correrías pesqueras y volvían a las andadas y abusos a través de las calles y plazuelas, los puertos y todos los rincones del Real de Salbago.

Por eso el día en que por voluntad propia decidieron marcharse para siempre, las gentes que habitaban la ciudad dieron gracias al Todopoderoso por haberles concedido aquel inesperado don de verse privados de su presencia. Se pusieron afanosos y trabajadores, a remozar la barca durante varias jornadas, reparando los desperfectos que en la tablazón había provocado su constante navegación por la costa africana. Embrearon con paciencia cada uno de los huecos que el maderamen presentaba en los rincones más recónditos. Remendaron la vela. Y, después, le compraron al propio mayordomo una de sus más veloces fustas sin decirle ni contarle ninguno de sus proyectos inmediatos.

"Los marineros se van", se dijo regocijado el ya anciano Inquisidor Hernando Rubio. "Se van para siempre", repetía gozoso no más enterarse de la noticia. "Bendito sea Dios", rezaba cojitranco y murmurador. "Al Gobernador le va a sentar a cuerno quemado, pero es lo que mejor puede ocurrirle al Real. Que se pierdan, que se vayan al Nuevo Mundo y se anclen allá, en el carajo del que, pido a Dios, que nadie los rescate".

Después vino, durante largas jornadas, la insólita elección de las marinerías. Silenciosos y serios, como si de armadores de verdad se tratara, aplicados como comerciantes que sabían cada uno de los pasos que habrían de dar para llevar a cabo sus proyectos, reclutaban hombre a hombre de los que compondrían la tripulación. Las gentes hacían como que no se daban cuenta de lo que Alvaro Rejón y Pedro Resaca estaban tramando. Ellos, embebidos en su propia empresa, comenzaban a creérsela. Sigilosos, como si les fuera la vida en el secreto, terminaron de contratar a los marineros de entre aquella ralea desigual y sospechosa que deambulaba por los peores barrios del Real, sembrando el quebranto de la ley y la inseguridad. Hernando Rubio había intuido sus planes, pero le interesaba más guardar sobre ellos un silencio total. "A enemigo que huye, puente de plata", se recomendaba frotándose las manos. Pero el propio Inquisidor estaba muy lejos de imaginar que, en principio al menos, todas aquellas operaciones (de las que se hacían lenguas rincones y lugares, gentes y tabernas, lupanares e iglesias, alcobas y oficinas oficiales) no estaban encaminadas a seguir directamente y como locos las rutas del espejismo que sobre el mar marcaba el Nuevo Continente. Rejón y Resaca reclutaban un silencio que juramentaban sin ningún efecto, aunque tampoco ellos pusieron sobre la pista a los tripulantes.

Irían primero a Africa. Alcanzarían, como primera maniobra, las costas que ellos conocían mejor que nadie. De lo que se trataba, como primera providencia, era de conseguir un notable cargamento de esclavos saharianos que después, en un viaje que en sus mentes se convertía en la verdadera aventura y que habrían de arrostrar más tarde o más temprano, llevarían hasta los puertos del Nuevo Mundo, donde empezaban a proliferar discreta y clandestinamente pequeños mercados negreros que los ingenios de azúcar y la construcción de las nuevas ciudades y catedrales del Imperio exigía. Alvaro Rejón lo sabía perfectamente. Se lo habían contado aquellos primeros negreros del Imperio español, traficantes catalanes y mallorquines que cruzaban subrepticiamente varias veces al año y como si tal cosa la inmensidad del océano que en otro tiempo había sido tenebroso y del que quedaba demostrado por los hechos, ellos conocían cada pliegue, cada golpe de su caprichosa respiración, cada embate de cada remolino, cada temporal y cada bonanza. Recalaban como huidos de la justicia, evitando la escala obligatoria en los embarcaderos del Real de Salbago y sin que, por lo tanto, su presencia fuera advertida, directamente en las costas del Sahara, junto al desierto que se inicia en la zona de Sakia-el-Amra.

Álvaro Rejón se quedó como perplejo aquella madrugada de estío. El sol daba vertical sobre su cabeza y en la costa, al regresar de una de sus expediciones a las tierras del sur, se mecían tranquilas dos pequeñas carabelas perfectamente pertrechadas. Eran, en efecto, los negreros. Más tarde vinieron las explicaciones y los juramentos de silencio que jamás habrían de ser transgredidos. En el vivaqueo, en las noches claras y tibias alrededor de la hoguera se intercambiaban conocimientos y leyendas, hazañas que habían realizado los piratas y el envés secreto de los trucos que empezarían a desplegar ante los nativos de la costa africana en cuanto éstos aparecieran por aquellos alrededores. Ya habían advertido la vigilancia estricta que los saharauis disimuladamente les imponían, cercándolos con su visión acostumbrada al largo alcance. Tal vez se tardara en esta ocasión días en romper las barreras de su desconfianza. Pero, más tarde o más temprano, los africanos sucumbían a la presencia del blanco, llevados quizá por su instinto hacia su destino de esclavos. Reticentes aún, enviaban lo que los negreros llamaban la avanzada, la vanguardia exploradora, tres o cuatro interlocutores que se obnubilaban a las pocas horas con el brillo de las mercancías que los hombres venidos del mar les regalaban sin pedir nada a cambio. Crecía el juego y las miradas de inteligencia de los negreros cruzándose entre sí. Y, finalmente, desde detrás de las dunas que rodeaban la playa, surgía una vociferante turbamulta que quería participar sin más tardanza de los tesoros del hombre blanco. Cristalitos de colores, falsas piedras preciosas, brillantes de bisutería barata, cuchillos inservibles y herrumbrientos, pedazos de espejos rotos, trozos de fícticia y engañosa felicidad que hacían sonreír de éxtasis a quienes no se daban cuenta de la estratagema mortal que se estaba tejiendo alrededor suyo. La noticia corría como el viento por encima de las arenas del desierto, despertando a las pequeñas tribus de nómadas que, confiados e hipnotizados, se acercaban hasta la arena mojada de la playa, convertida ahora en un festín sin igual, en griterío de fiesta y de mercado. Hombres, mujeres y niños en procesión pedían a gritos regalos cuando ellos mismos eran la fortuna potencial que se movía alegre y confiada al borde mismo de su esclavitud.

No tendría ni siquiera que darse la orden de asalto. Olvidados de todas las anteriores correrías, borrachos de guarapo y adormilados por el licor de caña, apenas si llegaban a comprender lo que les estaba pasando mientras eran transportados entre carnavalescas carcajadas hasta el fondo de los malolientes sollados de las carabelas.

Así, explicaban los negreros (ojos brillando de avaricia, agrandados por la ambición, gestos grandilocuentes que disentían de su apariencia, como si ya tocaran con sus manos la riqueza que sólo estaban imaginando), se estaban iniciando fortunas inmensas en el Nuevo Mundo. Y Alvaro Rejón convenció a Pedro Resaca para llevar a efecto ellos mismos una de aquellas *razzias* que marcaría el principio de sus nuevas vidas lejos del Real de Salbago. Díscolo y empecinado, Alvaro Rejón no se atrevió a despedirse de su padre, porque sabía a ciencia cierta que el permiso del viaje jamás le sería concedido por el Gobernador y que acabaría sus días, si del Adelantado dependiera, jodiéndose como él mismo, orgulloso y senil, sin clepsidra ni reloj de sol que marcara el tiempo que vivía, mareado siempre entre los recuerdos que se perdían en los tiempos de la fundación del Real.

Y, en la madrugada clara de uno de los primeros días de octubre, cuando las mareas habían recién iniciado su temporada

208

de calmas y las arenas volvieron a mostrar su esclerótica sonrisa sobre las playas de Salbago, se mandaron a mudar remando lentamente hasta alejarse de la costa y, ya fuera de peligro, levantando la vela que habría de llevarlos zigzagueando hasta las costas del vecino Sahara. Hasta que las alcanzaron no supieron los tripulantes contratados cuál iba a ser su primer destino. Para ellos, entregados como estaban a la voluntad de sus dos capitanes, daba lo mismo una mar que otra y no les importaba que el agua cambiara repentinamente de color. En pocas horas se acostumbraron a soportar los mareos y las voces fuertes de Rejón y Resaca ordenando y contraordenando. Tumbaban la vela a barlovento o sotavento, según los gritos de aquellos dos brujos que traducían sin fallo las indescifrables señales de las aguas. Cabalgaban entre el miedo y la esperanza por un océano que llegaba a encanecerse por momentos, mirando siempre a los ojos de los dos capitanes, tratando de descubrir en alguno de sus ambiguos gestos una mueca de desaliento y de duda. Jamás la vieron dibujándose en sus rostros. Alvaro Rejón y Pedro Resaca hacían caminar las embarcaciones por lugares que ellos mismos habían recorrido cientos de veces ya, antes de aquella hora. Iluminados, como si las parcas les fueran siempre favorables, como si todos los demonios del mar y de la tierra estuvieran siempre de su parte, no erraban nunca en la maniobra iniciada ni jamás se volvieron atrás. Lobos de mar como eran antes de aquella misma aventura, conocían perfectamente por sus nombres los arrecifes e islotes que estaban localizados en sus mapas, sabían qué distancia separaba una baja de otra y dónde se acumulaban los peligrosos e invisibles bancos de arena submarina. Hablaban entre ellos dos una jerga que era desconocida para el resto de la tripulación y Alvaro Rejón soltaba al aire su larga cabellera rubia que tan famoso habría de hacerle en los próximos años en los burdeles de las islas del Caribe.

A las pocas jornadas de navegación, sin ningún obstáculo cuya importancia hiciera necesaria su reseña, avistaron la costa africana. "Ya estamos en Africa", gritó Alvaro Rejón a la vista de la tierra. Un creciente escalofrío dio paso al estupor de los tripulantes. Africa, ¡la costa del Sahara!

Pedro Resaca tuvo entonces que reunirlos a todos, convencer a los más resentidos y, con una sonrisa que mostraba sus blanquísimos dientes, explicarles la razón de aquel viaje que representaba una sorpresa incluso para los que, en su fuero interno, intuyeron que estaban siendo engañados desde que salieron de Salbago. Estaban allí, gritó Pedro Resaca, para convertirse en negreros. "El que no esté dispuesto para esta batalla, que lo diga y se marche", advirtió, sabiendo de antemano que no era hora para quedarse en la costa a merced de los saharauis. Ninguno de los que hacía un minuto había iniciado una tímida protesta eran ahora, una vez explicados los planes de Rejón y Resaca, capaces de levantar la voz.

Cuando, después de muchos días, llegaron a Margarita, isla cercana a la Tierra Firme de la costa venezolana, nadie salió a recibirlos. No hubo aplausos por la gesta ni reproche alguno por aquella clandestina aventura. Alvaro Rejón anduvo —durante algún momento de la singladura, que apenas registró incidentes de consideración— muy preocupado con las reacciones que empezaban a aflorar en los gestos torcidos de algunos tripulantes. Al fin y al cabo, nada de esto era extraño. Pasaba siempre en las largas travesías. Tenía la otra mitad de su pensamiento inmerso en una nebulosa a la que no podía poner fin hasta llegar a su destino: la expectación que podría causar su llegada a un mundo que desconocía. Lo alcanzaron a él también las dudas, esas fechas en las que los más confiados capitanes empiezan a bajarse de las nubes, a poner los pies sobre la insegura cubierta y a recapitular sobre sus planes, carcomidas sus almas por el virus de la desmoralización. Poco a poco, sin que sus hombres lo advirtieran, comenzó a recuperar el color de su piel, demudado como había estado durante días enteros. Las aguas ya transportaban signos evidentes de la proximidad de la tierra, pedazos desvencijados de tablazón embromada, troncos de árboles y restos de vegetales que marcaban el fin del horizonte límpido, descorazonador y lejano que había estado a punto de hacerlo sucumbir. Albergó entonces en su ánimo la seguridad de haber llegado al Continente, pero entrando por otro lado distinto a las rutas que había marcado en sus rudimentarias cartas marinas siguiendo los consejos de negreros que había conocido en el Sahara. Quizá, pensó, lo que ocurría ahora es que los vientos los habían empujado jugando con ellos, con las dos embarcaciones, sin que apenas él, que era responsable principal de aquella escuálida expedición, llegara a darse cuenta. Solían pasar estas cosas, se dijo dando un suspiro de descanso. En esos diez o doce días en los que había navegado guiado sólo por su intuición, Alvaro Rejón sintió la mordida de la desesperanza adherida como un silicio a sus carnes, a su alma, como una ventosa que le chupara la sangre y empalideciera su rostro, subiéndosele la fiebre desde la planta de los pies hasta enroscársele en la cabeza como si se tratara de una serpiente venenosa. Habían muerto varios esclavos a los que no pudo dar de beber y él tenía que seguir racionando los pocos víveres que estaban quedando para el resto de la travesía. Las jareas, los tollos secos, el cherne salado, el cazabe y la cecina en putrefacción provocaban una sed calamitosa que Rejón no podía remediar con simples palabras.

Pero Resaca veía, por su parte, aparecer la sombra de Salbago por todos los lugares. Enfebrecido, estaba convencido de no haberse movido de las coordenadas africanas de las que se suponía que habían partido. Todos los días se despertaba al alba, observando asombrado el lento recorrido de las estrellas que no figuraban en sus códigos marinos. Atormentado por el sudor y las pesadillas que la fiebre le arrimaba, creía ver en el espejo del todavía dudoso amanecer la lejana silueta de la isla de Salbago que los atraía hacia ella con una fuerza voraz. Sintió aquella olvidada angustia de miedo que experimentó la primera vez que su padre lo llevó al mar y él vio desde lejos la costa de la isla de la que hasta entonces no había salido nunca. "Es como si estuviera mareándome", se confesó en voz baja, mientras echaba un vistazo a la barca donde se desperezaba entre gemidos aquella carga de indeseables negroides, su único tesoro. "Vaya una mierda", fue todo lo que se le pasó por la cabeza en ese momento. Durante ese impreciso tiempo perdido en el mar, cuando estuvieron al borde de olvidar el sentido de la orientación y empezaron a sentirse sobre la cubierta cantos como de sirena que provenían de los vientos cálidos que el horizonte les acercaba, Resaca no pensó en otra cosa que en la maldición de San Brandán, hasta el punto de no saber a ciencia cierta si lo que deseaba avistar realmente era la roca legendaria que perseguía a los navegantes perdidos hasta tragárselos. Desde luego, prefería tropezarse con ese monstruo movedizo, dueño de los mares, antes que perecer extraviado, sediento para siempre en la inmensidad tenebrosa del océano. "No es Salbago, mierda. Es San Brandán", pensaba cada vez que en las madrugadas la fiebre lo sacudía de repente y el miedo lo atacaba despertándolo lleno de temblores y envuelto en jaquecas y migrañas, mientras en la oscura lejanía podía observarse, si se ponía un especial interés en ello, el mentiroso y fugaz fulgor de un espejismo que comenzaba a sentirse como obsesión.

Tras una noche en la que todo el tiempo oyeron pasar pájaros graznando como si fuera de día y después de los indicios que tropezaban en las embarcaciones avisándoles de que la tierra ya estaba muy cerca, una de esas mañanas en las que un sol de justicia caía sobre los lomos agrietados de los marineros (cuando ya las tentaciones de sublevación eran más que patentes y se traducían en las instantáneas miradas que los hombres dirigían —atravesándolos— a Alvaro Rejón y Pedro Resaca), otearon en la lejanía una isla minúscula que, desde el principio, se convirtió para ellos en la salvación más perentoria. Esta vez no era un espejismo. Era la isla que el Almirante había bautizado con el nombre floral de Margarita y que así se seguiría llamando durante muchos siglos. Estaban, en efecto, en el Mar Caribe, pero un poco desviados de su rumbo inicial, de su intento por alcanzar la isla Española o la que respondía —en aquel entonces— al nombre de Fernandina. Rozaban, sin que llegaran a saberlo todavía, un territorio confuso, plagado de islotes, una geografía en plena creación donde se aglomeraban, antes de la Tierra Firme del continente, las incontables islas antillanas.

Margarita, como Salbago (que para ellos quedaba ahora en un horrible y borroso punto oriental del otro lado del mundo), era un eslabón, un paso en el mar antes de entrar en el Nuevo Continente. Isla de nomadeo, que servía de refugio tanto a los servidores de la Corona de España como a los corsarios sin patria conocida que ya se dedicaban al trasiego y al saqueo en todo el Mar Caribe, era un territorio prestado por el mar a los que se atrevían a cruzarlo o a quienes, antes de iniciar el viaje de regreso, deseaban un último momento de reflexión que les procurara las fuerzas necesarias para la hazaña o los volviera atrás de sus propios planes. Los sucesivos gobernadores que la Corona había destinado a Margarita hacían la vista gorda con los huidos y proscritos, a cambio de que ellos respetaran las leyes de la isla. Prestaban su hospedaje a cuantos viajeros, por casualidad o por propia voluntad, recalaban en la isla, fuera que venían desde España —desde Salbago—, fuera que se acercaran desde la vecina Cubagua, desde donde, en las fechas en las que Alvaro Rejón y Pedro Resaca llegaron a sus litorales, comenzaba un éxodo inapagable de buscadores de perlas que, desesperanzados y hundidas sus fiebres de ambición, alcanzaban Margarita como respiro final de sus inútiles esfuerzos. Medio habitada por indios que siempre miraban de lado a los cristianos y por españoles que se decían cristianos para salvaguardar sus vidas y convivir por un tiempo como súbditos libres de toda sospecha, la isla dependía de Puerto Rico en lo referente a las importantes cuestiones eclesiásticas, aunque en los problemas judiciales quien

213

tenía jurisdicción sobre ella era Santo Domingo. Pequeña y acogedora, la isla aparecía a los ojos de los marineros de Alvaro Rejón y Pedro Resaca como un oasis en el mar que los rodeaba.

Desembarcaron como si nada, mirándolo todo sin ninguna extrañeza, como si hubieran estado alguna otra vez allí. No se sintieron fuera de lugar entonces, pensándose definitivamente a salvo. Los primeros exploradores que destacara Alvaro Rejón descubrieron que, como Salbago, Margarita también estaba dividida en dos partes. Llegaron hasta la orilla arrastrando a un viejo desdentado que se descolgó con todas las noticias y cuentos que le vino en gana. "Aquí", comenzó proclamando el solitario anciano, mientras señalaba la tierra con el dedo índice de la mano izquierda extendida, "aquí, maestro, mandan los Villalobos. Ellos son los dueños y señores de todo", continuó mientras mascaba con voracidad la cecina que Resaca le había proporcionado para calmar su hambruna. "Y eso", habló señalando despectivamente a la cuerda de esclavos que descansaban atados a la sombra de los palmerales, un poco alejados de la orilla donde se desarrollaba la conversación, "no te lo van a dejar vender aquí, en Margarita, maestro. Los negocios que tú quieres hacer están más arriba o más abajo. Pero en Margarita está prácticamente prohibido ese comercio, maestro. Aquí mandan los Villalobos y ellos tienen ya todos los esclavos que necesitan. No les gusta que nadie venga aquí a hacerse rico". Siguió mascando de manera interminable con sus encías desdentadas una cecina que se iba de un lado a otro de los carrillos, mientras la sal y la carne se deshacían poco a poco gracias a esos movimientos que el viejo imprimía a sus mandíbulas. "Sí, señor, mandan los Villalobos, para que te enteres, maestro", repetía como un estúpido riéndose convulsivamente, en la idea de que así sería más fácil convencer a los negreros recién llegados a la isla. "No hay nada que hacer en ese sentido", gesticulaba negativamente mientras hablaba. Después echó una nueva ojeada a los esclavos que estaban ahora reposando sobre la arena como fardos de un inútil cargamento.

—Hemos perdido el viaje —dijo Alvaro Rejón a Resaca, en

voz muy baja. No sabía cómo desahogarse. Estaba otra vez confuso y lleno de dudas que hacían brillar al sol un sudor que le corría por su cara como si fuera lágrimas.

—¡Mierda! —reclamó entre dientes Resaca—. Estamos metidos hasta el cuello en esta aventura, Alvaro. Yo no doy un paso atrás. Sigo adelante con esto.

—Yo que tú, maestro, no hablaría así —interrumpió el viejo con osadía. Había escuchado toda la conversación. Resaca entonces lo miró de soslayo, conteniéndose por el momento, jurándole la muerte—. Si vienes desde lejos, como parece —continuó profesoral, hablándole a Rejón y a Resaca casi sin interés—, déjate guiar por quienes primero hemos hecho este maldito recorrido que tú crees, como todos, que vas a realizar de modo distinto.

Seguían sentados al sol y tenían ancladas las barquichuelas a pocos metros de la costa, cuyo calado era profundo y no había obstruido la entrada de las quillas. Alrededor de una fogata a medio encender asaban los restos despielados de unos animales muy similares a conejos silvestres o liebres. Más alejados y reunidos en pequeños grupos estaban los tripulantes de la expedición, a la expectativa, pendientes del parlamento que sus capitanes llevaban a cabo con aquel viejo.

—Que se vayan, maestro. Echalos al mar —apuntó el viejo mirando a los saharauis—. Las corrientes se los llevarán pronto de aquí y no quedará rastro en la playa de vosotros.

Hablaba sin dejar de comer, saboreando con fruición la hilacha de la cecina que se le quedaba colgando de la dentadura. Después, insaciable, se daba a mordisquear los trozos de la carne asada sobre las brasas de la fogata. Se hacía el misterioso, llenando de presagios su lenguaje críptico como si tuviera en alta estima su hipotético poder de convicción.

—¿Los negocios? —contestó interrogativamente a Alvaro Rejón—. Todos los negocios, maestro, ya te lo estoy diciendo, pertenecen a los Villalobos. Ellos son los que controlan, los que mandan y los que dejan que nos movamos por la isla y hablemos ahora aquí, sin que nos pase nada.

Y, como un hábil historiador o un avezado cronista que hubiera conocido por propia experiencia todos los acontecimientos vividos en la isla desde el advenimiento de los conquistadores, se alargó en un interminable soliloquio que catalogaba prolijamente los nombres de todos los Villalobos que en Margarita habían sido dueños y señores, gobernadores y virreyes. Habló, en principio, de la desaparecida Aldonza Manrique, hija del licenciado Villalobos, primer señor de la isla. Pasó por encima de anécdotas y evitó hablar de las intrigas que se sucedían en la familia para que el gobierno de la isla no escapara nunca a los Villalobos. Habló después de Pedro Ortiz de Sandoval, de Marcela Manrique, de Juan Villandrando, de Villalobos, Villalobos y Villalobos que se iban sucediendo vida tras vida, lustro tras lustro, en la gobernación de la isla de Margarita. Acabó su discurso con un suspiro largo como el rastro de un caimán sobre las arenas litorales de los ríos. O quizá fuera su último latido en honor, entrega y sumisión a todos los nombres que había pronunciado con tanta histórica ampulosidad. "Esos son los Villalobos", dijo distraídamente unos segundos más tarde. "Tienen más de cien esclavos y toda la tierra es de ellos y de sus paniaguados. Esto es lo único que es de todos nosotros", confesó ahora con cierta tristeza: miraba al mar. "Se puede navegar y pescar en él. Puedes nadar hasta cansarte. Puedes venir y, si quieres, puedes irte", dijo con sorna. "Ten siempre en cuenta la ley de los Villalobos. Ellos son aquí el Rey. Ellos mandan. Son Castilla. Son España, maestro. Una eternidad". Luego entró repentinamente en trance, en un profundo y prolongado silencio del que no salía ni para intervenir en el diálogo confuso que mantenían Alvaro Rejón y Pedro Resaca. Se limitaba a afirmar o negar con gestos y movimientos de cabeza, demostrando de este modo que sus palabras ya no eran necesarias y que lo que los capitanes negreros debían saber de Margarita ya lo había explicado él con creces a cambio de aquellos trozos de carne caliente.

En un claro de la conversación volvió a interrumpirlos, sólo para proclamar que lo mejor que podían hacer era irse lejos, si no querían desprenderse de los negroides y morangos que traían consigo como carga a la vez prohibida y preciosa. Los indios, dijo, habían abandonado la isla huyendo no más entrar los españoles. Los pocos que pudieron ser reducidos estaban al servicio de los cristianos y señores de Margarita, los Villalobos y sus descendientes. El resto eran seres sin patria, maestro, sin patria, sin familia y sin ambiciones. De vuelta de todo, maestro. "Como yo", sonrió con tristeza, con rasgos de orgullo perdido. "Muy pocos nos conformamos con esta vida vegetal que llevamos en Margarita. Yo soy ya un pobre viejo que tiene suficiente con pescar lo que se come. Apenas me quedan dientes sanos y poco a poco voy perdiendo mi memoria porque muchas cosas de la vida han dejado de interesarme para siempre. Aquí, los escapados y corsarios que vienen a refugiarse lo hacen por poco tiempo. Ese es el acuerdo con los Villalobos. El tiempo necesario para que dejen de buscarlos o recuperarse de las heridas y ruinas". Por eso era lo mejor que se fueran, ya lo estaba él aconsejando, dijo casi en tono de súplica. Quienes habían florecido allí a lo largo de los cincuenta años de dominación española (los Herrera, los Riberos, los Gómez, Alvarez Milán, Andrés Andino), lo habían hecho en los primeros tiempos gracias a las perlas de Cubagua y ahora sus descendientes tienen el tiempo de sobra para pulirse las propiedades y los fundos que les legaron sus padres, maestro. "Pero eso ya se acabó. Ya no hay perlas ni la puta madre que las parió", sonrió empequeñeciendo los ojos de placer, como si la ruina mohosa que se cernía sobre cada una de sus frases le divirtiera en grado sumo. "Se acabó", dijo estallando en una carcajada delirante que exhalaba un aliento fétido y un silbido como de asmático. "Ahora sólo viven del salitre que les da el agua del mar", explotó finalmente el vejestorio encullillado sobre la arena.

Pedro Resaca apartó entonces a Alvaro Rejón de la fogata para hablarle a solas. "Es un demonio, Alvaro. Una aparición", dijo temblando, como entre delirios. "Una aparición de esta tierra maldita. Nos está confundiendo y atemorizando porque sabe que como recién llegados no conocemos esta tierra que pisamos. Marchemos sin más tardanza al continente. Fundemos allí nuestra propia hacienda".

Rejón caminó pensativo durante algún tiempo. Daba vueltas y vueltas en un círculo que sus huellas iban agrandando. Después anduvo a lo largo de la playa, caminando lentamente para que la prisa no le atosigara sus meninges. Había visto el nerviosismo pintado en los gestos de Pedro Resaca, su hermano de sangre. Le preocupaba el cariz que las cosas habían ido tomando poco a poco y buscaba una salida digna del infierno blanco en el que habían caído. Dudaba entre hacer caso omiso a todas las indicaciones del viejo o integrarse en la opinión de Resaca y seguir viaje hacia las tierras del Continente, donde le constaba por los datos que había recogido de boca de los corsarios negreros (…si esos datos no resultaban del todo falsos, pensó) que proliferaban las bahías solitarias, los recodos y restingas donde cualquiera, así se lo habían dicho señalándole mapas, podría levantar su propia hacienda sin que nadie llegara luego a molestarlo, sin pedir permiso a señor alguno. Porque la única ley que se guardaba entre ellos —los perseguidos de la ley, los sin nombre, los corsarios, los bucaneros y los piratas de toda laya que se movían a sus anchas por los retorcidos mares antillanos— era la del mutuo respeto, la del silencio y la hermandad, la de una complicidad que si se infringía habría de ser castigada con la muerte sin que jamás nadie pidiera cuentas de la justa venganza.

Volvió aparentando la misma negligencia en el andar que había demostrado cuando se alejó del lugar donde aún ardían los rescoldos de la fogata y donde los navegantes que habían contratado como tripulación en Salbago terminaban ahora de pelar los huesos y los restos de aquellas carnes de conejo silvestre. Notó en sus caras una cierta satisfacción física. No tenían hambre ni sed. No sentían frío ni excesivo calor. Tal vez una humedad a la que sus cuerpos no estaban aún acostumbrados, pero que de todos modos todavía era soportable. Observó que sólo los empezaba a obsesionar la idea de marcharse de allí. Miraban de soslayo a sus capitanes y trataban de seguir la conversación que ambos, como discutiendo en voz baja, continuaban sobre la orilla.

218

Repentinamente Rejón se volvió hacia ellos y los miró con fijeza. "Nos vamos de aquí", dijo. Nadie, entonces, se asombró de la orden que estaban recibiendo. La esperaban de antemano. Nadie rechistó a quien los había traído sanos y salvos, desde el otro lado del mar, hasta una nueva vida. "Nos vamos a la Tierra Firme, al Continente". Hablaba Rejón ahora sin mirarlos, inspeccionando sus mapas y cartas marinas, como si con sus ojos clavados sobre ellas pudiera marcar la ruta a seguir para llegar a las costas deseadas, en el litoral oriental de Venezuela. Se echaron al mar y alcanzaron sus embarcaciones con un renovado afán de aventuras saltándoles en sus ánimos. Introdujeron de nuevo en ellas, a voz en grito y a mandoblazos, a los negroides. Levantaron la vela de las dos barcas y se lanzaron mar adentro, en busca de un nublado territorio que perseguían guiados por parecida obsesión que la que, en otro tiempo anterior, se adueñó de Juan Rejón y sus sicarios, casi cien años antes, cuando sin saberlo perseguían Salbago. Aunque fuera una vez, Alvaro Rejón rompía así la posibilidad de repetir el destino que había heredado de su padre: recalar en su misma aventura, dibujando sobre su frente la misma absurda quimera. Había, tal vez sin entenderlo del todo, un recuerdo de demonios familiares que hasta ahora había llevado adheridos como amuletos y ex votos a su alma. Se había impuesto, una vez más, el vértigo de la aventura, la voluntad loca del capitán que prefería desde siempre lo malo por conocer que lo bueno conocido. En los ojos de Pedro Resaca, como por un milagro, volvió a refulgir el brillo iluminado que se había convertido en esencia de su personalidad. Los rostros y los gestos de los tripulantes cobraban también un nuevo color de esperanza ante los obstáculos que encontrarían de aquí en adelante, en aquel estrecho brazo de mar que les separaba del Continente y de la misma Tierra Firme.

Poco a poco fueron perdiendo de vista, conforme se alejaban de la isla, los obscenos garabatos que sobre las arenas de la playa habían dibujado, en macabra composición, los restos descuartizados del cadáver del anciano y desdentado pescador margariteño, soplón y lenguaraz, que secaría ya para siempre al sol sus amarillentos huesos, sin que nadie jamás llegara a interesarse por sus advertencias, sus historias, sus cuentos y su muerte.

Recalaron en Puerto Vigía un día más tarde de lo que esperaban y en un punto algo más al occidente de lo que Alvaro Rejón había propuesto a Resaca en aquella segunda (y esta vez corta) singladura. Desde el mar, sus ojos pasaron revista muy lentamente al lugar que iba a ser su primer refugio en la Tierra Firme descubierta por el Almirante y que ellos llamarían, desde el principio, Puerto Vigía. El paraje se mostraba como una bahía salvaje en la que las aguas verdes del mar apenas se movían. Sin corrientes submarinas, una pequeña brisa soplaba sobre la superficie de las aguas casi completamente silenciosas cuando las barcas las abrían con suavidad en aquel lugar que se le antojó a Rejón ideal por su soledad. Era, en efecto, un territorio dejado de la mano de Dios, invisible dos o tres millas mar adentro, que componían dos formidables farallones que —como guardianes de piedra— atisbaban el mar y el horizonte. Un espacio mínimo para las maniobras, no superior a los cincuenta metros, era la puerta por la que podía entrarse a la bahía y alcanzar las arenas de la playa, donde las aguas ya llegaban muertas, aquietadas en el nerviosismo que las olas levantaban en el exterior de la rada, por fuera de aquellos muros naturales que salvaguardaban la playa de los vientos que se cruzaban arriba, en las alturas. A la orilla sólo llegaba un rumor como de remanso de esos mismos vientos que cruzaban sus fuerzas en los cielos. Nadie más que esos vientos litigaba en aquel lugar. Y, desde los primeros días de su asentamiento en ese sitio perdido de la costa —un perfecto refugio para corsarios cansados de la rutina de la navegación— empezaron a notar una sensación de seguridad a la que sus espíritus inquietos ya se estaban acostumbrando. Respiraban un aire suyo y transparente. Construyeron rudimentarios y perentorios embarcaderos y organizaron ordenadamente los principios que habrían de regir en Puerto Vigía. Para todos los trabajos se repartieron jerárquicamente todos los esclavos que habían traído desde el Sahara lejano y comenzaron a explorar con suma prudencia los montes vecinos —por los que subía un compacto y verdoso follaje—, y las radas de los alrededores.

Puerto Vigía no era Eldorado que habían venido buscando, ni por ningún otro lado aparecía en aquella quietud el trasiego de los mercados y la compraventa de esclavos que los corsarios le habían contado a Alvaro Rejón en las costas de Africa. No había tampoco, en muchas millas a la redonda, ninguna población nativa o española que pudiera llegar a sentirse provocada por la presencia de indeseables piratas negreros que transportaban su clandestina carga humana guiados por el ansia insaciable de comenzar a levantar su propia fortuna. No había tampoco perlas en aquellos alrededores. Ni plata ni manzanas de oro, ni profetas que dijeran que más al norte o más al sur. Todos los mitos fáciles que se habían ido imaginando en sus sueños eran producto de la fiebre. Las historias y leyendas que les habían llegado desde el Nuevo Mundo se estrellaban ahora contra la realidad de los farallones de Puerto Vigía, una madriguera de otro mundo que les servía al menos como descanso y asentamiento, como punto de partida de sus próximos viajes y correrías por el Mar Caribe y el arco interminable de las islas antillanas. Corrompieron poco a poco sus ambiciones, crecidas y fabricadas al amparo de aquellas historias de mentira, y se aprestaron a la perentoria labor de fortificar las entradas de la bahía. Fue así como, al menos circunstancialmente (hasta que fueran familiarizándose con aquel nuevo territorio que pisaban), los nómadas se volvieron sedentarios y dejaron de vagar como fantasmas sin nombre, cumpliendo al pie de la letra las órdenes que diariamente impartían Alvaro Rejón y Pedro Resaca.

El pueblucho de corsarios, por donde se extendieron con cierta anarquía tugurios oscuros y empalizadas levantadas de cualquier modo, quedaría puesto en pie en un mes de arduos y forzosos trabajos. Se ejercían las órdenes necesarias, de modo que los hombres se fueron amoldando a la disciplina que Alvaro Rejón quería de ellos. Eran, por fin, seres libres que empezaban a tener posesiones. Podían ahora elegir libremente entre convertirse en filibusteros, aventurarse a la mar o quedarse en las tierras que rodeaban Puerto Vigía. Estaban quemando el pasado, como años antes un tal Hernando Cortés había prendido fuego a sus naves en las costas de la Vera Cruz. Dejaban atrás frustraciones y falsas ilusiones de juventud. Amnistiados por la vida milagrosamente en aquel silencioso y secreto lugar del Nuevo Mundo, cada uno podía darse ya a sus propios pensamientos, masturbarse a su manera y pulir finalmente sus ideas para poner a punto la voluntad. Allí no llegaba la autoridad del Rey, ni órdenes de capitanes insolentes, ni gobernadores caprichosos, ni Inquisición. Sólo imperaba la voz lógica de Alvaro Rejón y la mirada atenta e inteligente de Pedro Resaca. Ahora, en Puerto Vigía, estaba el único sitio que podían considerar enteramente suyo, el único refugio escondido al que recurrirían en el momento necesario, donde nadie investigaría la procedencia de una repentina riqueza ni iría a estorbar sus sueños de descanso.

Rejón, por su parte, recuperó allí el sosiego perdido. Intuía que la muerte lo había estado rondando durante largo tiempo, pero que ahora ya había escapado del ojo de la tormenta. La suerte empezaba a sonreírle y estaba ya convencido de haber caído arriba, de lado de los vencedores de la vida. El y Resaca se dedicarían, en los próximos años, a atar y a catalogar todo lo que de útil les había proporcionado aquella experiencia a través del océano. Borrarían, pues, con la precisa lentitud las secuelas de los recuerdos que habían quedado atrás, en el Real de Salbago, ya para siempre. Pisaban, sin ellos saberlo, un territorio que siglos más tarde habría de ser selva de interminables y cruentas batallas, por donde corría la sombra poderosa y sólida del caudillo realista José Tomás Boves, "El Taita", "El Urogallo", un enloquecido asturiano que habría de recorrer con su crueldad asesina los llanos y los embarcaderos de Venezuela, un general que, al frente de un insólito ejército de pardos y esclavos negros (que él había liberado y que también provendrían de Puerto Vigía), mantuvo a raya durante más de dos años a Simón Bolívar, mantuano hijo y nieto de los amos del Valle de Santiago del León de Caracas, llamado por todos "El Libertador" y cuyas doctrinas secesionistas habrían de triunfar finalmente sobre la torpeza política de los españoles en las tierras del Nuevo Continente.

Mademoiselle Pernod, tras muchos años de abnegada entrega a la profesión más vieja, sabia, lúbrica y artística del mundo, mantenía una altísima reputación en torno suyo. Su personalidad y su presencia eran requeridas y ambicionadas por todos los centros que quisieran pasar por mundanos en un universo que luchaba con denuedo por conseguir fama, hacienda y honores. Mademoiselle, al menos en apariencia, se mostraba culta y cultivada, sin caer en la petulancia de exhibir una erudición que de poco le serviría en una tierra nueva donde el pillaje era tenido como una de las bellas artes. Mademoiselle Pernod insistía en rodearse de un invisible círculo que impediría a cualquier intruso e indeseable acercarse a ella o a una cualquiera de sus pupilas a las que, gracias a su original manera de ver las cosas y entender la vida, había convertido en grandes señoras matrimoniadas con hacendados españoles que habían logrado encontrar la suerte en el Nuevo Mundo. Una aureola de esplendor e inaccesibilidad fue fraguándose con el tiempo, volviendo legendario su nombre y su fama de hábil e inteligente maniobrera, de hetaira para quien cualquier tipo de amor carecía de secretos, de mujer peligrosa y, al mismo tiempo, deseada por las más altas magistraturas y fortunas no sólo de Santo Domingo sino también de todo el Mar Caribe. Sus gestos, sus sonrisas, las caricias leves que regalaba distraídamente a los caballeros a quienes distinguía con su conversación y amistad, exhalaban un cierto perfume hecho de mezclas sofisticadas de extrañas hierbas que sólo ella conocía y que despertaba en aquellos patanes venidos a más una hasta ahora desconocida afectación por los buenos modales y el trato afable. Rudos e intrigantes, mezquinos a veces y ladrones casi todas, se tornaban dulces y dadivosos personajes, remedos de las lejanas Cortes de Europa, ante la presencia de Mademoiselle Pernod, cuya fama de riguroso refinamiento había superado las fronteras de la isla Hispaniola y, tras correr de boca en boca su nombre y sus inencontrables costumbres, había sido refrendada con ribetes de leyenda, hipérboles y exageraciones, recorriendo los mares caribeños y levantando ecos, murmullos y admiradoras obsesiones en todo el ámbito de la costa oeste limítrofe con las islas. Se contaban de ella múltiples maravillas que la imaginación primitivamente erótica de los conquistadores, bucaneros, hacendados y gobernantes antillanos enriquecía con detalles insólitos que sólo podían ser corroborados por los propios personajes que contaban las anécdotas y que habían asistido en Santo Domingo a uno de sus públicos y provocadores paseos vespertinos, tocada la Mademoiselle con un gracioso quitasol de tela de oro que libraba en parte de los rigores calurosos del trópico. «Es una paloma viajada», decían las lenguas de cualquier filo, dando ambigüedad a sus intenciones. Mademoiselle Pernod vestía siempre con preciadas y exclusivas ropas, hechas de exquisita fibra de oro, y se exhibía por el Camino Real de la ciudad sólo en contadas y raras ocasiones. En su cuello, largo y fino como una talla de cuidado alabastro, lucían rebuscados collares de las mejores perlas que podían encontrarse en el fondo transparente de los mares caribeños. Calzaba siempre zapatos repujados en hebra de oro, con altos tacones sobre los que movía con delicadeza sus frágiles piernas de gacela domesticada. Una cintura grácil, e ideal a la vista de los caballeros, daba paso a la moderada procacidad de sus pequeños pechos de los que se comentaba que, en momentos de exacerbado delirio amoroso, manaba un líquido blanco, dulce, abundante y tibiamente placentero que obligaba a chupar a sus ocasionales amantes, a los que devolvía las fuerzas para regresar incansables a la lucha sudorosa del más fuerte deseo. Era, explicaban los que soñaban haber vivido aquella experiencia, la fuente de la eterna juventud, una especie de don celestial que sólo ella poseía bajo el sol del Nuevo Mundo. Ejercía sobre los caballeros que afirmaban haber gozado de sus favores un general respeto por su persona y su reputación. Incluso una vez perdida su condición de cómplices, sus amantes seguían adorándola hasta darse a la manía de hacer correr su fama por todos los puertos y las haciendas de las Antillas. Así se había levantado su poderoso prestigio, mientras que los que jamás llegaron a verla la imaginaban con almendrados ojos verdes, pequeña nariz respingona (que indicaba orgullo y fortaleza de carácter), una boca llena de jugos exóticos —coronada por labios que incitaban siempre al desafuero afrodisíaco— y un cabello castaño que corría sedoso por debajo de los hombros, cubriendo gran parte de unas frágiles y deseables espaldas cuyo punto final iniciaba el secreto de una pequeña curva, en el recoveco íntimo de la cual se escondía uno de los más refinados y delirantes vicios que Mademoiselle Pernod solía ejecutar con sus amantes. Era exactamente así, tal cual se la representaba la encendida, y esta vez lúcida, imaginación colectiva del Caribe. Sólo aceptaba regalos de oro, objetos en los que

225

siempre el oro estuviera presente, medallones, collares de perlas salvajes que estuvieran montadas sobre oro, pulseras de oro, broches de oro, zarcillos y todo tipo de colgantes siempre de oro, aretes y pendientes de oro, cinturones de oro, vestidos suntuosos donde relucía el oro, zapatos siempre de oro, anillos, camafeos y estatuillas de oro que repartía en los salones de su mansión dorada, cuyo acceso guardaban dos perros de tamaño natural de oro macizo. El pago de sus favores, que prodigaba sólo a los que llegaban a su cúpula de intereses después de romper con suavidad cada una de las telas inaccesibles que le servían de muralla, también los cobraba en oro, siguiendo una inteligente escala de precios según las exigencias del amante que, con toda seguridad, quedaba absorto ante la gama de posibilidades y nuevos placeres que Mademoiselle Pernod imponía en su propia mansión.

Don Alvaro Rejón se había instalado años atrás en la ciudad de Santo Domingo. Llegó en su propia embarcación, de reducidas dimensiones pero que conformaba, en su interior, una curiosa colección de raros objetos, de animales disecados, de muebles que desembarcó con aparatosidad, delante de todo el mundo, una vez que consiguió la casa que había ido buscando para quedarse —según él— algún tiempo. Su presencia despertó, desde el primer momento, el respeto que sólo levantan ciertas personalidades sabedoras de que el misterio es el mejor amigo de la curiosidad. Aliado de silencios y de conversaciones que se perdían en los dominios de la leyenda o la ficción, don Alvaro Rejón se reveló como un consumado viajero, que (decía) estaba ya muy cansado de la aventura, haciéndose ahora pasar por lo que efectivamente era: un hombre al que el Nuevo Mundo había abierto la suerte a través de una fortuna que había levantado en la hacienda de Puerto Vigía, en la Gobernación de Venezuela y que, después, con la demanda que la construcción de ingenios azucareros y el cultivo de plantaciones de hierbas y tubérculos o la fundación de nuevas ciudades demandaba, se había extendido hasta el México Tenochtitlán. Demostraba sin mucho esfuerzo haber recorrido toda la Gran Colombia, las selvas y las cordilleras de la estrecha franja del Continente, el tapón de Darién, todos y cada uno de los puertos y refugios secretos del Mar Caribe. Sonreía con un mohín de desdén, como si la historia que se relataba fuera originada por la exageración y el miedo, cuando sus contertulios de Santo Domingo le hablaban de las terribles hazañas de los piratas que empezaban a asolar las costas de las Islas Antillas, de todas esas naves que como sombras fantásticas vagan por el Mar Caribe empeñadas en la rapacidad y el asesinato. "Eso, queridos amigos, no es nada para lo que se nos echa encima", contestaba seguro de sí mismo como si de antemano conociera el futuro que se abatiría sobre aquella zona del mundo. Don Alvaro era natural de Salbago, al otro lado del Atlántico, una isla que cuantos habían llegado desde España al Nuevo Mundo conocían al menos de pasada. Habían, por supuesto, oído hablar de don Juan Rejón, su padre, el gobernador de Salbago y Adelantado de Castilla por la misma razón, pero ignoraban las historias internas que habían originado su marcha. Don Alvaro Rejón escapaba a la primera ocasión de la conversación que recalaba en episodios domésticos del pasado, para refugiarse con una cierta solemnidad en su postura presente y en sus planes inmediatamente futuros. Cultivaba de este modo una especial aureola de misterio y encanto, concitando en su torno un desusado interés en gentes que ya poseían por su natural manera de ser una exagerada tendencia a la curiosidad malsana, proclives como eran los indianos a rebuscar en sus propias mierdas el factor detonante de algún escándalo que pudiera romper el secreto en el que se amparaban los caballeros con fortuna como don Alvaro Rejón. Rodeado de solícitos y obedientes criados negroides y mestizos, don Alvaro Rejón pasaba los días estudiando sus negocios, ajustando las cuentas de lo que se suponía —con cierta exageración— que era un imperio de esclavos, más o menos clandestino, que se extendía como un rosario por los puertecillos y recovecos marinos del Caribe. El mismo ordenaba y cuidaba sus más importantes manías, los más mínimos detalles de su *atrezzo* público y privado que levantaba ciertos comentarios de

227

admiración en aquellos contertulios que poco o nada tenían de común con Rejón. A los pocos meses de su estancia en La Española, conocía totalmente la isla, cabalgaba libremente por los caminos y las tierras de todos los propietarios y alcanzaba los puertecillos y los refugios más alejados de Santo Domingo, siempre acompañado por dos mestizos de toda su confianza y a través de los cuales impartía órdenes o sugerencias a sus inferiores, iguales o a los que, por condición y autoridad, suponía sus superiores. No mostraba ningún empacho en bromear sobre su principal profesión, haciendo chiste o especulando a media lengua con las posibilidades que el mercado de negros tomaría en aquellas tierras en un futuro inmediato. El (afirmaba) conocía vastos territorios que no podrían ser sostenidos sin una mano de obra que garantizara disciplina y trabajo, dos de los principales factores (decía) que estaban faltando para la construcción de un mundo duradero cuyas dimensiones se le escapaban a cualquiera. Hablaba de Cuba, sobre todo de la aldea donde Hernando Cortés, Conquistador de México, había sido notario antes que prófugo y mucho antes que héroe de la Cristiandad y del Imperio español: Nuestra Señora de la Asunción de Baracoa. Se refería, con exquisita solvencia, a los mares del Golfo de México, a la rareza de sus corrientes, que albergaban en sus profundidades supuestos monstruos que muchos decían conocer pero que nadie había llegado a ver efectivamente. Enumeraba, incidiendo en un perfecto conocimiento, cada una de las ciudades que Hernando Cortés había tenido que conquistar por la fuerza o por sus famosas mañas engañosas hasta llegar al centro mismo del mundo continental, la ciudad en la que (según contaba con todo género de detalles) corría el aire más transparente del mundo, tanto que al abrir la boca los españoles podían sentir cómo una dulcísima caricia se instalaba en sus pulmones cosquilleándolos y adormilando su ánimo hasta llevarlos al nirvana de la disnea. Saltaba, con infinita facilidad, de una parte a otra de la geografía del Imperio. Tan pronto hablaba de los ingenios de azúcar que los Marqueses del Valle habían levantado en las cercanías de Quauhnáhuac, un poblado en los alrededores de la ciudad de La Laguna (y donde el propio Conquistador Cortés descansaba largas temporadas), como se perdía en el relato de alguna de las expediciones que con sus hombres había iniciado hasta llegar a los confines de territorios perdidos y selváticos o a la desembocadura de inmensos ríos que, por desconocidos, aún no tenían nombre. Tan pronto se expresaba con prolijidad en la narración de ciertos platillos veracruzanos (gustaba mucho, en este punto gastronómico, de contar las comilonas de jaibas con salsas picantes que había degustado en aquellos puertos) como rompía a hablar no sin cierta nostalgia de sus propiedades en Venezuela, lugar al que de todos modos regresaba en ciertas temporadas del año, privando de su conversación y su mitomanía sin igual a la parroquia española que ya se había acostumbrado a sus cantos, a sus cuentos, a sus historias y a sus ficciones de todo color. Para colmo, el tiempo pasado en la geografía tropical del Nuevo Mundo lo convirtió poco a poco en un experto en botánica, hasta el punto de que en su propia mansión de Santo Domingo cultivaba un jardín que no tenía parangón en todo el orbe antillano. Definitivamente don Alvaro Rejón era un caballero que se había adelantado por lo menos un siglo en su venida al mundo. Era, pues, un profeta laico, un perfecto hombre del futuro, un ser que ya se había desembarcado, según parecía a todos, del gusto de la hazaña y la fama aventurera acorde con los tiempos que vivía para pasar a interesarse vivamente por el comercio serio, las propiedades, el conocimiento profundo de las tierras y las gentes, sin olvidarse nunca de su vicio principal, origen remoto de lo que finalmente vendría a ser su ruina: las mujeres y el alocado sentimiento que despertaban en su ánimo las noticias que, de una y otra parte, le llegaban de la existencia de un remoto e inencontrable país, escondido en alguna parte al sur del continente, donde se levantaban ciudades sagradas construidas, desde sus murallas a sus casas más elementales, pasando naturalmente por los templos, enteramente en oro. Su secreta obsesión por el metal dorado era una de las cualidades que tenía en común con Mademoiselle Pernod, la puta más refinada de todas las tierras que conquistara la locura de los españoles.

Regentaba Mademoiselle Pernod varias casas de lenocinio que habían adquirido justa y notable fama de exquisitez endiablada en los mentideros a los que asistían los hacendados y caballeros que aún soñaban con convertirse en héroes de la Corona Imperial española. Se sabía de su obsesivo empeño por lograr y procurar servicios inimaginables para entonces, rodeados todos de ceremonias de iniciación que provocaban en los españoles el delirio y la adicción más esclavizadora. En una tierra donde la mujer blanca había llegado a ser el don más codiciado después (y, en algunos casos de manifiesta excentricidad, incluso antes) del oro, Mademoiselle Pernod había conocido el acierto de administrar con inteligencia el comercio del sexo, lo que la vulgaridad de los ortodoxos y anatemáticos familiares de la Santa Inquisición y la multitud de clérigos hipócritas que pululaban por el Nuevo Continente llamaba sin ningún sonrojo el imperio de las más bajas pasiones. Mademoiselle Pernod, en este como en todos los demás aspectos de su vida, observaba al mundo por encima del hombro, tratando con él de superior (ella, la diosa) a inferior (el mundo y sus supuestos dominadores, los hombres). Su ley imperaba hasta la línea que marcaba la frontera borrosa de sus propios intereses y dentro de ese territorio extensísimo, que se había ido forjando por su medio natural de otorgar el mejor de los placeres a quien ella le viniera en gana, manejaba mejor que nadie las inmensas posibilidades de aquel negocio cuyo fin nunca habrían de ver venir los siglos, desde un simple coito demandado deprisa y corriendo por cualquiera de los capitanes que arribaba a Santo Domingo hasta las más complicadas operaciones cuya máxima altura terminaba en el sagrado matrimonio, sueño que más de la mitad de sus blancas pupilas respiraba en momentos de desencanto y cansancio, encerradas en los calurosos cuartos de paredes ricamente enteladas para la época y el lugar, que componían el fondo nada común de sus burdeles. De este modo, Mademoiselle Pernod sabía que ayudaba a la Conquista y a los conquistadores que habían adquirido, gracias al Descubrimiento, una nueva condición de ser, olvidándose del pasado, de sus escondidos y pobretones pueblos peninsulares y de las mocosas familias que habían dejado atrás, al otro lado del Atlántico. No era, en este sentido, la Pernod una excepción en aquel mundo de repentinos oropeles, donde las famas y los dineros podían adquirirse de un día para otro y, a la inversa, perderse de nuevo en un descuido que a muchos había hecho volver al anonimato del que habían salido poco tiempo antes. Por eso obviaba con deleitosa habilidad que se evidenciara el desprecio real que sentía por aquellos falsos marqueses, condes, capitanes, caballeros, derrochando entre ellos la gentileza provocativa de un gesto de manos, de una caricia de sus uñas sobre las torpes cabezas de los aterciopelados señores que eran, al mismo tiempo, sus más fieles clientes y confidentes, conocedores casi mejor que ella del lema que poco a poco había ido oreándose a su alrededor: *"Dentro de la Pernod, todo. Fuera de la Pernod, nada"*. A su modo, la Pernod era una especie de consagrada reina caribeña, poseedora de una belleza tan radiante como el oro del que tanto gustaba. Incluso las piedras del Camino Real sudaban al paso de aquella *madama* de gran postín, de desconocido y por tanto siempre sospechoso origen, que distribuía favores entre sus privilegiados clientes y vendía mujeres blancas a quien le propusiera el serio encargo de conseguirle esposa para él y madre para sus hijos legales. Por eso mismo, Mademoiselle Pernod no admitía bajo su servicio a cualquiera que quisiera entrar a formar parte de su cuadra de putas. Distinguía profundamente entre las que se dejaban manejar hasta la amnesia y la entrega total y las díscolas que no llegarían nunca a conocer bien aquel difícil oficio; entre las que se dejaban llevar de la mano por su autoridad y su sabiduría, confiando en un destino que tarde o temprano la propia Mademoiselle garantizaba, de las listas que erróneamente habían entendido que ellas también eran diosas que con el tiempo, en lugar de ajarse sus cuerpos, habrían de convertirse en *mademoiselles* llegando a suplantar, de este modo, a su patrona. A las primeras, las válidas para su pupilaje, les enseñaba con infinita paciencia el modo más encubierto para hipnotizar los delirios del galán que se había encaprichado de ellas hasta el

231

punto sin retorno de un matrimonio ante el altar. A las segundas, como si se tratara de una raza inferior, de mestizas o negras, las condenaba a una esclavitud anónima, encerradas la mayor parte del día y de la noche en los cuchitriles inmundos que ella misma, la Pernod, había hecho proliferar en el puerto de Santo Domingo. Inclemente con las levantiscas, dadivosa hasta extremos que a veces resultaban peligrosos con las que admitían sin contemplaciones su total autoridad sobre ellas, Mademoiselle Pernod había levantado poco a poco una red de indestructibles intereses, corriendo de boca en boca las historias que de ella y sus pupilas se contaban a través del Caribe. Se supo, aunque nunca pudo probarse con total certeza, de su costumbre por hacer el amor sin quitarse nunca aquellos zapatos dorados de tacón alto que enervaban, con su sola vista, a los hombres de toda condición a su paso por el Camino Real. Era un dato que el afortunado debería aprovechar para sacar partido mayor al frenesí amoroso de Mademoiselle Pernod, que ella sólo regalaba a sus elegidos. El segundo camino (se contaba) podía llegar a ser un baño clandestino en las aguas secretas de la alberca que poseía en el centro del patio de su mansión llena de objetos de oro. Entre función y función, Mademoiselle se mostraba solícita con su capricho y llegaba a exhibirse mojada y sonriente, como diosa mitológica en aguas sagradas, ante los ojos de su coyuntural amante al que invitaba también a bañarse con ella y hacer así, a la luz de las estrellas y con la complicidad de la oscuridad, una nueva manera de placer que terminaría (con una solemnidad que, a decir verdad, a pocos estuvo reservada, aunque muchos hablaran de haberla experimentado personalmente) con el éxtasis prohibido de penetrarla por detrás, por el recto suave, descubriendo —entre el dolor y el placer— el misterio de unos tejidos entrecruzados y ardientes donde las fuerzas del amante quedarían finalmente aprisionadas y reunidas. Hasta los oídos de la Mademoiselle llegaban día a día noticias y rumores de sus propias hazañas eróticas. Inmutable, y siempre sonriendo con una aparente y supuesta picardía inocentona, ni asentía ni desmentía las palabras de los que se atrevían a llegarle con aquellos cuentos. Ella, exclusivamente por su propia voluntad, escogía a sus ocasionales compañeros de placer, haciéndoles pagar el más alto precio. Sólo ella los esclavizaba y atormentaba una vez que llegaban a probar el sagrado brebaje blanco de sus pechos, aspiraban el efluvio que emanaba de su cuerpo de diosa —educado en los más exóticos perfumes y afeites— y se encendían como jamás en el momento mismo de penetrarla con las nalgas abiertas.

Tampoco nadie supo a ciencia cierta cómo había llegado a instalarse Mademoiselle Pernod en la ciudad de Santo Domingo, ni qué edad verdadera encubría aquel cuerpo tenso y dispuesto siempre para el amor, ni qué nombre real escondía su glorioso título de batalla. Los más viejos del lugar la recordaban allí desde siempre e, incluso, llegaban a asegurar que ya estaba en Santo Domingo cuando ellos llegaron a la Hispaniola. Los años pasaban, pues, para todos, menos para ella que nunca había tenido hijos y cuyos devaneos y caprichos fueron siempre poco conocidos, si de lo que se trataba al menos era de ponerle al personaje nombre y apellidos. Pero otras versiones, mucho más retorcidas y maledicentes, que habían puesto en boga lenguaraces quizá despechados que se habían entregado definitivamente al guarapo y al licor de caña, esgrimían variados argumentos tendentes a desarrollar la idea de que Mademoiselle Pernod había llegado a la Hispaniola acompañada de un mestizo joven y fuerte como un toro de lidia y a quien todos llamarían después Camilo Cienfuegos, cuyos ojos negros y llenos de rencor andaban siempre brillando como ascuas entre algarabías y ensueños de doctrinas muy avanzadas para la época y que habiendo sido juzgadas peligrosamente heterodoxas le habían costado la vida poco tiempo después del asentamiento de don Alvaro Rejón en la isla. Cienfuegos podía (decían los borrachitos a media lengua) haber sido su primer alegre amante. Otros, yendo más allá, dijeron que había sido su marido. Pero, tras su hipotética ruptura, un misterio tenaz envolvió sus supuestas relaciones y todos los rumores quedaron condensados en habladurías que se desmoronaban en cuanto se pretendía darle a la historia una mínima cobertura de verosimilitud. Ellos, Mademoiselle Pernod y Camilo Cienfuegos, jamás se dirigieron la palabra, ni siquiera una mirada sospechosa que sirviera de acicate a los inventores de los amoríos. Mademoiselle, dedicada en cuerpo y alma al más refinado de los puteríos, no mostraba ningún interés por el personaje levantisco que se expresaba sin temor alguno en las tabernuchas de los puertos y se reunía en secreto en haciendas de caballeros españoles en los que, al menos en principio, había prendido su doctrina secesionista. Dijo Cienfuegos, siempre que le preguntaban, proceder de Cuba, donde se había criado en uno de los primeros ingenios de azúcar que se había construido en la isla. Era un exaltado cimarrón, de oscuro origen, que nada más llegar a Santo Domingo se envolvió en un encendido lenguaje de arengas y trifulcas, de discusiones políticas y de intrigas peligrosas, levantando los ánimos de la exaltada morralla de los puertos, descuerada y anónima, incitando a los esclavos a la rebelión contra sus dueños y a los desheredados a sublevarse contra la Corona. Obnubilado con sus propias tesis, como un visionario sacerdote que hubiera descubierto los hilos invisibles de una nueva fe religiosa, hablaba sin parar tratando de convencer a todos, desde españoles a mestizos, negros e indios analfabetos, de una doctrina descabellada cuyos más desquiciados razonamientos terminaban siempre en insultos soeces a Su Majestad Imperial y pregonaban la secesión final del Nuevo Mundo de la metrópoli y la Corona de España. Era, en efecto, una locura absurda que todos, empero, querían oír de boca de aquel apóstol. Cienfuegos elevaba entonces la voz y miraba fijamente, atravesándolo, al interlocutor que contradecía sus argumentos. Rompía con su lenguaje suelto, desenvuelto y desmesurado las educadas normas a las que los caballeros ya se habían ido acostumbrando en su nueva condición.

"Usted", gritaba el mestizo excandecido, "no ve el futuro como lo veo yo, ahí delante y así de claro. Usted, señor, por eso mismo es un mierda y un cobarde".

Todas las reuniones de los supuestos sediciosos acababan

siempre como el rosario de la aurora, enfrascados entre sí como contendientes quienes allí habían ido simplemente a dialogar sobre asuntos importantes y de interés para todos. En las madrugadas, embotadas sus cabezas por el ron ingerido y revueltas las ideas que creían alumbrar, embrutecidos de cansancio y confusión, se peleaban a gritos y llegaban incluso a las manos, juramentándose una lucha a muerte que ya habían olvidado al día siguiente, en cuanto se pasaban los primeros efectos de la resaca. Cuando don Alvaro Rejón fue invitado a una de estas reuniones clandestinas, observó con detenimiento a Camilo Cienfuegos, que aquella noche andaba más grandilocuente y brillante que otras veces. Don Alvaro fue conclusivo al hablar al oído de sus íntimos. "Cienfuegos", dijo durante la partida de cartas que en las primeras horas de la tarde reunía a algunos principales en su casa, "es un hombre del futuro. Pero, paradójicamente, no tiene futuro. Sabe poco de procedimientos de alta política y mucho de revueltas de andar por casa. Aunque hubiera nacido en una época posterior a la nuestra, en la que sus ideas gozaran quizá de más popularidad y fueran mejor entendidas, terminaría su vida de igual modo. Desaparecido en el fondo del mar". En el sopor de la calurosa tarde del trópico dominicano, sus palabras, pronunciadas con plena y absoluta convicción, sonaban a profecía...

Temiendo la pasión que tal asunto despierta incomprensiblemente en el corazón de los hombres (incluso en el de quienes se destacan como más inteligentes por encima de los demás), Mademoiselle Pernod prohibía terminantemente que en sus casas de diversión se hablara nunca de política. Se podía, por el contrario, establecer alianzas comerciales, trenzar negocios de toda índole, intercambiar esclavos y propiedades, comprar y vender haciendas, iniciar proyectos de viajes y expediciones raras y vivir con toda la verborrea gratuita que el licor y el aguardiente conceden al ánimo de los hombres que, en ese momento de ebullición interior, se creen mucho más libres de lo que en realidad son. Dentro de la natural discreción que era sólida norma en sus salones, todo estaba permitido en aquellas estancias de placer. Todo, menos la política. "La política", recriminaba amorosamente Mademoiselle Pernod cuando se desmadraba en ese sentido algún cliente, "es la madre de todos los vicios", frase que servía como recordatorio y que se encontraba colocada en carteles como una norma estricta en lugar bien visible en el interior de los zaguanes de sus casas. Tal vez amparándose en ese tabú especial de la Pernod por la política había quien retorcidamente se empecinaba en establecer la hilazón de las relaciones de Mademoiselle con Camilo Cienfuegos. "A lo mejor", decían, "es que se lo quitó la política y ella se venga ahora de esa manera".

Don Alvaro Rejón era, como no podía menos de suponerse, un asiduo cliente de Mademoiselle Pernod que, aunque deslumbrado por la belleza libertina de aquella mujer de ensueño, contenía su éxtasis disimulando la fijeza con la que su siempre larga mirada se clavaba en la figura de la *madama*. Sus deseos fueron, poco a poco, convirtiéndose en obsesiones que lo despertaban a media noche empapado en sudor y enervado su sexo con los sueños que desquiciaban el descanso. Era ya aquella fijeza un instinto reflejo incontrolado que se escapaba de su cuerpo en un insistente temblor, en un sudor cada vez más frío y desagradable que reventaba su paciencia y afiebraba sus glándulas más íntimas. En esas noches de insomnio, oyendo mil ruidos que hasta sus oídos traía el nervioso desasosiego que se había enquistado en su alma, don Alvaro Rejón repetía para sí la recomendación que Luciano Esparza, el médico destaponador que había hecho una fortuna con su profesión en los puertos caribeños, le había dado en una de las tardes que jugaban a las cartas. «Para llegar a ella», dijo el doctor Esparza refiriéndose a Mademoiselle, "hay que poseer una gran dosis de paciencia y estar dispuesto a perderlo todo ante su belleza. Luego, depende de la suerte. Hay que empezar peldaño a peldaño, dejando en sus casas de diversión una fortuna en oro que no todos poseen. Todos, mi amigo, solemos caer en su trampa, desde el Gobernador hasta los más simples caballeros que la rodeamos para estar cerca de ella. Pero hábilmente Mademoiselle Pernod va

236

colocando piedrecitas, pequeños obstáculos delante de nuestro camino. Sí, mi amigo, así es. Nos cansamos y terminamos por llevarnos de su casa a cualquier trapillo mediocrón que nos tropezamos cuando ya sabemos que no podemos alcanzar la falda de la diosa". Hablaba Luciano Esparza por experiencia personal, según entendía don Alvaro, porque era rumor más que conocido que la joven mujer del médico había sido, tiempo atrás, pupila predilecta de Mademoiselle Pernod.

—¡Carajo! —exclamaba irónico don Alvaro, como si no fuera de interés para él la persona de la Mademoiselle—. ¡Es más difícil tirársela que subir al monte Carmelo! ¡Cómo disfrutaría mi socio con esta historia!

En sus conversaciones, llenas de una frívola afabilidad, y en los tratos más serios y responsables, don Alvaro Rejón sacaba a relucir la existencia de un socio, a quien nunca llegaba a nombrarle los apellidos ni el nombre, ya fuera como excusa preliminar para no comprar algún lote de esclavos que ya llegaban mustios y malolientes al mercado de tapadillo de Santo Domingo ("...Estoy seguro", musitaba circunspecto, "que mi socio no aprobaría esta compra...") o para desechar proyectos comunes que algún hacendado le proponía ("...Necesitaría un poco de tiempo para consultar con mi socio...", reclamaba pensativo), lo que para el buen entendedor, ducho ya en este tipo de trabajos y bastardías, significaba que don Alvaro Rejón no estaba especialmente impresionado por el negocio en cuestión.

Era, en el fondo y en la forma, un formidable modo de reflexión. Lejos habían quedado para siempre las locuras de la juventud en Salbago, los maléducados gestos de desprecio de aquel impertinente y díscolo insular de Salbago que había huido como alma diabólica desde el otro lado del mar hasta recalar en un punto difuso de la costa de la Gobernación de Venezuela, donde había asentado sus reales y desde donde había recorrido gran parte de la geografía conocida de las islas y la Tierra Firme, uniendo su nombre a comercios y transacciones que siempre o casi siempre terminaban con éxito. Esa noche, bañado en el sudor del deseo no realizado, con el semen pugnando por romperle el bálano brillante que retorcía entre sus manos como un desesperado adolescente, don Alvaro Rejón alumbró la idea de proponerle a Mademoiselle Pernod una alianza comercial que le abriera las puertas de su voluntad, un asunto insólito que despertara el interés de aquella diosa inaccesible de la que él se había enamorado hasta los tuétanos y que, finalmente, le evitara el largo rodeo que con todos sus peligros le había contado el gordo médico destaponador, su entrañable amigo don Luciano Esparza.

Entre sorbo y sorbo de infusión de café caliente, don Alvaro Rejón urdió en la madrugada zumbona la trama que daría al traste con los parapetos de Mademoiselle Pernod. Le propondría, aunque no descartaba el susto que iba a procurar en principio a la *madama*, que pusieran juntos una nueva casa en la que no hubieran, por esta vez, mujeres sino manatinas. El correría con todos los gastos y la financiación del palacio de bestialismo que había ideado. De ella, por supuesto, sería la labor y la responsabilidad del funcionamiento y los métodos inductivos para convencer a su distinguida clientela de la magnitud placentera de la perversión. Después, mucho más tranquilo, calmadas sus ansias y sus escalofríos nocturnos, cuando ya amanecía la luz del día, quedó adormilado hasta las primeras horas de la tarde, en la que un amago residual de aquel mismo escalofrío lo despertó de repente ensopado en sudor y nuevamente dominado por el temblor del deseo que lo acuciaba.

Nunca hasta entonces había cruzado con Mademoiselle Pernod palabra o gesto alguno, excepción hecha de los afables saludos de rigor de cliente a *madama*. Muy difícil se le hacía, pues, hablarle a solas del negocio que había ideado, aunque era un hecho que Mademoiselle Pernod estaba al tanto de su seriedad en tales asuntos, de su condición de caballero y de todas esas minucias sociales que se conocían en los públicos mentideros de la ciudad de Santo Domingo. Ocultó como pudo el reflejo tembloroso que le dibujaba un *rictus* de nerviosismo en su cara y que le clavaba en sus gestos (en el resto de las ocasiones distendidos e, incluso, atisbados de presunción) la sombra de insegu-

238

ridad que en sus vísceras provocaba el deslumbramiento de encontrarse a solas y tan cerca de la amada invencible.

—Sí, Mademoiselle. Manatinas —moduló con lentitud las sílabas—. O manatíes. También machos —y abrió los brazos en el momento de la proposición, como si estuviera rendido a la evidencia de que la perversión sexual no tenía límites en aquellas costas.

Mademoiselle Pernod lo miró fijamente, como si se extrañara de su idea. Nunca como ahora se había fijado ella en aquel indiano de larga cabellera rubia que evidenciaba su procedencia europea. Jamás había pensado que tras la aparente caballerosidad —casi cortesana— de don Alvaro Rejón se escondiera una mente tan excéntrica e imaginativa. Su larga experiencia de *madama* no pudo evitar, en el momento en el que se cruzaron las miradas de los dos, el ligero rubor que disimuló con una sonrisa de cortesía profesional. Cuidadosamente vestido, oliendo a perfume que se hacía traer por escondidos procedimientos desde la lejana Francia, el señor de Rejón fue recobrando la calma a lo largo de la conversación con Mademoiselle Pernod. Con refinada (e incluso afectada) delectación llevaba hasta sus labios la bebida de coco y ron que Mademoiselle había preparado ella misma para él. Desplegaba ante ella sus modos más cortesanos, que ahora no sabía de donde había aprendido. Lentamente, como un experto de vuelta de todo, despertó el entusiasmo de Mademoiselle Pernod, embebida como estaba la diosa más blanca con la elocuencia de aquel capitán de negreros que contaba sus hazañas prescindiendo de las elementales vanidades que eran moneda común en las primitivas maneras de los demás clientes. A la caída de la tarde, cerraron el trato con un brindis mucho más sofisticado: aguardiente de hierbas con la amarronada pulpa del tamarindo. Veía, mientras tanto, don Alvaro Rejón cómo se iba cayendo sobre ellos la noche y cómo la bebida ingerida por Mademoiselle Pernod le había soltado a ella también la lengua en confidencias que no les hacía sino a sus buenos amigos, a sus muy íntimos amigos, comentaba ella entre risitas de complicidad. Advertía la respiración sofocada de la

239

Pernod, observaba su creciente deseo aflorando a los ojos, miraba con despiste y halagada caballerosidad el ansia que su personalidad había inoculado en Mademoiselle que, poco a poco, entre risas más o menos histéricas que avisaban de los preludios de una entrega final, se iba quitando de su cuerpo las prendas preciosas que la vestían en una función que guardaba a buen recaudo sólo para los amigos íntimos, para los muy íntimos amigos. Y esa noche, cuando crecieron los ruidos rutinarios de la oscuridad, desnudos y enhebrados sus cuerpos, se bañaron ambos en la charca de piedra de mármol blanco que Mademoiselle Pernod escondía en su mansión más secreta. Ella llevaba —como esgrimía la leyenda— puestos los zapatos dorados de tacón alto mientras él saltaba sobre ella, chapoteando en el agua tibia, entre quejidos de pasión y risas de placer que se descoyuntaban en la noche. Después ella volteó a lavarlo con sales de rosas que levantaban una gozosa espuma blanca por encima de la superficie del agua. Jugó con su miembro repetidas veces hasta lograr inflamarlo de nuevo para que don Alvaro Rejón la penetrara por detrás —como marcaba la leyenda— con su ariete empecinado en buscar jugos nuevos en interioridades de las que pocos podían vanagloriarse haber explorado. En el éxtasis del placer, brotaba de los pezones de Mademoiselle Pernod —tal como rezaba la leyenda— el líquido mitológico que las gentes de Santo Domingo conocían sólo de oídas y al que atribuían vigorosas propiedades, como si la misma Mademoiselle tuviera en su interior la buscada fuente de la eterna juventud dorada. Hasta siete veces seguidas, en todas las posturas que Mademoiselle conocía a la perfección, descargó don Alvaro Rejón sus humores sexuales en las secretas concavidades de su enamorada. Toda la noche estuvo oyendo pájaros celestiales cantando a su alrededor o en el chapoteo de las aguas o entre las sábanas de seda dorada del lecho de Mademoiselle Pernod.

Nació así una unión tumultuosa y pasional, disparatada y envidiada por cercanos y extraños, un frenesí irreductible por mucho tiempo en sus corazones, que los envolvió días y noches, como si el paso del tiempo no fuera con ellos, como si las cosas de este mundo carecieran de otro interés que el que ellos mismos le dispensaban, como si cada uno se hubiera olvidado de sus negocios particulares y se hubieran entregado pasionalmente al exclusivo y delirante afán juguetón de las variaciones amorosas. La noticia de sus amoríos escapó de Santo Domingo, doblegó como un ciclón las fronteras de la isla Hispaniola, soportó las risas de quienes no veían a la hetaira más puta y bella del Caribe entregada a un caballero de borrascoso pasado inmediato, un negrero en suma que se había apoderado del corazón de Mademoiselle Pernod, conocida por los hacendados y los galanes antillanos con el nombre de la Amada Invencible, la única mujer que valía la pena gozarse en todo el ámbito de las Antillas, en todo el Mar Caribe, desde el Golfo de México hasta las costas venezolanas.

Los lentos paseos de Mademoiselle Pernod y don Alvaro Rejón dejaron poco a poco de representar un espectáculo insólito para los ciudadanos de Santo Domingo que, con la fresca de la tarde, se lanzaban a las calles estrechas a mirarse unos a otros, a saludarse afablemente cara a cara, como si entre ellos —a aquella hora— no mediaran las pasiones que distinguen a las personas y las convierten poco menos que en enemigas las unas de las otras. Era una costumbre que habían ido adquiriendo desde los tiempos de la fundación de la ciudad de Santo Domingo, desde que el Camino Real lo fue y desde que las recoletas plazuelas existieron para eso, para reconocerse, para comentar sin mucha profundidad los sucesos del día, las noticias que venían de España y hablaban de las guerras religiosas que se libraban en Europa o las que procedentes del sur de la Tierra Firme ponían en pie el vértigo de la ambición de quienes habían dejado de lado las aventuras y sus incertidumbres a cambio de una vida sedentaria que acumulaba fortunas seguras con el intercambio comercial y las especias o con otros menos confesados productos. Ellos también —Mademoiselle Pernod y don Alvaro Rejón— pasaron a ser un cuadro común y cotidiano (Mademoiselle Pernod: descaradamente sonriendo a todos los que, tras haber pasado por alguna de sus casas de libertinaje, se habían convertido en víctimas de un posible chantaje de la *madama*, su sombrilla dorada flotando en la tarde, visible desde cualquier atisbadero del Camino Real, su paso levantando siempre los comentarios más ambiguos y retorciendo los contenidos deseos, su figura como de gacela seductora como levitando, ligeramente conectada con el empedrado imposible del Camino Real a través de aquellos legendarios zapatitos de oro y tacón alto, una sensación de excitante perfume acompañando un lento bamboleo del prodigioso tesoro sólo reservado para amantes exquisitos que pudieran entender que la perversión es uno de los fines del amor humano, cimbreante cintura en un momento determinado del paseo, mientras él —Alvaro Rejón— hablaba dos o tres palabras con importantes del lugar y ella guardaba un silencio al que acompañaba una mueca de complicidad; Alvaro Rejón: los ojos dirigidos a todos lados y sin prestar su posible fijeza a nada ni a nadie, como navegando por mares domeñados ya por la costumbre, las cejas ligeramente elevadas para demostrar orgullo o prominencia, el paso al compás de ella, pero más largo y más lento, las manos casi siempre a la espalda, un gesto en su cara entre el fastidio y la ironía, como si le fuera de absoluta necesidad el que todos se enteraran de que seguía unido a ella, que ella le pertenecía y que una vez sentado ese clarísimo punto daba igual que dieran rienda suelta a las críticas y a la censura que de nada iban a servir para cambiar su conducta.

242

Fue por esas fechas cuando se acercó a Santo Domingo, en un periplo algo aleatorio —como casi todas las cosas de la época— y de paso para España, uno de esos pajes emperifollados que la Corte de Su Majestad Imperial solía elevar a más altas magistraturas, concediéndoles el encargo especialísimo de pasear su europea pedantería por las tierras descubiertas por el Almirante y conquistadas por los locos capitanes que habían salido del solar patrio peninsular con la idea de hacerse de oro en el Nuevo Continente. El embajador era esta vez un vallisoletano alto y delgado, remilgoso hasta la pegajosidad, algo afectado, impertinente y casi siempre despreciativo y con una mueca de vicio libidinoso colgándole siempre de la mandíbula levemente desencajada. De piel absolutamente blanca, se resguardaba de los rigores de los rayos del sol bajo una sombrilla de seda negra llevada siempre por un esclavo indio que ponían a su disposición, por su expresa orden y petición, en cada puerto donde se detenía a inspeccionar y donde empezaban a ser famosas las orgías que rogaba le procuraran. No le bastaban al embajador las mujeres, las muchachitas aún impúberes o los muchachitos mulatos y barbilampiños con los que pasaba encamado la mayor parte del día y de la noche. Buscaba, más allá de lo que podía pensarse, que los placeres que le fueran presentados no fueran otra cosa que una simple experiencia en su loca carrera hacia el abismo de la degeneración. En Santo Domingo, el embajador Diego de Medina cayó como un pájaro voraz sobre todas y cada una de las pupilas de la desolada Mademoiselle Pernod. Visitó, como inspector imperial del puterío caribeño, cada uno de los cuchitriles que habían dado cabida al placer en la ciudad de Santo Domingo. Insaciable, buscaba don Diego de Medina cuantas experiencias le despertaran el vicio en sus vísceras. De salón en salón, de baile en baile, de recepción en recepción, se aburría el embajador de su Católica Majestad Imperial una vez que probaba, como experto catador, los sabores de cada placer, reservándose la repetición exclusivamente como premio para aquellas delicias que le habían parecido de más volumen que el resto, que catalogaba con gesto de absoluto desprecio como manjares comunes. El impenitente semental era, pues, un acuoso personaje que carecía de freno en las licenciosas batallas privadas, pero que mantenía en su lugar el rango que el Emperador de las Españas le había otorgado. No se recordaba en Santo Domingo que ninguno de los muchos enviados del Emperador Carlos tuviera aquella envidiable fogosidad que era motivo de comentario general y que empezaba ya a alarmar, por lo dilatado que aquel viaje se estaba haciendo, a los vecinos de la ciudad, muy poco dados en este aspecto a criticar uno de sus más impertinentes entretenimientos. No se atrevió sin embargo aquella largura de cuerpo, de espíritu y de lascivia a cortejar a Mademoiselle Pernod, incluso a sabiendas de que don Alvaro Rejón, su público y notorio amante, se encontraba ausente de la ciudad, embarcado en uno de esos misteriosos viajes por el Mar Caribe, en visita de puertos, refugios y mercados que el isleño de Salbago conocía como nadie. Le hablaron, lenguas siempre de doble filo, de la veleidad dadivosa de Mademoiselle Pernod para con las personas de alto y noble rango, de la variedad de sus deleites y diversiones, de alborotos y desenfrenos que, intramuros de sus haciendas prohibidas (a las que no llegaban sino unos pocos elegidos de la fortuna), la *madama* distribuía. Así comenzó don Diego de Medina su larga y constante peregrinación, de cuarto en cuarto, de habitación en habitación, de terraza en terraza, entregado al hedonismo mundano y los refinamientos concupiscentes que Mademoiselle Pernod le ofrecía a diario, tratando de evitar por todos los medios que ella fuera una de las ensartadas en la empalmada lanza de aquel principal de la Corte del Emperador, a quien todo, según le había comentado don Luciano Esparza, había de ser concedido. No obstante, llevada por esa ladina sabiduría que la experiencia y el tiempo le habían otorgado, Mademoiselle, entre sonrisas y divertimientos exclusivos para don Diego de Medina, se había reservado para la hora inminente del regreso de don Alvaro Rejón la fiesta final, el éxtasis definitivo, la voluptuosidad sibarita que despertaría en el embajador la juerga descomunal con las manatinas.

Don Alvaro de Rejón hizo pronto buenas amistades con el

lascivo embajador de Su Majestad Imperial, dedicando largas horas de conversación a romper las reticencias que los ojos pelásgicos —pigmentados de priapismo— le devolvían cada vez que se encumbraba el isleño en los relatos de su vida, en historias sin final y en maravillas que contaba al embajador como si él mismo pudiera tocarlas con las manos. Tomaban esa tarde, completamente relajados, una infusión de café caliente que servía de bebida excitante y de acicate para penetrar nuevas singladuras en la conversación. Ahí fue cuando don Alvaro de Rejón, rematando hasta la bola la faena, le habló a don Diego de Medina de las sirenas, de las manatinas y los manatíes que Mademoiselle Pernod y él habían educado para el amor con seres humanos en un lugar paradisíaco que no distaba más de quince millas de la ciudad de Santo Domingo. "No entra allí todo el mundo, Embajador", suspiró Rejón guiñando un ojo al vallisoletano vicioso. "Sólo expertos mundanos y amigos íntimos", dijo después. Don Diego de Medina contuvo entonces su asombro. Hasta ese mismo momento sólo vagos informes había recibido de las sirenas del Caribe y todo lo que sabía de ellas se difuminaba en volutas una vez que su mente racionalista hacía una minuciosa composición de lugar y su sabiduría europea salía a flote con la resolución de siempre: las sirenas ni siquiera existían, eran seres mitológicos y punto. Sólo eran un producto de la calenturienta imaginación de los españoles que se habían vuelto locos en sus intentos por dominar una tierra cuya dimensión fundamental terminaba las más de las veces en el espejismo más pueril. Recordaba, pues, que esos seres sólo tenían una cadencia mitológica y que el único modo de deshacer aquel entuerto libidinoso que le crecía en el alma era poner manos a la obra, olvidar sus resabios de hombre cortesano y jugar a tope la carta de quien lo sabe todo. Mademoiselle Pernod, como siempre presente, observaba con los ojos entornados el proceso de convencimiento que su amante iba lanzando sobre el embajador que, envuelto en las redes de aquel lenguaraz que había recorrido todos los mundos del Imperio, iba cayendo en una morbidez enervante de la que no saldría hasta ver con sus propios ojos y probar con sus insaciables sentidos la placentera locura que provocaban aquellos bichos amaestrados para el amor y ya sabía don Alvaro Rejón que el enviado del Emperador no se paraba en la estupidez de diferenciar los sexos del ser humano, lo que quería decir (a poco que las deducciones se tradujeran en hechos) que don Diego de Medina habría de alcanzar emporcado entre las sirenas y los manatíes su clímax de degradación.

Don Diego de Medina, enflaquecido ya por la incesante entrega a todo tipo de placeres y licencias, la piel blanquecina y los ojos siempre dispuestos a ver lo que Europa definía como espejismos de locos, estuvo seis días con seis noches respectivas fornicando y apacentando aquellos seres marinos, cuya piel lustrosa y suave como un plumón le mantenía siempre el miembro alzado. Llegó a olvidarse de su rango, revolcándose en las albercas con las manatinas, pasando sus manos por los pechos endurecidos de las mujeres del mar (tal como él prefería llamarlas) que presentaban (en lugar de muslos, piernas y pies)una doble cola gelatinosa y juguetona que llegaba, en los álgidos momentos del amor, a abanicar e incluso a introducirse con suavidad en el hueco más mórbido del embajador. El éxtasis lo sostuvo enervado durante esas semanas de orgía total, en las cuales su locura viciosa atravesó todos los tópicos y todos los tabúes, pasando de jugar con las sirenas a encamarse fogosamente con los machos, los manatíes que presentaban las mismas características que las sirenas de cintura para abajo, si bien lo que los diferenciaba de ellas era un sexo pequeño, como una suavidad critoridíana que el embajador del Emperador se encargaba de masturbar con fruición en pleno delirio. También todos aquellos bichos, uno a uno, fueron pasando por su pedernal, sin que para nada mostrara don Diego deseos de salir de aquella mansión de placeres mitológicos que estaban hechos a su medida. Entusiasmado, intoxicado por la estrafalaria calidad del servicio, aquel ser vicioso allí desayunaba, allí —a la sombra de las sirenas en flor— almorzaba, cenaba, bebía, dormía y soñaba.

—Su Majestad el Príncipe Felipe —le dijo un día el embajador a don Alvaro Rejón— estaría encantado de poseer uno de estos bichos para su solaz y esparcimiento. Figúrese, mi amigo, lo que sería tener en la Corte, para que se asombraran todos esos nobles que lo rodean aburriéndolo con intrigas de Estado y esas tonterías, una de estas manatinas. ¡Sería cojonudo! El Príncipe es un verdadero entusiasta de todas las cosas raras que en el mundo se producen. Sabe mucho de todas esas cosas, mi amigo. ¡Ah, mi amigo! Si el Príncipe tuviera un regalo de éstos se sentiría lleno de felicidad —dijo enfebrecido aún por su propia experiencia, mientras se limpiaba el sudor de la frente con un pañuelo blanco de seda francesa que remataba en barrocos dibujos de encaje.

Mientras tanto, la vida en Santo Domingo seguía su paso cansino, haciéndose eco del vicio que don Diego de Medina, Embajador de Su Sacra Majestad Imperial, había adquirido entre aquellos depravados. Don Alvaro Rejón, sabedor del nerviosismo que se estaba apoderando del Gobernador de la isla Hispaniola, le enviaba diariamente respetuosas misivas de tranquilidad que lo único que provocaban era turbiedad en los pensamientos de aquel personaje principal de la isla, celos en su corazón por haberlo mantenido al margen de las licenciosas reuniones y frases de enfado que encerraban al Gobernador en zonas oscuras y depresivas.

Hubo finalmente que usar de todos los convencimientos, de todas las estratagemas y de todos los cuentos y buenos oficios de don Alvaro Rejón y Mademoiselle Pernod para separar al embajador de aquella inverosímil casa de tapadillo donde las putas resultaban ser manatinas en pelota que se embobaban en los juegos del amor con mayor maestría que cualquiera de las mujeres que el propio don Diego de Medina se hubiera nunca beneficiado. Vuelto a su cordura, don Diego de Medina se veía ahora dislocado por encontrados pensamientos que le desquiciaban el alma y la serenidad que necesitaba para hacerse a la mar y, en un largo viaje que siempre resultaba incómodo y fastidioso, alcanzar las tierras de España que ahora se le antojaba una patria aburrida y mortecina. ¿Cómo mierda, por poner un ejemplo, iban a creerle en la decrépita Europa, llena de falsos oropeles y falsos lenguajes, descuartizada por guerras religiosas y batallas siempre inútiles, empeñada en revivir a base de ciencias y bibliotecas que estaban muy lejos de entender el Nuevo Mundo, cómo mierda iban a creerle a él, don Diego de Medina, Embajador por la Gracia de Su Majestad Católica e Imperial Carlos, César de todo el mundo conocido, cómo iban a creer que él había jodido a calzón quitado con decenas de sirenas de resbalosa, lúbrica y suave piel marina, de tetas redondeadas y rostros siempre cantarinos y sonrientes, que en lugar de piernas poseían largas extremidades que acababan en una doble cola que le servía de abanico para su culo mientras él se las tiraba? ¿Quién iba a creer en aquella locura épica? ¿Cómo carajo, por poner otro ejemplo, iba a demostrar a sus amigos de la Corte que era absolutamente cierto que había estado fornicando por más de seis días con muchachitos sirénidos, cuya única pelambre era un vello púbico, rubio y lacio, dulzura sin par que provocaba extrañas ondas de placer, desconocido y tumultuoso, que estaba muy por encima de la temperatura que podía alcanzarse en los más refinados burdeles de las ciudades europeas y la Corte Imperial? ¿Y que beneficio sacaría él, don Diego de Medina, si debía guardar silencio de aquellos hechos que catalogaba como excelsas experiencias, so pena que lo tomaran por embustero loco e irrecuperable? Condes, duques, marqueses, vizcondes, caballeros, pajes, capitanes e incluso príncipes que él había tenido entonces y hasta ahora como amigos y confidentes dejarían de lado sus historias y lo abandonarían como a un perro, lo que sin duda le traería como consecuencia inmediata perder el favor de la Corte. Lo tomarían por loco, por afiebrado o, lo que es peor, por endemoniado que se estaba ganando a pulso las llamas de la hoguera de los heterodoxos y herejes. Y, sin embargo, cuando ya estaba dispuesto todo para el viaje de regreso, lo atormentaba la seguridad de no haber vivido un sueño, sino que todas aquellas experiencias prohibidas las había acometido en carne y hueso, las sentía ya como parte de su propia vida, aunque aquella historia quedara sumergida como un recuerdo imborrable en alguna buhardilla secreta de su memoria. Estaba, pues, como enloquecido, convertido en otro hombre por mor de la nostalgia que antes de tiempo estaba albergándose enquistada en su corazón. Sólo el ingenio de hombre de mundo de don Alvaro Rejón había previsto lo que iba a ocurrirle al embajador y los desajustes psicológicos que le retorcerían las meninges.

—Os llevareis una, señor Embajador —le espetó de repente don Alvaro Rejón, cuando don Diego interrogábase en su presencia con los dislates y el encaprichamiento que las sirenas caribeñas le habían arrimado—. Así —dijo sonriendo don Alvaro— nadie podrá poner en duda vuestras aventuras y vuestras hazañas.

Esa era la fórmula mágica que don Alvaro Rejón, cómplice al fin y al cabo, tenía preparada para el embajador. No sucumbió, sin embargo, el isleño a la invitación que don Diego de Medina le hizo para que lo acompañara hasta España en aquel largo viaje de regreso. Aguantó como pudo la tentación de viajar hasta la Península, conocer la Corte, sus ínfulas y teatralidades, sus maneras educadas y serenas. Sabía que estaba perdiendo la mejor oportunidad que se le iba a presentar en su vida. Soñó en un instante con la amistad de príncipes poderosos, hombres de Estado, condes, duques y todos los altos honores del Imperio. Don Diego de Medina podía abrirle las puertas, sin duda. Después, soñoliento y deprimido, volvió los ojos hacia la ciudad de Santo Domingo, echó una ojeada al mar que, en la oscuridad, mostraba una negrura enemiga y poco a poco fue borrando de su imaginación la idea del viaje que lo habría devuelto a España, a la Península, tierra que jamás había pisado y que nunca habría de pisar en toda su vida. "No se puede estar a las verdes y las maduras", díjose Rejón con un deje de tristeza en sus pensamientos.

Una gélida, persistente y desusada brisa que se había levantado en alta mar, haciendo que las galeras cabecearan durante mucho tiempo, persiguió a la Armada Imperial española hasta muy cerca de las costas de la italiana ciudad de Génova, la elegida, que desde hacía días anda como desbocada en los preparativos para el recibimiento que ha de deparar a Su Católica Majestad, el Príncipe Felipe, esperanza de la Cristiandad, que ha de ser pronto el dueño del mayor imperio del mundo conocido. La oscuridad de la noche y el vientecillo otoñal no evitan, de todos modos, que las veintisiete galeras y las múltiples naves que componen el grueso de la Armada avisten desde lejos las luces de los puertos y de la ciudad que la espera con los brazos abiertos y entonando sus mejores cánticos de bienvenida. Sobre las diez de la noche, exactamente en la fecha histórica del 25 de noviembre de 1548, con un tiempo favorable que los expertos traducen como muy buena señal, la Armada Imperial alcanza Génova. Comienzan a continuación maniobras marineras que cuestan mucho tiempo y donde la pericia de las dotaciones responde como un solo hombre a las órdenes de los contramaestres. Con suma majestuosidad y lentitud, como conviene a quien está presente como capitán de ella, la flota surca las aguas entrando en la rada del puerto en perfecto concierto y disciplina, embanderada al tope, luciendo al viento su gallardía y desplegando sus más ricos estandartes. Más de mil gallardetes ondean sus insignias en las arboladuras de las naves.

Viene el Príncipe por antonomasia, la gloria de las Españas y la esperanza del Imperio. Un descomunal ruido de salvas de artillería lo reciben retumbando sin cesar en la plaza, mientras en las naves que acaban de alcanzar los puertos genoveses se responde a la alegría de la bienvenida con estruendosos saludos de cañones y arcabuces que espolvorean a los cielos sus humos, tan espesos y densos que ahora apenas si puede verse desde las naves la ciudad que aguarda enfebrecida y los montes donde se suben las últimas luces de Génova y sus alrededores. Después se inicia la augusta operación de desembarco, llevada a cabo con el mismo concierto y disciplina que la maniobra de entrada a la rada del puerto italiano. Uno a uno bajan a tierra quienes son componentes de la magnificencia y el protocolo de la Corte Imperial. Príncipes, cardenales, duques, el Almirante de Castilla, marqueses, condes, obispos, comendadores, gentilhombres, pajes, doctos y sabios varones que velan por las letras, las ciencias y las artes, capitanes, eclesiásticos, oficiales de todas las graduaciones, médicos, científicos, artífices, artesanos, pintores, escritores ya de renombre universal, músicos, cantantes de la real capilla, la guardia completa con su porte firme y decidido, caballerizos, cocineros, un séquito cuya pompa inigualable no vieron antes los ojos del mundo, un ejército de dignidades que acompaña y figura al servicio personal de su Alteza el Príncipe Felipe, toda una ilustre, culta y educada gente que viaja tras su Señor y que le sirve además de exuberante y feraz compañía. Atambales, trompetas y tubas acompañan el paso de los nobles de la Corte que configuran un cuadro cuya majestad nunca vieron antes de ahora, en Génova, ojos humanos, cortejo supremo que exhibe en esta solemne ocasión sus mejores galas y sus armas limpias, relucientes y aceitadas. Su Majestad Católica, que más tarde será conocido universalmente con el nombre de Felipe II, viste para esta ocasión capa larga de violáceo terciopelo, con sedas y guarniciones que enaltecen aún más un rostro sereno donde relumbra la satisfacción del histórico momento y que, al menos hoy, oculta la cavilosa y profunda tristeza que siempre embarga (como ponzoña imborrable) al Príncipe desde que quedara viudo tres años antes, justo cuando cumplía los dieciocho.

Cada hombre de la esforzada guardia genovesa, colocado en el puesto para el que largamente fuera entrenado, ya está esperando a los señores de la Corte, desplegándose a lo largo de la orilla y confirmando la soberbia magnanimidad del recibimiento. A tal señor, tal honor. Nada, pues, ha sido dejado al albur, nada al azar, ningún hilo del protocolo ha escapado del nudo que le tendieron, durante el tiempo que han tardado en terminarse los preparativos, los expertos de la Corte que debieron adelantarse en muchos días a la Armada y supervisar el tronío y la solemnidad del acontecimiento que habría de producirse a la llegada del Príncipe. Se ven, extendidos desde las arenas de la rada, tres larguísimos puentes de madera que avanzan hasta las aguas del mar y se introducen en él. Ese de enmedio es el encargado natural de trasladar a Su Alteza Imperial hasta la tierra firme de Génova. Está adornado con flores y guirnaldas que exhalan su frescura, con banderas y estandartes que cantan la presencia en este acto de todos los lugares del Imperio. Protegido por ventanales, semeja una pérgola italiana. Al fondo, un palio de preciosas telas espera anhelante y respetuoso la llegada del hijo del César Carlos, Felipe, El Magnánimo, el Inmenso, el todopoderoso vástago del Emperador.

La ciudad entera de Génova se siente ahora incapaz de soportar su impaciencia por ver con sus propios ojos la flamante comitiva y por incorporarse a aquel cortejo. Por eso se agolpan en las calles y gritan y vitorean sin que en la multitud se distingan clase o condición, sino que están mezclados en la turbamulta desde los sesudos y notables miembros del Senado hasta la patulea que empuerca con su cotidiano vagabundeo los barrios bajos de la ciudad y la morralla que desde tiempo inmemorial es dueña absoluta de los territorios de los puertos. Todos se apretujan y empujan sudorosos al querer participar, siquiera anónimamente, de un espectáculo que saben ya irrepetible, gozando convertidos por una vez en parte fundamental del evento, ataviados con sus mejores riquezas, cada uno en su estilo haciendo acopio de su buen gusto, disfrazados de nobles los señores, de señores los patanes, de damas cuyo honor nunca visitó el sórdido lecho del placer pagado las furcias que se arraciman en los burdeles genoveses, de princesas las encopetadas damas que sonríen desde los balcones engalanados con banderas donde se entrecruzan todos los colores.

Saben perfectamente las autoridades genovesas quién es su huésped, conocen la importancia de llamarse Felipe en esta época de disturbios religiosos y le han preparado a conciencia el camino que ha de recorrer, mientras la población enfervorizada se agita para darle la bienvenida. En ese mismo camino hay dispuestas y perfectamente ordenadas curiosas invenciones pirotécnicas en las cuales los artificieros más expertos pusieron todo su saber y complacencia. Ahí está si no ese castillo que parece colgar de los aires, encendido por el fuego de color, al tiempo que Felipe va saludando afable y complaciente, aunque siempre dentro del rigor de la abstracción que se dibuja en la profundidad de sus serios gestos, correspondiendo a los vítores de la multitud.

Desde las naves de la Armada, en ese mismo momento en el que el Príncipe Felipe pisa las callejuelas genovesas para dirigirse navegando hasta el Palazzo Doria, continúa la música, tocan tantos instrumentos juntos que jamás oyeron los tiempos sonidos más armónicos, dulces y complejos, cánticos a los que la población alborozada responde con su júbilo incesante. Arcos, alfombras, colgaduras, doseles, guirnaldas, flores, toda una lujosa e impresionante parafernalia, van encontrando a su paso los recién llegados que se ven rodeados por centenares de antorchas encendidas que abren luz y rompen el silencio de la noche otoñal y mediterránea.

Su Católica Majestad se alojará, como no podía por menos de esperarse, en las habitaciones y salones del Palazzo Doria, que ha sido también engalanado y enriquecido para esta inolvidable ocasión. Ahora llega la comitiva a las escaleras del Palazzo que el Príncipe Felipe sube lentamente, deteniéndose con majestad unos instantes y mostrando un silencioso interés por ciertas pinturas y objetos que son emblemas de la larga epopeya de España en el mundo. Letreros dorados, escritos con vistosos caracteres en lengua latina, dan al Príncipe loor, gloria y parabienes, mientras éste sigue avanzando hasta entrar en la recámara donde descubre nuevos tapices de lanas y sedas que recubren las paredes y donde, como en un mitológico paraíso, cuelgan sobre las paredes pinturas en paño de oro que relatan con detalle el viaje del troyano Eneas desde las costas helenas hasta las tierras del Lacio.

Aún no es Rey. Aún no está investido como Majestad Imperial y ya intuye, desde lejos, la formidable grandeza de unas tierras de las que ha oído hablar a los embajadores de su padre.

Por mucho que su mente lo intente, desde el momento en que sea coronado Rey hasta que alcance —tras largos años de mandato— la sepultura, intentará abrirse un camino en su tristeza, observando distanciado (entronizado en su silla de San Lorenzo de El Escorial) la Corte de su Imperio, Madrid, que ha desplazado a otras capitales de este honor. Madrid, Corte que el viejo César le desaconseja al joven Emperador, Corte que tácitamente va oscureciendo a Valladolid, haciendo perder fuerza en la Historia a Toledo, distanciándose poco a poco de Lisboa. Aún no lo sabe, pero cuando sea Emperador, sumido en esa nube de tristeza que lo acompañará para siempre, irá hasta el lecho del glotón imperial y allí preguntará, se aconsejará de la experiencia de su antecesor en el cetro del Imperio, conversará por espacio de unas horas y llegará a interrogar al anciano sobre la ubicación de la Corte. "Si quieres mantener el Imperio, pon la Corte en Toledo. Si quieres acrecentarlo, ponla en Lisboa. Pero si quieres perderlo, ponla en Madrid", sentenciará el viejo león del Imperio, masticando las viandas que su hijo Felipe II ha traído como especial regalo hasta sus habitaciones. Ahora, en el Palazzo Doria, eufórico, encabezando esa comitiva donde brilla todo el esplendor del Imperio que habrá de heredar y donde España muestra olímpica y soberbiamente sus poderes, en medio de doctores, sabios, nobles, obispos y cardenales, Felipe, joven y aficionado a las historias y las cosas dignas de las más altas memorias, trae consigo tres sátiros recién llegados de las Indias a bordo de alguna de sus muchas carabelas que surcan el Mar de las Tinieblas con la misma facilidad con la que él, su Católica Majestad, mira a un lado y a otro para responder a los vítores de la multitud. Los sátiros, como los llama toda la Corte, son dos varones (de aproximadamente diez y cuarenta años) y una hembra. Y, entre esas maravillas que sólo se producen ya en el Nuevo Mundo, trae el Príncipe —como una insólita curiosidad para el asombro de los italianos— una sirena muerta en una urna de cristal y palisandro, así como otras muchas extrañas formas de animales y seres que Dios y la Naturaleza han querido que se produzcan con la llegada de los nuevos tiempos. La sirena, a la que llaman también manatina, tiene un cuerpo de mujer de la cintura para arriba y sus ojos cerrados la semejan dormida. Más abajo, el cuerpo se abre en dos enormes colas gelatinosas, que parecen como de pez marino, y en el lugar dónde éstas se inician hay un monte de vello rubio que impide ver el sexo completo del animal.

Bajo el mismo palio que Felipe ha entrado en Génova el cardenal de Trento, Cristóforo Madruzzo, bastión del catolicismo y horror de los herejes de todo el mundo, que ahora muestra en su rostro lleno de sueño y cansancio la profunda preocupación que en su alma ha levantado la discusión del Concilio y los agudos problemas con los que tiene que enfrentarse para condenar la heterodoxia que amenaza tragarse a Europa, un nuevo rapto que se extiende por todos los territorios como una demoníaca epidemia. Respetuosamente, como para restar importancia a sus acuciantes problemas, el Cardenal bromea con el joven Príncipe. Su viaje obedece precisamente a una invitación de Felipe, que ha apadrinado en Valladolid y ante la ausencia del Emperador Carlos, los reales himeneos de su hermana María con el Archiduque Maximiliano, su primo, de manera que así, con este tipo y modelo de uniones, se siguen trenzando las ramas del célebre e imperial árbol dorado de los Habsburgo. Majestuoso y gentil, el Príncipe de la Esperanza guarda en su interior el recuerdo de la boda en la que los deberes de estado estuvieron por encima siempre de la corrompida salud del novio. Maximiliano, enfermo de persistentes fiebres cuartanas, tiritando y sudando al mismo tiempo, no ha tenido más remedio que acudir a casarse en la fecha estipulada. Fue un detalle por su parte, un sacrificio real en todos los sentidos, olvidarse de su ajado estado de salud y acudir al altar como un deber de los más altos rangos. Era, naturalmente, una fecha conminatoria. De otra manera, el Príncipe Felipe, a quien ya se vuelven los ojos de toda la Cristiandad señalándolo como el Sucesor en el Trono Imperial, no habría podido asistir al acontecimiento, porque sus deberes se lo habrían impedido. Su Majestad Imperial ya está enfermo, lleno de achaques y agobiado por la espiral de violencia que ha sacudido Europa y por la guerra religiosa que ha provocado la Reforma. No descansa. No duerme, pero sigue comiendo, engullendo con la desmesura y la glotonería de siempre. Observa en todo momento, como un lince que cuida su guarida de los zarpazos de las alimañas, los movimientos de sus enemigos por encima del mapa europeo, mientras se ha tomado un descanso en Alemania tras alguno de sus incontables triunfos militares o políticos sin que pueda siquiera gozar de ellos. El es el primero en darse cuenta del declive de su larga vida de Invencible Emperador (y de glotón impenitente) y ve acercarse ya la tristeza que habrá de acompañarlo hasta la muerte, personaje que ya comienza lentamente a embargar su sangre. Oye hablar de las gestas de su joven hijo y se siente satisfecho: la Corona Imperial descansará sobre una cabeza segura, no cabe duda alguna. El Príncipe, en el momento de la boda de su hermana, se encuentra agotado. Le acucia el aislamiento que lo habría de hacer viajar muy pronto hasta las tierras de Flandes. Por eso presidió las bodas con cierta precipitación, a pesar de que el acontecimiento registró todo el boato que exigían los protagonistas. Felipe (recuerda ahora en los salones del Palazzo Doria) se comportó con tan extremada como rápida fineza, sin apenas participar de la celebración y los actos festivos que siguieron a la ceremonia religiosa. Maximiliano y María, ya casados ante Dios y ante el Imperio, quedarían en España a cargo de la regencia.

El viaje del Príncipe Felipe desde Barcelona a Génova es fastuoso y, al mismo tiempo, resulta alucinante. Habrá de recorrer las tierras europeas del Imperio, sobre las cuales reinará por mucho tiempo, y en ese periplo que despliega poder y nobleza estará rodeado por los más ilustres personajes que nunca juntos vieron las épocas. Se trata, pues, de demostrar la solidez del Imperio, el poderío de la Cristiandad en nombre de la cual se hacen las guerras, conquistas, matanzas, se prende fuego a ciudades y se fundan otras nuevas, se degüella y condena o se enaltece y aplaude. Vienen acompañando a Su Católica Majestad hombres de estado (intrigantes y exégetas de la historia de las naciones, de las alianzas, los pactos, los tratados y las declaraciones de guerra; del chantaje o la disuación militar, de la guerra y la paz), altos personajes de la Iglesia y guerreros de valor reconocido en mil batallas. Es, en efecto, la tríada con la que Carlos, el César Mayor, mantiene en su puño derecho el poder del mundo, el mismo poder que legará a su hijo. Está presente el Duque de Alba, el Almirante Andrea Doria (sólo superado por Cristóforo Colombo, como lo llaman los italianos, cuyo nombre ha pasado ya a la leyenda), el Cardenal de Trento Cristóforo Madruzzo, martillo de herejes, el Almirante de Castilla, el Marqués de Pescara, don Bernardo de Mendoza, don Berenguer de Requesens y otros muchos españoles, nombres que dan lustre a la historia y al Imperio en el mundo. Eran estos tiempos los de la privanza del que más tarde habría de ser Príncipe de Eboli, don Ruy Gómez de Silva, que también figura en la comitiva en un destacado lugar, como igualmente está en el viaje don Gonzalo Pérez y don Gonzalo Suárez de Figueroa, hoy capitán de la guardia y después, por sus esforzados servicios y su valentía y lealtad, Duque de Feria y valido regio. En el más alto grado de esplendor de su elocuencia marcha con el cortejo de Felipe el doctor Constantino, sobre quien aún no han recaído las sospechas del Santo Oficio que acabará acusándolo de erasmismo. No son pocos los sabios varones de los que Su Majestad Católica, sabedor del deslumbramiento de sus famas y del asombro que sus presencias producen entre las gentes de toda índole, ha buscado la compañía invitándolos a viajar junto a él. Ahí está, por ejemplo, el humanista de Valencia, Honorato de Juan. Y artistas que ya han alcanzado una notable y extensa celebridad, cuyo ejemplo principal podría ser el músico ciego don Antonio de Cabezón, creador de las variaciones y las diferencias. Lo acompaña también la altanería intelectual de don Diego Hurtado de Mendoza, famoso ya en toda Italia; embozado, oscuro todavía su nombre, está presente como paje don Alfonso de Zúñiga y Ercilla. Sesa, Astorga, Luna, Olivares, Falces, Gelves, entre otros apellidos, figuran en el inacabable séquito nobiliario, casi todos con grandeza. La flor y nata del Imperio se va reuniendo con ellos para acompañar en este viaje al Príncipe de la Esperanza. Así, en Savona y Génova, entre otros cardenales y embajadores de renombre universal, se añaden a la comitiva don Fernando de Gonzaga, el Príncipe de Ascoli y el Príncipe de Salerno. Casi encubierto en el cargo medio, al frente de una de las dos compañías de arcabuceros, está el Capitán don Alonso de Vargas, tío carnal y posteriormente protector de un mestizo cuzqueño que llegaría a ser el primer gran escritor nacido al otro lado del Océano, en el Nuevo Mundo que descubrió el Almirante: el Inca Garcilaso. Pléyade interminable de celebridades sin mácula, cuellos erguidos, elevados por encima de su propia condición, Olimpo imperial de pompas y vanidades, Corte deslumbrante de personajes cuya osadía e inteligencia les ha ido abriendo lugar en la Historia, pendones todos de la Cristiandad y del Imperio que asombra al mundo conocido. Todos están ahora en Génova, satisfechos y alegres, conmovidos por la bienvenida y deseosos de entablar conversación con Su Serenísima Majestad el Príncipe Felipe, que se emboba mirando curiosamente a su sirena, la manatina que el paje don Diego de Medina le ha traído desde el Nuevo Continente en su propia carabela, como regalo de un tal don Alvaro de Rejón, acaudalado isleño —natural de Salbago— para quien don Diego de Medina, mareado aún por la cercanía del viaje y por el recuerdo de aquellas tierras que han terminado por metérsele hasta los tuétanos, se ha atrevido a pedir al Príncipe uno de esos títulos nobiliarios que Su Majestad Imperial expide por favores recibidos...

Entre todos esos caprichos manieristas, entre todas las pompas y los oropeles de la Corte que maneja al mundo, entre la multitud de duques, capitanes, guerreros, cardenales, obispos y obispillos (como ese espeso personaje que se mueve con el sigilo de una invisible sombra, volviendo a uno y a otro lado unos ojos airados que conspiran en cualquier rincón de los salones, que ve herejías en las simples miradas de los demás; ese personaje peligroso, que ya empieza a descollar, a ser temido por los más avisados consejeros; ese personaje tenebroso, Oficial de la

Santa Inquisición e incansable arpía, que responde al nombre de Blas Pinar y que procede de una de las más enconadas tierras de Castilla), yace la sirena de don Alvaro Rejón, muerta y encerrada en la urna de cristal y madera de palisandro llena de agua que cotidianamente se corrompe y ha de ser cambiada a cada rato. Felipe trata, maravillado, de imaginarse la dimensión de un mundo que jamás habrá de comprender, a pesar de que toda la magnitud de su Imperio dependerá del tamaño de esas tierras, porque ellas son y serán su principal sostén y sin ellas el Imperio sería un simple juguete para andar por los fríos países de Europa que, en su interior, ya andan jurando guerra a muerte a los invasores españoles. Incluso sin vida, sin moverse, la manatina de don Alvaro Rejón representa en la Corte un gesto de refinamiento que alcanza la misma frontera de la mitología. Ella, la sirena, es la prueba más que palpable de que las leyendas que vienen del Nuevo Mundo no son cuentos inventados por el delirio de conquistadores y capitanes que, con crónicas y catálogos, tratan de vaciar las arcas del Imperio en su propio beneficio, para que les sean financiadas nuevas empresas, nuevas aventuras, nuevos espejismos que su fiebre avizora en un horizonte que no existe. Ella, la sirena del Nuevo Mundo, a quien nadie se atreve a poner nombre cristiano porque aún no dilucidan si es monstruo o persona —o si las dos cosas—, se ha presentado en Italia —insobornable cuna de la cultura cristiana— de manos del Príncipe de la Esperanza, como una remota mezcla de nostalgias clásicas y nuevas mitologías, un regalo de Dios por el arrojo de los españoles que se atrevieron a marchar sobre tierras incógnitas, un bicho nunca visto hasta ahora —ni jamás tocado— que se remonta por encima de la simple verdad o de los tiempos fabulosos que relataron los escritores griegos. Aparecida, pues, en las llamadas Indias Occidentales, más allá del sol, de los vientos, las tempestades y los mismos siglos, Italia entera la estuvo esperando sólo para observarla muerta, como si se tratara de una exótica princesa de otras tierras por cuya mítica realidad no sólo se hacían voces de maravilla, sino que se juraba sin que hubiera sido vista. Es un juego magnífico, estra-

falario, exhaustivamente frívolo y excéntrico de la Contrarre-
forma, la carta más secreta que los españoles han llegado a jugar, atreviéndose a todo, en aquel esplendoroso torneo de las
vanidades, en el recibimiento que se rindió a Su Majestad Católica el Príncipe Felipe. Todo el fausto acontecimiento tiene so-
bradas razones para no sentirse ahora defraudado, si se atiende
al examen y al impresionante boato que la época ha ido impo-
niendo en la Corte de Aragón y Castilla, la alianza de donde
empezó a surgir como si todo estuviera escrito en un libro
bíblico, vueltos ahora los ojos del orbe, por expreso deseo y
mandato del César Carlos, hacia el lujoso y altanero protocolo
de la usanza borgoñona, cuya solemnidad encabeza siempre el
Duque de Alba, Mayordomo Mayor del Imperio.

Hombre cultivado, en cuyo ánimo florece la curiosidad por
las cosas nuevas, habiendo sentido desde niño deseos de tener
cerca de su vista algunos de esos animales que sabe (gracias a las
lecturas de los clásicos giegos) que existieron en otro tiempo y
que, por tanto, es posible que sigan existiendo en éste —aunque
en otra zona de la historia—, se siente ahora eufórico al mirar
una vez más el ejemplar único de las sirenas que transitan las
aguas antillanas con absoluta familiaridad, animal marino del
que ya tenía noticias por navegantes y aventureros que llegaron
hasta la Corte, pero cuya visión supera todas las leyendas y
mentiras que hasta hoy le han contado las lenguas de los visionarios. También Cristóbal Colón, el Almirante en el que Isabel
creyó y puso todas sus complacencias de reina, había llegado a
ver desde la cubierta de su carabela cómo saltaban por encima
de la cara del agua los manatíes y las sirenas, recuerdos que más
tarde comentaría y explicaría el celoso Bartolomé de las Casas,
el cura loco, al leer el Diario del Descubrimiento y estudiar la
alusión que el Almirante hace de tres sirenas, convertido su febril delirio en mitomanía irrecuperable, porque tres habían sido
las silbantes sirenas que, en pleno viaje hacia la nada, habían
tentado al navegante con el que Cristóbal Colón buscaba el pa-
ralelo, el griego Odiseo, que se ató, despreciativo y poseído de
sí mismo, al palo de su embarcación para oír las melodías de

amor de aquellos seres que nunca había visto. Cristóbal Colón, por el contrario, relataba en sus escritos la existencia de esos animales que ahora, en Italia, Felipe exhibía como el más preciado trofeo de caza por el Imperio realizado.

La manatina que se había hecho acreedora de tal gracia imperial estuvo, sin embargo, al margen de la importancia que se le dio a su presencia y muy lejos de darse cuenta de los cuidados y el exquisito interés que despertaba. Tampoco alcanzó a ver la desenfrenada actividad médica que desencadenó su lenta agonía en el Mare Nostrum, sin que aquellos sabios doctores que viajaban con el Príncipe pudieran hacer algo efectivo para evitar su muerte. Al principio no fue lo mismo considerar una sirena viva que una sirena muerta, pero después, poco a poco, se impuso la reflexión de los consejeros de la Corte. La importancia venía dada por la posibilidad de probar su dudosa existencia, que los italianos quedaran maravillados de la aventura española que, en la mitad del siglo, habían llegado tan allá de las tierras y los tiempos que incluso habían descubierto y transportado hasta Europa la realidad de aquel ser mitológico que, hasta hoy, descansa sólo en el recuerdo de quienes, insignes o curiosos, habían leído los clásicos griegos y, como todos, habían perdido en un determinado momento, la brújula que marcaba la frontera entre la realidad y la ficción.

Don Diego de Medina no era ajeno al deplorable estado en el que, tras surcar el Océano Tenebroso, la manatina llegó a los puertos sevillanos. Durante el viaje, el enloquecido embajador siguió haciendo uso indiscriminado y exagerado de la manatina para su solaz y esparcimiento. Cada noche, con la excusa de inspeccionar al bicho, el lascivo enviado de Su Majestad Imperial jugaba al amor con la sirena silenciosa de la que, por esas cosas raras de la vida, había terminado por enamorarse brutal y bestialmente. Al atardecer de todos los días de la larga singladura, don Diego de Medina se daba a saborear los diferentes rones y aguardientes que transportaba en pipas especiales hasta España, como regalo de los muchos y nuevos hacendados del Nuevo Continente a Su Majestad el César Carlos. Embrutecido por el alcohol, deliraba enervado por el recuerdo de las horas pasadas en la casa de ensueño de Mademoiselle Pernod. Volvían a su mente, agitada por los calores y las nostalgias, las memorias casi palpables de todas las mujeres que se había pasado por la piedra en sus días de vino y rosas. Extasiado en el pasado inmediato, colgado como un demente de esos recuerdos que se le iban descuartizando conforme avanzaba la proa de su carabela hacia los puertos de Sevilla, se hacía traer hasta su camarote a la sirena, que él había apodado el Monstruo Sagrado, amparándose en sus cualidades para el amor y la lascivia. En soliloquios enamoradizos hablaba con ella, entumecido por los vapores del aguardiente, como si de una persona se tratara, mientras observaba con voluptuosidad los difíciles ejercicios que la manatina trataba de poner en práctica dentro de aquella estrecha celda de cristal y palisandro que había sido necesario construirle para su transporte hasta Europa. Ensimismado en la visión insuperable de aquel fulgurante sexo que, jugosa boca sonriente y vertical, lo llamaba (esa era finalmente su suposición) al juego lúbrico del placer, el embajador se deshacía de todas sus ropas e introducía su cuerpo en la urna, uniéndose en medio de dificultades físicas (hasta alcanzar el paroxismo deseado) al bicho que entusiasmado respondía a los embates brutales de don Diego de Medina.

Sin embargo, la sirena, envuelta en la nostalgia definitiva que le arrimaba aquel encierro, esclavizada a los cotidianos lances y escarceos de amor del licencioso vallisoletano, sobrevivió a sus abusos y a la inigualable travesía del Océano que para ella —sobre todo— debió resultar interminable. En este estado de penuria, ya en puertas de la agonía, llegó a Sevilla, donde el loco embajador empezó a sospechar que no entregaría viva aquella pieza que habría de servirle para ganar alto prestigio en la Corte. Don Diego de Medina entonces, sometido totalmente al delirio de mantenerla viva, arrepentido en su fuero interno de los excesos que le había hecho padecer, convenció a las autoridades andaluzas y la echó en las aguas poco profundas de la barra de Sanlúcar de Barrameda, entendiendo que si le devolvía por unas breves jornadas una libertad ficticia la sirena habría de recuperar su color, su alegría interior y la natural soltura que adornaba a aquellos seres de otro mundo.

Fue allí, en Sevilla, en los puertos donde aún se arremolinaba la turbamulta aventurera, donde don Diego de Medina quedó enterado de que el Príncipe de la Esperanza, Felipe, estaba a punto de viajar fuera de España por bastante tiempo. Previno, entonces, que lo mejor era correr tras su Serenísima Majestad que, de paso para la italiana ciudad de Génova, se encontraba en Barcelona. Cuestión de vida o muerte, el embajador loco, sin esperar a que efectivamente la manatina recuperara todas sus fuerzas, volvió a meterla dentro de la urna de cristal y palisandro (a la cual, como queda dicho, había que renovarle el agua a cada rato) y emprendió viaje a Cataluña, Mediterráneo arriba, sin que esta vez sus tentaciones se atrevieran a pasar de ligeras caricias al animal. En trance de muerte llegó a Barcelona la manatina antillana, que después de ser puta en Indias, concubina temporal en altamar y falsamente libre en las aguas donde desemboca el río Guadalquivir, alcanzó después de la muerte el favor real hasta el punto de que su presencia sin vida fue más aplaudida y admirada que la de cualquier princesa viva de la pomposa Corte de Felipe en Italia. Atosigada por el interminable viaje debió de morir en el momento en el que los vientos gélidos del Mediterráneo otoñal comenzaron a soplar sobre su renqueante respiración y sus miembros, desacostumbrados a aquellos fríos, principiaron a helarse para siempre.

Envuelta en pompa, acompañada majestuosamente por los más nobles e importante de la más alta Corte del mundo, expiró la sirena camino de Génova, la manatina antillana a quien muchos personajes de la Corte Imperial, llevados de la confusa verborrea de don Diego de Medina, tomarían por la legendaria Mademoiselle Pernod, la Amada Invencible de don Alvaro de Rejón, que fueron (ambos) los responsables directos de aquel insólito presente entregado al Príncipe Felipe, Alteza Serenísima que inmediatamente después de observar aquella

263

maravilla mitológica, aquella irrepetible joya, y sabedor de la admiración que estos bichos raros despiertan en el ánimo de las gentes de toda laya y condición, ordenó que fuera incluida en la comitiva imperial y que, viva o muerta, fuera tratada como una princesa de la Corte. Nunca llegó a saber Felipe —ni siquiera lo intuyó— que la sirena había llegado mal a sus manos precisamente por la fogosidad de aquel don Diego de Medina que ahora, en Génova, podía contar todas las hazañas del mundo ante los ojos desorbitados de los oyentes que, a la vista estaba, creían a pie juntillas las versiones del paje.

Si alguna vez la sangre mestiza que corría por sus venas (mitad de india caribeña y garañona, mitad de español rebotado de cárcel o convento) alteró el ritmo normal de la circulación de la sangre, como queriendo avisarlo de algún peligro especial que lo andaba rondando, jamás pudo notársele la más ligera de las dudas en ninguna de sus actuaciones. Si alguna vez receló del afecto, que sabía voluble como el humo de la hoja del tabaco que los mayas enseñaron a aspirar a los conquistadores, de los caballeros que seguían con redoblado interés el desarrollo de sus encendidas arengas en las que predicaba la emancipación del Imperio, nunca ningún gesto ni mohín de prudencia apareció en su rostro encendido por la emoción y el mesianismo de su propia fe. Si alguna vez el desasosiego, la sospecha o el cansancio alcanzaron a anidar como un quiste en el fondo de su ánimo despabilando allá, en el interior que jamás llega a controlarse racionalmente, sonoras voces de advertencia, nunca Camilo Cienfuegos demostró ningún temor o llegó a humillarse ante las aprensiones que lo atenazaban. Al contrario, en todas las soflamas, en cada una de las revueltas imposibles que quiso capitanear, en las discusiones públicas o clandestinas que llevaba a cabo a cara descubierta, jugándose el alma y la vida, el mestizo rebelde apareció siempre dueño de su propia imagen y a quienes lo acusaban gratuitamente, en broma o en serio, de estar bajo estipendio de piratas enemigos de la Corona solía despreciarlos con una mirada de desdén que le torcía la boca en una mueca de ironía que los indianos muy pronto comenzaron a conocer bien. Era un hombre de revuelto carácter, empecinado en sus creencias, con contestación para todas las argumentaciones que le salían al paso, convencido como estaba de que el futuro de las nuevas tierras era la total emancipación y lo que reclamaba de sus conciudadanos era una imposible confrontación reflexiva antes de entrar a fondo en el entendimiento de sus doctrinas. "Los que viven allá", esgrimía mascando las sílabas con una voz nasal de profeta que tronaba en los círculos donde solía reunirse con algunos soliviantados, "no tendrán nunca ni puta idea de lo que es esto, de lo que pasa aquí, de las islas y de la Tierra Firme. Sueñan con islas, con oro, con especias y con otros metales preciosos, como si esta patria nueva fuera para ellos un reino prometido por Dios". No hacía caso para nada de los oídos sordos con los que se tropezaba cotidianamente, sino que, por un mecanismo de extraña autodefensa, se erguía más fuertemente su voz ante ellos e iba socavando con lentitud el más duro pedernal como un corredor de fondo que, incansable e impasible elefante que se encamina a su cementerio, retaba a la dialéctica a cualquiera de aquellos señorones que él sabía procedentes de cárceles o rebotados de las más oscuras calañas y que en el Nuevo Continente se habían transfigurado hasta conseguir el soñado cambio de personalidad que hasta allí los había arrastrado. Cuando algunos de los tránsfugas, de pasado más o menos turbio, adoptaba la postura fiel y honrada de servidor de la ley imperial —cuando en la otra vida, en la vieja Península, bien podría haber sido un simple asaltador de caminos o un patán que merodeaba los mercados buscando su miserable sustento cotidiano— la burla se descolgaba de su labio inferior con una carcajada contenida en su perfecta mueca irónica. Tosía entonces ligeramente, expulsando el espeso humo de su tabaco (que constantemente mantenía apretado a sus dientes), miraba con una expresión penetrante a su interlocutor y le espetaba con socarronería: "Señor, usted sabe mejor que nadie que su merced es quien es hoy gracias a esta tierra y que al Emperador no le adeuda usted un ápice", lo que reafirmaba gestualmente con suaves movimientos de cabeza. "Ellos allá", continuaba seguro siempre de sus palabras, "y nosotros aquí. Ellos creen que han nacido en el centro del mundo civilizado porque habitan un territorio viejo que alimentamos nosotros, los esclavos que estamos aquí, en el Nuevo Continente, sin caer en la cuenta que precisamente por eso, por nosotros que mantenemos sus absurdas guerras religiosas y sostenemos un modo de vida distinto, ellos siguen viviendo y mandando en el mundo. Es una paradoja que nunca entenderán, ni siquiera cuando la emancipación sea un hecho". Cienfuegos daba así a sus palabras un desgarro airado, paseando sus profundos ojos negros por el auditorio para examinar las reacciones que producían sus frases en los presentes. Odiaba con todas sus fuerzas de hombre hecho a mitades desiguales (la violencia de los conquistadores y el rencor del indio que no habría nunca de quejarse ante los abusos) la geografía siempre difusa de la Península, un territorio dilapidador y voraz, localizado al otro lado del mar, en el occidente, al sur de un continente decrépito que se deshacía poco a poco en batallas por simple orgullo de reyes y príncipes. Eso era Europa, la guerra sin fin. Eso era España, la devoradora de riquezas, la usurpadora, la madrastra que impartía tajantemente todas las órdenes, que escribía incesantemente todas las leyes que fueran necesarias y que habrían de ser cumplidas a rajatabla por un mundo donde.eran —nada más llegar— inservibles los conquistadores, una madrastra que exportaba todas las costumbres que debían seguirse al pie de la letra (como si, efectivamente, de leyes se tratara), que imponía todos los mandamientos religiosos relegando a la herejía cualquiera movimiento de libertad, que enviaba sin parar a todos los capitanes, a todos los clérigos, a toda la morralla sin nombre, las enfermedades, las epidemias, las dudas que entorpecían su respiración, los miedos y los rencores.

Había crecido en Cuba, como un mendigo, en una inmunda y pobrísima población que los españoles habían fundado unos años antes que la ciudad de Santo Domingo y que habían bautizado —como era absurda costumbre— con el largo, resonante y pomposo nombre de Nuestra Señora de la Asunción de Baracoa, lugar de paso desde las islas antillanas hasta la Tierra Firme de México. Allí, largas horas y días y meses mirando el cristal azul e inmenso del mar yendo y viniendo con sus espumas y rumores y revolviendo sus aguas con movimientos de animal enjaulado, oyó las primeras noticias del Imperio, la solemnidad de las jerarquías que los españoles transportaban a los reinos prometidos y que era evidente que allí, en el Nuevo Mundo, no servía para nada, la osadía impune de los baladrones, de los auditores, de los notarios, de los gobernadores gordos e insaciables o la torpeza de quienes no habían accedido a cargos de prestigio y a canonjías que ellos pensaban que representaban la gloria. Allí, en Baracoa, oyó crecer la solidez de los latidos del rencor, respirando en sus vísceras, acidando su sangre, cincelando sus muecas que años más tarde marcarían la celebridad de su imagen huidiza por todas las Antillas. En las tabernas donde llegó a despachar guarapo y orujo, Camilo Cienfuegos escuchaba las historias que contaban de Hernando Cortés quienes habían estado ya en la tierra de la laguna, donde la piedra de las edificaciones se elevaba majestuosa desde el fondo de las aguas surcadas por multitud de esquifes. "Como Venecia, mi amigo", relataban los viajeros impenitentes, "agua rodeando templos y edificaciones, agua por todos lados que Hernando Cortés se ha empeñado en sacar para levantar sobre las ruinas una ciudad española como no vieron nunca los ojos del mundo, señores". Piedra, pensó Cienfuegos, profanada sobre aguas sagradas con un fondo habitado por dioses ajenos a los cristianos, deidades seculares que habían huido hacia el norte para escapar de la ordalía de los conquistadores. Oyó allí, en aquel poblado de pescadores, aventureros, prostitutas y asimilados por el mundo de la ambición, el nombre de doña Marina, la princesa que había abierto a Cortés el camino de la gloria. Noticias de una tierra, de un imperio —si se hacía caso a los habladores que regresaban vencidos a Baracoa— riquísimo y muchas veces superior en extensión a las tierras de la vieja Península. Saltaba así, en plena juventud, a los campos sin puertas de la rebeldía, al constante espíritu de la contradicción, a la trifulca y las voces elevadas de tono en las tabernas, al deambuleo sin rumbo por las playas y los puertos que los españoles construían para llegar siempre más allá de donde habían previsto, obsesos de mundo, ávidos de oro, bajo la excusa de una cruz y una religión que se alzaba ante él como la primera enemiga del rencor de sus pechos. Conforme fue creciendo en conocimiento, sus ideas adquirían la voluntad del hierro, la potencia y la brillantez del caballo andaluz, la dureza de los minerales indestructibles, a sabiendas —como era natural— de la sombra inminente de la muerte que habría de perseguirlo hasta encontrarlo en las profundidades del Mar Caribe. Por eso argumentaba siempre a favor de los conquistadores, obviando sus vicios y su falsa y afectada norma de educación, poseído como estaba por la agudeza del tigre y la tozudez de la mula. Con gestos que expresaban a las claras su convicción de rebelde y con una elocuencia autodidacta que se enriquecía en las discusiones por el estilo iluminado que marca la frente de los profetas inútiles, Camilo Cienfuegos, el mestizo demente, se enfrascaba durante horas en conversaciones que no se paraban a distinguir entre blancos conquistadores, negros esclavos, mestizos de indios y españoles (como él), pardos, simples criados, siervos, vagabundos o caballeros que en Cuba, en La Española, en Trinidad, en México o en el Istmo de Panamá habían adquirido su condición de tales. "Somos", gritaba hasta quedarse sin voz, "distintos. Ellos allá y nosotros aquí. Nada en común tenemos con esa tiranía, con esa corona y con ese Emperador Carlos. El allá con sus guerras. Nosotros aquí, con las nuestras".

Al principio, tras la arenga que lanzaba sobre sus oyentes con encendidas frases que picaban el borde de la convicción en gentes sobre las que empezaba a pesar como una losa el pago de los quintos reales, la prudencia se apoderaba de ellos y le volvían las espaldas, regresando de inmediato a sus quehaceres y dando pronto al olvido las locuras de Cienfuegos, cuyos ojos inyectados en sangre negra lo convertían en un demonio que la isla de Cuba había echado al mundo antes de tiempo. Pero el mestizo, terco y obcecado, volvía a la carga provocativamente: "¿Y es que seremos tan mierdas que nos vamos a dejar manejar por las leyes de una Corona que no conocemos ni nos conoce?".

Después llegaron, una tras otra, las advertencias y las expulsiones. Le perdonaban la vida por considerarlo un loco vociferante que había perdido la razón desde joven por morder de unas hierbas salvajes y malignas que siempre llevaba consigo para tragárselas crudas, a medio masticar, en manojo, como terapia segura contra los ataques asmáticos que mortificaban su ya dificultosa respiración exaltada, que se movía agónica y silbante al tiempo que provocaba la cesación de la brillantez de su elocuencia y volvía su mirada bovina y ciega. De todas partes, pues, fueron ahuyentándolo como loco que llevaba dentro la semilla diabólica y execrable de la persuasión, como si su presencia provocara una sensación de malos augurios, como si su compañía sólo infundiera las herejías que pregonaba con el ánimo de insuflarlas en el corazón de los nativos y de los mismos españoles, que para él eran todos iguales. Fueron dejándolo solo, primero, porque una voz que clamaba en los desiertos malditos de las islas y el Continente no hacía ningún daño, de todos modos. Porque un ermitaño loco que se sacaba de la manga historias y doctrinas que no venían para nada al caso en aquel espacio y en aquel tiempo de conquista estaba condenado a morir en la más absoluta soledad. No era asunto de hacer, también antes de tiempo, un mártir cuya suerte cobrara magnitud tras su muerte, cuyas maldiciones llegaran a ser realidad después de su desaparición. Lo dejaron vagar como un mal necesario, sin rumbo a través de las tierras firmes, plantando la inservible bandera de la secesión en todas y en ninguna parte. Lo dejaron, por ver si en uno de esos viajes era devorado por su propio delirio, que se revolcara en el polvo de los desiertos, que ascendiera montañas y cordilleras que vadeara ríos y territorios cubiertos por cumbres y cráteres volcánicos en las que podía beberse, durante todos los días del año, el agua pura de las blancas nieves que cubrían las tierras altas. Cienfuegos se aclimató a todo, sobrevivió como si efectivamente el demonio loco que alimentaba la vida rebelde de sus entrañas lo ayudara a sobreponerse, solitario y hablando consigo mismo, a cuantos obstáculos se le presentaban. Fueron pruebas que consolidaron su fe, que iluminaron sus visiones de demente y lo hicieron prácticamente invulnerable. ¿Se trataba de un fantasma maldito que tan pronto aparecía flotante como una llama encima de las montañas y, a los pocos días, hacía resonar el tono ronco de su voz en cualquier pueblucho del inmenso territorio de México? Hizo, pues, compañero suyo al ensordecedor zumbido de los vientos y a las lluvias torrenciales que caían del cielo. Se acostumbró a esconderse en la geografía cambiante de los desiertos, que mostraban al amanecer una silueta orográfica distinta a la que él había visto en las noches que pasaba como un muerto, quieto y recapacitando sobre las maneras de penetrar con su locura la estúpida impavidez de los indios y el desprecio altanero de los españoles. En su sangre bullían revueltas ambas cualidades, en una pelea en la que siempre salía vencedora su mente revoltosa.

Después vino, irremisiblemente y como era de esperar, la constante visita a las crujías y los calabozos de los pueblos y las ciudades que visitaba siempre hablando en alta voz de la locura de la secesión. Pero, más tarde o más temprano, convencía con sus prédicas (los ojos a salírsele de sus cuencas, la voz retumbante en la oscuridad de la celda) a los carceleros mestizos como él, que lo vigilaban de cerca. El, explicaba, era un libertador, estaba de parte de ellos, necesitaba que ellos lo ayudaran a seguir su labor de levantamiento, una tarea que daría sus frutos, pero que moriría con él si no podía seguir plantándola libremente por los caminos, los bosques, los más lejanos andurriales o las ciudades más pobladas. Conoció los infiernos de la soledad maloliente de los calabozos, su hedor a sentina podrida, donde los maleantes condenados a la horca no sólo no le hacían ningún caso sino que intentaban violentarlo cada vez que se ponía a soltarles la doctrina loca de la emancipación. En México Tenochtitlán, por ejemplo, empezó por sentarse en los mercadillos, hablando en voz baja como era la costumbre milenaria de los mexicanos, sonriendo con la ingenuidad de los adolescentes, aunque sus ojos penetraran —traicionándolo algunas veces— el silencio con el que era devotamente escuchado. Hizo de evangelista durante algún tiempo, en los alrededores de los lugares donde Hernán Cortés estaba levantando la Catedral más grande del Nuevo Mundo, justo al lado del Templo Mayor de los aztecas, donde mandó construir palacios y mansiones de corte absolutamente español que rodearían una inmensa plaza que —en dimensiones mucho mayores— copiaba la Plaza Mayor de Salamanca. Comprendió que aquel tipo de capitán, que en un tiempo inmediatamente pasado había sido como él un rebelde, se había convertido en su principal enemigo, poderoso y ensoberbecido por sus victorias, hazañas que unas tras otra había tenido la osadía de relatar por escrito a Su Majestad Imperial, papeles en los cuales se postraba a sus plantas como un imbécil vasallo que no había alcanzado a entender la grandeza del mundo que sus pies estaban pisando. Fue en uno de esos días de empecinamiento y discusión cuando lo agarraron sin contemplaciones, arrojándolo como un pordiosero al silencio profundo de los calabozos. Hizo recuento de todas las cárceles en las que, por una u otra razón (pero siempre por el fondo doctrinario bajo el que respiraba la tesis de la emancipación), había transpirado el aire fétido de los muertos y estuvo a punto de ahogarse en alguno de los frecuentes ataques de asma que lo atosigaban. Respirando con dificultad, balbuceaba como un loro repetidor la consigna que, en su profecía de libertad, flotaba siempre sobre su boca: "Hasta la victoria siempre. Patria o muerte. Venceremos".

Nadie supo cómo escapó de México. Cómo escondiéndose, cuando era buscado de pueblo en pueblo y las armas de los rastreadores resonaban tras sus huellas, pudo huir al borde de la muerte que proclamaba como última alternativa. Tampoco se supo jamás el modo y las estratagemas que usó para escabullirse de la llanura de las aguas y alcanzar, camuflado en el anonimato que ya no le correspondía, los puertos de la Vera Cruz, llenos de gaviotas que confundió, en los primeros momentos, con los gallinazos que le habían seguido el rastro en su larga evasión. Descansó sin apenas abrir la boca, para que se olvidaran de él, observando con displicencia el cielo abierto de la costa. Caminó como un mendigo más por los mercadillos donde exhibían todo tipo de animales vivos y muertos y se alcanzó hasta los tendederos de tabaco. Olió la salmuera y vio los sacos repletos de pan cazabe y salazones dispuestos para las expediciones que, cortando con avidez la cara del agua, llegarían en pocas jornadas a las islas antillanas, su patria, la tierra de la que había partido y que ahora se le estaba antojando el lugar más seguro para recuperarse y que su nombre fuera paulatinamente cayendo en el más absoluto de los olvidos. Allí, en Vera Cruz, entre la piedra, el sol, el mar y el trasiego que diariamente se esparcía por la estrecha puerta de México (a su vez, paso principal)aprendió algo nuevo: disimular su mirada torva, destiladora de resentimiento y rebeldía, bajar la cabeza en señal de silenciosa sumisión cada vez que un español fijaba altanera y orgullosamente —como era costumbre— sus ojos en él, mestizo al fin y al cabo.

Anclado en su propio mesianismo, fue un misterio el camino que recorrió hasta dar con sus huesos en la ciudad de Santo Domingo, donde la sensación más o menos difusa de un viento más tolerante —en cuanto a acciones e ideas— dominaba las disueltas costumbres de la nueva nobleza indiana y las de los funcionarios a los que la Conquista y el Imperio había elevado a una privilegiada situación. Camilo Cienfuegos quiso ver allí, en las tierras de La Española, el caldo de cultivo donde las doctrinas de la emancipación fructificarían fácilmente, porque notaba una cierta picazón desagradable en los indianos que empezaban ya a sentirse engañados y despreciados por la Corona y que, por lo mismo y haciendo juego con sus ideas e intereses, comenzaban a engañar con baratijas, pavos reales, papagayos, frutas salvajes, enanos, sátiros, sirenas y todos los bichos raros que a ojos de la raza de los conquistadores, conquistados al fin, resultaban maravillosos.

Entró, pues, en el camino nuevo de la clandestinidad en los primeros momentos de su estancia en la capital de La Española. Allí también, para que no fuera Santo Domingo una excepción con respecto a las otras ciudades marítimas que habían sido fundadas a puñados por los españoles en los litorales caribeños y en las costas de la Tierra Firme, todo había sido levantado con prisas y de cualquier modo y su población, flotante y variopinta, le daba una sensación inmediata de volubilidad que garantizaba, por otro lado, un perentorio anonimato e impunidad. Si lo reconocieron en aquella ciudad nadie hizo nada por denunciarlo, quizá porque cada uno por su lado tenía su capital de desidia brillando sobre la frente o porque ellos mismos, los dominicanos, eran gentes que no se dedicaban demasiado a hacer caso de las leyes españolas y de los funcionarios del Imperio encargados de velar por ellas, personajes que eran enviados allí para vigilar, espiar, inspeccionar constantemente las posesiones de la La Corona y sus súbditos trasterrados. Un aire de jolgorio, de putrefacción social, de depravación moral, volaba por encima de La Hispaniola, en donde la muchedumbre no se contentaba nunca con su destino de mercado y, avariciosa y pródiga (según el capricho de la suerte que les había tocado), se movía despendolada desde los muelles a las haciendas que trepaban más allá de la frontera de la ciudad, olvidados de los sueños de encontrar el camino del legendario Eldorado, historia mentirosa que los había sacado de la vieja Península y de la que, al menos aparentemente, no sentían ahora nostalgia alguna. Todas esas experiencias, que siempre resultaron negativas, fueron galvanizando un espíritu rebelde, como el de Camilo Cienfuegos, mientras acentuaban los rasgos contradictorios de un mestizaje que había nacido con la Conquista y era, a fin de cuentas, su producto más genuino. En Santo Domingo, que representaba la última fase de un viaje de fracasos en el que, año tras año, se había abierto camino a puñetazos, a trompicones, rasgando telas que ocultaban lo que nunca había podido suponer o escapando como un buceador desesperado que sube desde las profundidades del mar a tomar de nuevo un oxígeno en el momento casi de la asfixia, permitió que su pelo creciera largo y frondoso hasta alcanzar los hombros. La barba espesa y negra avanzó lacia y recta hasta cubrirle la cara y dejarle fuera solamente unos pómulos pronunciados, la arisca crispación de las aletas de la nariz al respirar con la ansiedad del asmático y los ojos negros mirando siempre desde lo más profundo hasta lo más hondo, un conjunto gestual que daba paso a un cuerpo más alto que lo común entre los nativos y entre los mismos españoles. En La Española, quizá por el reduplicado efecto de una madurez adquirida a prueba de los mayores obstáculos y con el conocimiento casi pleno de las distintas geografías físicas y humanas del Nuevo Mundo, adoptó por fin Camilo Cienfuegos especiales rasgos de prudencia en su conducta cotidiana, en sus ahora espaciadas conversaciones doctrinarias (incluso en las más clandestinas, donde era imprescindible una cierta dosis de complicidad para ingresar en las reuniones de aquel mestizo enloquecido) y, sobre todo, en el trato social con los que por condición resultaban sus superiores o los que, por educación o falta de ambición, él mismo consideraba inferiores. Había, mientras tanto, desarrollado extraordinariamente la facultad de la memoria, hasta extremos inverosímiles, de modo que en poco tiempo retenía caras, nombres, historias, chismes y biografías, identificando a cada uno de los ciudadanos que componían la variada y móvil maraña de la población dominicana, sus vicios y sus virtudes, sus fortunas, sus frustraciones y sus sueños.

"Ese hombre es peligroso", confesó entonces a don Alvaro Rejón quien había llegado a ser su compinche por comunidad de intereses y caracteres, el médico destaponador don Luciano Esparza. "Tiene una memoria de elefante y puede recitar de carretilla, como un loco que se la hubiera aprendido, la historia entera de nuestras vidas, Alvaro. Parece que el demonio le ayudara".

Por su propia condición profesional, el médico Esparza resultaba un hombre ligero, influido por quien tuviera la posibilidad de darle los privilegios que requería y acomodaticio al orden que poco a poco fueron pariendo en aquella tierra que habitaban los indianos. No insistía en personalismos, ni gustaba de poseer un puesto relevante en procesiones o saraos. "Donde fueres, haz lo que vieres", refraneaba cuando Alvaro Rejón recriminaba amistosamente su falta de iniciativa en cuestiones en las que cabía esperar su directa intervención. Huía de las novedades hasta que éstas no fueran ya una costumbre aceptada y era, a todos los efectos, sumamente supersticioso. Creía ver espíritus malignos en la más mínima expresión o voluntad de cambio, aunque al mismo tiempo no sentía en su interior el menor apego religioso. En ese campo de las creencias cristianas era un tipo tibio, digno del vómito bíblico, un ser anodino que para nada tenía en cuenta los ritos y las ceremonias religiosas. Apartado de ese mundo de ficción histórica, había aclimatado sus ideas en torno a la sobrenaturalidad a los instintos que fueron creciéndole dentro al llegar a La Hispaniola, echando de su alma la religión residual de los dogmas y las pompas para que ocupara su lugar lo que él llamaba vientos nuevos, no otra cosa que una confusa obediencia a la primitiva creencia natural del animismo aplicado —naturalmente— a todos los actos de su conducta diaria. Conturbado por la inmensidad de las tierras que había descubierto el Almirante, dejó atrás —como olvidado— el mundo culto y universitario de su juventud para entregarse a lo largo de los años a una admiración por el salvajismo fetichista de los nativos, que en el médico se traducía en un verdadero respeto por las supersticiones de la tierra. "Aquí, don Alvaro, ya lo sabe su merced. La realidad supera siempre a la ficción. Siempre. Todo lo que parece que es mentira o invento de las gentes, todas las leyendas y las historias increíbles que crecen desde la boca de la multitud llegan a ser parte de la verdad mayor, considerada como categoría real. Verdad oculta", explicaba, "que la realidad no quiere que veamos, sino que nos exige una interpretación, una simple interpretación. Y lo peor", relata el galeno con aparente desesperación, "es que ha llegado el Mesías, un brujo que lo retiene todo en su mente, que lo interpreta todo a su manera y que tiene palabras y argumentos para todo. Un brujo que ya está a punto de entrar en la leyenda. Y aquí, don Alvaro, amigo mío, la leyenda es la verdad, la fama, la gloria definitiva".

Un brujo loco y fuerte a quien llaman ya popularmente *El Caballo*, pensó don Alvaro Rejón, el indiano, haciendo visibles gestos de confirmación a las palabras del médico. Y, en efecto, a él también le habían llegado noticias de la impresionante memoria del mestizo loco. "Un brujo", dijo en alta voz pero como si lo pensara para sí, "loco que huele a muerto", frase en la que se encerraban profecías nada halagüeñas para Camilo Cienfuegos, el hálito maldito de la muerte que flotaba como una lengua de fuego sobre su cabeza ennegrecida. Mientras hablaba, don Alvaro no conseguía recordar el lugar exacto en el que antes de ahora había visto a aquel mestizo revoltoso y sabelotodo, que poco se recataba ya —a la hora del apostolado— de su orgullo de sangre pisoteada por la Historia, según él mismo decía, y que no ocultaba nunca el brillante reflejo que identifica a los iluminados al hablar de cualquier cosa.

¿Pudo haber sido en Baracoa, en la Isla de Cuba, en su primera estancia fugaz o en alguno de sus posteriores viajes de camino al Yucatán? ¿Acaso lo había visto en Venezuela, como uno de esos visitantes que desertan de todos los lados que cruzaban por Puerto Vigía con lo puesto, como fantasmas que no dejan ninguna huella de su paso, sino que vuelven a embarcarse con todo sigilo para viajar hasta la isla de Margarita y recalan luego en Santo Domingo o Trinidad? Su memoria vagaba después por las inmensas tierras de México, desde los puertos de la Península del Yucatán hasta la isla de Cozumel, recalando en las llanuras rodeadas por volcanes, tratando de hacer un hueco en su memoria y ubicar al mestizo Camilo Cienfuegos, un rostro que a veces resultaba salvaje, como si de sus ojos saltara un reflejo hipnótico y agradable que convencía a las gentes, despertando las simpatías más profundas y los rechazos más absolutos. Pero jamás, en ningún caso —por mucho que él intentara en ocasiones pasar desapercibido— provocaba la indiferencia y eso era, precisamente, según don Alvaro, lo jodido, lo molesto y lo impertinente: que un don mierda de la nada, un mestizo de la cagada que ni siquiera había conocido a su padre, anduviera soliviantando a todo el mundo con sus revolturas como si fuera directo descendiente de Dios. A esa creciente antipatía de don Alvaro por Cienfuegos, que se recrudecía por momentos, había que añadir unos repugnantes celos melancólicos que removía nervioso en su bilis negra, originando malos humores en su tráquea y enmierdándole el aliento hasta arrimarle una fetidez inaguantable a su respiración. Los dominicanos criticaban de boca en boca, como un secreto que toda la ciudad conocía y al mismo tiempo se esmeraba en ocultar, los amores de la Amada Invencible, Mademoiselle Pernod, con aquel ya maduro galán, de palabra fácil, corredor de mujeres y loco de ideas...

—¿Tú lo has conocido alguna vez? —preguntaba don Alvaro a la Pernod en esos ratos ácidos, llenos de desasosiego, cuando los celos le enturbiaban sus pensamientos y se clavaban en sus vísceras como garfios que atornillaban sus tripas.

—Nunca antes de ahora, Alvaro, había oído hablar de él. La gente habla tantas cosas...

—Entre ellas dicen que fue tu amante cuando llegaste aquí. Que viniste junto con él...

—De todo el mundo dicen que he sido amante, Alvaro. Tú lo sabes. Son habladurías. Sabes que no pararían de inventar, ni aun en el caso de que el mar se los tragara.

Mademoiselle Pernod lucía tranquila durante esas conversaciones repetitivas. Mantenía la afectada y monogámica compostura de la puta que se sabe elevada por encima del montón de basura que ella misma regenta y del otro montón de basura (educada, falsamente noble, estúpidamente cretina) que la visita como clientela. Sin alterar apenas sus gestos y expresiones, ahuyentando quizá recuerdos ya muy alejados, como si los hubiera vivido en otra vida. O lo que estaba ocurriendo es que simplemente estaba diciendo la verdad.

—Cuando el río suena... —insistía Alvaro Rejón.

—Agua lleva. Ya lo sé. La gente hace sonar el río cada vez que quiere que se muevan las piedras del fondo, Alvaro. La gente habla más de lo que le conviene.

—De todos modos, ese mestizo es muy atractivo —sugirió don Alvaro Rejón.

Sus ojos miraron fijamente a Mademoiselle Pernod, poseyéndola, desnudándola, revolcándola, ahogándola con su deseo. "Atractivo", añadió, "pero huele a muerto. Te lo juro", auscultaba a la Pernod mientras hablaba. "Parece un condenado a quien le permitimos que tararee la canción que le salga de los cojones, como si fuera su última voluntad. Todo el tiempo que le resta por vivir, se lo estamos regalando, lo lleva de gratis a su favor. De gratis, amor, de gratis", dijo ronroneando, sonriendo, irónico, mientras se obsesionaba con las reacciones que creía ver en el rostro de su amante, de modo que podía descubrir en él la sombra de cualquier mentira o silencio comprometedor de una relación que a él se le antojaba ya un sacrilegio. La vio desnuda, en la oscuridad que entorpecía el reflejo indirecto de la luna. Tendida la vio, abierta a sus pies, los pezones enervados de placer y el quejido lacrimoso corriéndole por todo el cuerpo. La entrevió, como una transparencia fugada en un momento, en brazos del mestizo Cienfuegos, mucho más joven que cuando él, Alvaro Rejón, empezó a poseerla con ferocidad. Pasó por su mente la imagen del mestizo entregado en cuerpo y alma al festín de la diosa blanca, lamiéndole con su lengua de caimán toda la piel suave, refrescando su boca en el agua blanca que manaba de los pezones de la *madama* joven. Enloquecido de celos, retorcido, enervado también, retrocedía en el tiempo. Ya no veía sino una niña a quien el mestizo desvirgaba y ensangrentaba su sexo caliente para luego limpiarlo con la lengua,

278

como si cumpliera el vengativo rito ancestral de una raza cuya sangre era la mitad de su cuerpo. "Mierda", pensó revolviéndose en su asiento, "si lo ha conocido, sus dotes de simulación superan todo lo imaginable". El rostro de Mademoiselle Pernod seguía inmutable, como si nunca, en el más remoto de los pasados o ahora mismo, ningún vínculo la hubiera jamás atado a Camilo Cienfuegos.

Fue, por parte de Rejón al menos, una pura casualidad el primer contacto directo que el mestizo tuvo con él en uno de esos innumerables garitos de Santo Domingo, en las cercanías del barrio licencioso de La Mancebía, donde el indiano quedaba citado con anónimos bucaneros que se acercaban a La Española a despachar con él, siempre de parte del invisible socio Pedro Resaca. Era claro, en estas coordenadas, que don Alvaro Rejón había sido y seguía siendo un perro aventurero, un negrero en toda la línea que traficaba con carne viva, que había adquirido su profesión en miles de garitos como aquél en el que ahora se sentaba rodeado de desconocidos que sólo se detenían en Santo Domingo para hablarle y recibir sus órdenes. Ahora había adquirido, también en Santo Domingo, una alta estimación social, a pesar del tumultuoso pasado que todos suponíanle y de las libérrimas relaciones (al mismo tiempo envidiadas) que mantenía con la más puta de todo el Mar Caribe, Mademoiselle Pernod. Pero esa misma condición de caballero, ya inalienable parte de su personalidad, poseía el rostro cruel, celosamente oculto, de quien juega siempre para ganar, del ventajista que apuesta haciendo siempre la trampa que le hará salir vencedor en cualquier juego, característica de quienes siempre huelen el peligro en la distancia (un cierto tufillo de maloliente humedad), mucho tiempo antes de que ese mismo peligro pueda alcanzarlos, de manera que logran eludirlo sin el más ligero esfuerzo. Y Cienfuegos, ya lo había pensado Rejón muchas veces, era un peligro serio. Las gentes ya empezaban a denominarlo *El Caballo*. Incluso un poeta irónico que recitaba en los garitos —recibiendo a cambio unas monedas como limosna y de quien llegó sólo a saberse que tenía por nombre Virgilio— había compuesto en honor del mestizo uno de sus más bellos poemas: *El paseo del caballo*. Era como si se tratara ya de un héroe cuya estatura física corría pareja a sus convicciones expresadas con una tenacidad clara y rotunda, un caudillo aquel mestizo criticón y escurridizo que —ahora sí que no— jamás aparecía de frente, envuelto en las trifulcas o revueltas que sus doctrinas levantaban entre los parroquianos discutidores.

"Yo he visto antes esa cara. Yo lo conozco, señor", le espetó de repente el hombre de piel mezclada a don Alvaro Rejón, sus ojos destilando siempre una insolencia de pájaro altivo que callaba la mitad de las palabras que su boca pronunciaba. Estaba sentado Rejón, y junto a él don Luciano Esparza, el destaponador. Ocupaban una mesa de las más arrinconadas de la taberna que casi abría sus puertas al mar, desde donde entraba al local un olor a marisco vivo y a sal, a pescado recién sacado de las aguas y todavía coleando en las orillas. Las voces de los bebedores se entrecruzaban a gritos. Ininterrumpidamente jarras de vino y aguardiente eran pedidos por una clientela voraz que exigía ser servida de inmediato. El mestizo seguía allí, apoyando sus manos sobre la mesa, retador, a dos palmos su cara de la de don Alvaro Rejón, con una impresionante insolencia asomando en cada gesto, lo que implicaba (pensó Rejón en ese momento) una como injuria encubierta, un guante arrojado invisiblemente al rostro del indiano. Don Alvaro Rejón, como recuperando la memoria, lo ubicó al instante, aunque no hizo alusión alguna a ello. Tampoco demostró en ese momento ninguna debilidad de la que Cienfuegos pudiera sacar partido, siendo como era (ya lo estaba viendo) un empedernido jugador que escoraba la suerte hasta el último límite.

Lo miró con displicencia Rejón antes de contestar, asegurándose una distancia y un desinterés que estaba muy lejos de sentir en su fuero interno. "No sé", contestó monosilábico y, después, distendido, se identificó: "Soy Alvaro de Rejón".

—Lo conozco, don Alvaro. ¿No se acuerda de mí?

Atento, mirando a uno y a otro de los personajes que tenía a su frente, como si estuviera entre dos consumados expertos de la esgrima que cruzaban, sin apenas avisarse, sus hierros afilados por primera vez en ese tipo de encuentro personal, don Luciano Esparza se volvió a mover en su asiento, testigo casual de aquel también azaroso torneo. Don Alvaro Rejón recapacitó. Pensó que Cienfuegos había esperado el momento oportuno con toda paciencia, sabedor de que la sorpresa era su juego de cartas favorito, un campo de batalla en el que siempre atacaba para salir vencedor en las contiendas. "Es un titán", pensó exagerando el galeno destaponador. Del rostro barbudo del mestizo se colgaba ahora un jocoso e inocuo gesto de espera, aunque para nada dejaba entrever impaciencia. Don Alvaro tenía todo el tiempo del mundo para rehacerse. "El que da primero, da dos veces", pensó refranero don Luciano. Era su juego, supuso don Alvaro. Ahora, una vez arrojada la carta, el mestizo esperaba el turno de Rejón para examinar la fuerza y la gallardía del enemigo.

—Perdone. No acabo de reconocerlo —contestó Rejón, fintando el ataque de Cienfuegos con clara animosidad. Sus palabras demoraron más de lo normal en salir de sus labios. Habían sido pronunciadas con estudiada lentitud, reclamando una distancia de trato que Cienfuegos había roto al presentarse y tomar la alternativa. El recuerdo de Mademoiselle Pernod pasó por su mente y los celos lo envolvieron por un instante, reduciéndole lucidez y atención. Imperceptiblemente apretó las mandíbulas y sólo él sintió el chirriante crujido de sus dientes entrechocándose.

—Soy Camilo Cienfuegos, don Alvaro. ¿De verdad no me recuerda? —insistía el mestizo.

Ahora podía mostrarse enojado, despedirlo despreciativamente como si se tratara de un pordiosero desconocido que lo estaba molestando. Era una alternativa, pensó Rejón. Pero en ese desprecio, en ese envanecido desconocimiento del contrario estaba a lo mejor el triunfo de Camilo Cienfuegos. Porque quizás estuviera exactamente esperando la ocasión que Rejón no podía permitirse darle.

—No, señor. No sé quien es usted —volvió a despreciar Alvaro Rejón.

El Caballo no perdió la calma. Sabía que iba ganando la partida. Por eso dejó de inclinarse ante el indiano y, sin que nadie le hubiera concedido la gracia de sentarse con caballeros (en un gesto que quería devolver el evidente desplante del señor de Rejón), se sentó junto a don Luciano Esparza, mirando ahora de frente a don Alvaro Rejón.

—Cienfuegos, don Alvaro. Cienfuegos. Ganadería Atenco, en México. Plaza del Velador, señor de Rejón. ¿Me recuerda ahora?

La memoria de Alvaro Rejón revisó en un instante el sobresaliente rostro del mestizo, como si lo estuviera viendo por primera vez, como si nunca hubiera oído hablar de él. Simuló ahora sorpresa, como si en un momento hubiera sido capaz de cruzar el Mar Caribe, jugando con el espacio y el tiempo, y se plantara en las proximidades del río Lerma, junto a la ciudad de México, donde había estado en algunas ocasiones. Después, pero todo en unas pocas décimas de segundo, saltó hacia los toriles y las dependencias de la Plaza del Velador, donde la ganadería Atenco, que Juan Gutiérrez había montado en México por expreso deseo del Conquistador Hernando Cortés, solía hacer que se lidiaran sus toros. Quince años, por lo menos, susurró Rejón para sí. Hervía por dentro, desasosegado y nervioso, pero nada de eso lo dejaría ver a su enemigo. El mestizo —era ya un hecho evidente— ganaba la partida moviendo los peones como un consumado maestro de ajedrez y destruyendo la estrategia que Rejón quería imponerle para proclamar la distancia que le separaba de su contrincante.

—Atenco —dijo afirmativamente, sin poder remediarlo, cediendo terreno ante Cienfuegos—. Claro que sí. Atenco. Y tú eres, claro que sí, Camilo Cienfuegos —proclamó señalándolo con el dedo índice extendido—. Y estabas allí cuando yo la visité. Me acompañaste en alguna fiesta, ¿no? —preguntó Rejón como si se estuviera refiriendo a uno de los muchos criados con los que, en sus largos y extensos viajes, se había tropezado.

—Sí, señor. Estaba allí. Yo le acompañé a usted, señor —dijo sonriendo, como si le bastara aquel triunfo, Camilo Cienfuegos.

—Debes perdonarme, muchacho —interrumpió ahora con delicadeza fingida Rejón, distanciándose de nuevo con aquel tratamiento—. Te había olvidado. Había olvidado tu nombre y tu cara. Hace mucho tiempo de aquello...

—Y, sin embargo, señor Rejón, yo me acuerdo de su merced perfectamente —sonreía ahora, mientras hablaba, el mestizo—. Le asesoré para que no comprara aquellos toros de Atenco. Para que no se metiera en camisa de once varas —recalcó *El Caballo* con un lenguaje que entraba ya en la clara insolencia—. Ahora es usted todo un personaje en Santo Domingo. Aquí sí que tiene su merced campo de acción — volvía a sonreír el mestizo mientras hablaba: ¿le estaba diciendo negrero, acaso?—. ¡Todo un personaje! Un hombre rico y feliz.

¿Era aquella última frase, pronunciada remolonamente, una alusión a sus relaciones con Mademoiselle Pernod? ¿Encerraba el tono irónico alguna clave oculta que a don Alvaro se le estaba escapando por momento? Campo de acción, hombre rico y feliz, se dijo Rejón confuso. Pensó entonces en sus viajes a México, en sus intentos inútiles por entrar en los negocios de la familia de Cortés Miró a los ojos negros del mestizo. El lo sabría. Sin duda, lo que estaba ocurriendo es que Cienfuegos mostraba hasta el momento cartas bajas, reservándose las mejores para envites de mayor altura. De todos modos, pensó Rejón serenándose, no lo sabría todo. No tendría que saber, por ejemplo, que llegó a México de la mano del genovés Leonardo Lomelín, negrero con quien el nuevo dueño de aquel extenso territorio, Hernán Cortés, había pactado el envío de quinientos negros procedentes de las islas de Cabo Verde y que él, don Alvaro Rejón, había sido uno de los promotores e intermediarios de la operación, junto a su socio Pedro Resaca. Una compra, un cargamento que fue destinado a las plantaciones y al ingenio de Tuxtla. Tampoco tendría que saber Cienfuegos sus andanzas por el Valle de Oaxaca, Toluca y otras tierras de Coyoacán. ¿Sabía algo de las inspecciones personales que había hecho en los ingenios de Tehuantepec, en las plantaciones de San Andrés Tuxtla, o las que había llevado a cabo, midiendo las posibilidades de seguir trayendo mano de obra negra y esclava a México, en Tlaltenango, Cuaitla y Cuernavaca, haciendas todas pertenecientes al llamado Estado de Cortés, el único conquistador español que había comprendido inmediatamente después de su llegada la importancia del factor geográfico en la llamada Nueva España? Mierda, mierda sabía de eso este mestizo hijo de puta, pensó Rejón enervado. El indiano empezó entonces también a sonreír, tal vez como autodefensa para ganar tiempo, y a confirmar con gestos de cabeza las palabras de Camilo Cienfuegos. Fue en ese momento que pensó que el mestizo, en efecto, apestaba a muerto, hedía en vida, que toda su inmensa estatura estaba saturada de muerte y que, a pesar de todo, él como si tal cosa, destilando inmutable insolencia en cada una de sus frases de doble sentido. No vio, pues, otro camino que ganarse la confianza del peligroso personaje, que llegara a soltar también sobre sus oídos la doctrina de los desheredados y su bilis de visionario. Habría que soportarlo, hablar con él cientos de veces, intercambiar sablazos y fintas, jugar el insidioso juego de la falsa amistad para que el mestizo dejara de una vez de cubrirse, destapara todas las esencias escondidas y se entregara finalmente a él, a don Alvaro Rejón.

Tuvieron que verse casi cotidianamente, ante la reticencia constante del destaponador, que asistía como convidado de piedra a las conversaciones y reuniones clandestinas que don Alvaro de Rejón montaba para solaz desahogo de Camilo Cienfuegos. Primero fue, informalmente, en los altillos secretos de alguna casa de perdidas de las de Mademoiselle Pernod. Después en la mansión de algún poderoso con el que ya se había fraguado la complicidad. Siempre aderezada por alcoholes y licores, la lengua del mestizo martillaba la conciencia laxa de los hacendados que lo oían imperturbables, que aparentemente aceptaban su parte de culpa en las relaciones con España y que, paso a paso (según creía la mesiánica ingenuidad de Camilo Cienfuegos), se iban convenciendo de la necesidad del cisma. "Cuando ese momento llegue, si es que llega ese momento", comentó en baja voz Rejón al destaponador, tal vez para tranquilizarle los nervios, "lo que este mestizo de mierda anda proclamando lo haremos nosotros. Nos bastamos y sobramos nosotros solos, sin necesidad de cagarnos las manos con la ayuda de estos bastardos arrogantes".

—¿Crees tú, Alvaro, que veremos eso?. —preguntó con un cierto espanto don Luciano Esparza.

—Tranquilízate, hombre. No viviremos para ver ese espectáculo. Es una manera de hablar...

Don Luciano Esparza, mientras tanto, seguía ejerciendo su profesión y sus conocimientos médicos en todas las calas clandestinas de los cuatro puntos cardinales de La Hispaniola: el insólito servicio de destaponador. Hasta allí, por los caminos más ocultos de la mar, sorteando bajíos e islotes, arrecifes y barras, los expertos pilotos de los barcos negreros acercaban los cargamentos de carne humana para que don Luciano Esparza, apodado ya por todos *Manos limpias*, inspeccionara a los esclavos traídos del Africa y de las islas de Cabo Verde, para que el destaponador, como un dios arrogante y todopoderoso, rechazara o aceptara la carga de esclavos que don Alvaro de Rejón distribuiría después por todas las haciendas de Santo Domingo y por todo el territorio insular de las Antillas. Si Rejón había escogido Santo Domingo como refugio principal de sus operaciones era porque existían razones de seguridad y porque allí refulgía el dinero y todos los días nacían nuevas haciendas e ingenios que enviaban el azúcar a España, desde el tiempo en el que el Almirante convirtiera la isla en un gran mercado. Don Luciano Esparza ejercía, entonces, como un sumo sacerdote, único y exclusivo, experto y obligatorio. Empezaba por observar la esclerótica amarilla de los desfallecidos esclavos y después les abría la boca enrojecida, oliendo su seco y apestoso aliento, examinando con científico detenimiento la dentadura y cada una de las horripilantes llagas que, casi siempre, se originaban en el paladar y en las encías de los negros por los muchos días de estrecheces, de mala salubridad y de deficiente alimentación. "Está para quemar", era su expresión preferida para rechazar el cuerpo maltrecho de algún negro, frase que conllevaba la muerte inmediata del esclavo. "Estas llagas ya no se curan", comentaba para hacer saber que aquel otro enflaquecido y adormilado tenía en sus venas el virus definitivo de la muerte. Luego, a los que se escapaban de su frenético examen, les palpaba cada uno de los músculos, dejando para el final el lento y minucioso examen del ojo del culo, cuyo hedor infernal trataba de eliminar ordenando a los marineros que vigilaban la carga que los lavaran uno a uno en la orilla. No se le iba a escapar a él precisamente el gran truco: "Ustedes no me la van a meter doblada", ironizaba. Porque los negreros, cuando ya avistaban la rada señalada en sus mapas y se acercaban a La Española, mientras esperaban la llegada de don Luciano y la de los secuaces que lo acompañaban —que don Alvaro había puesto a su servicio para ese menester—, introducían en el recto de los enfermos de disentería y cólicos víricos que atacaban los intestinos un taco de madera que, aunque muchas veces atravesaba los tejidos interiores del culo de los negros, evitaba en algunas ocasiones que los expertos médicos dieran con la enfermedad, dado que provocaba la parálisis total de los intestinos y evitaba que de los vientres en putrefacción saliera la huella del mal, una estela de mierda, una diarrea imparable que, en el exacto momento de la inspección, podía representar la ruina total de los planes de los traficantes. Don Luciano Esparza, entonces, destaponaba el culo de los negroides que gritaban sostenidos por dos o tres esbirros. El negro, debilitado por el dolor que la maestría del destaponador le provocaba al meterle por el orificio del ano sus pinzas de hierro, soltaba la mierda contenida, heces líquidas manchadas de sangre que corrían como chorros por los muslos del negro. "Este, nada, carajo. Está muerto", decía entonces Manos limpias. Don Luciano Esparza sabía que la asquerosa profesión a la que prestaba sus servicios y conocimientos tenía, como todo en la vida, dos caras: la repugnancia que aquellos hediondos cuerpos, medio muertos, le producían y el dinero desorbitado que cobraba por inspeccionarlos. "Cada uno, don Alvaro", sentenciaba en momentos más relajados, "se corre como puede". Y más de una vez, al sacar el tapón del culo enfermo de un esclavo, la bolsa de mierda sanguinolenta había estallado muy cerca de la cara del destaponador, salpicándole el rostro y las ropas. Era, al fin y al cabo, una digna profesión, fuera de la cual don Luciano lucía otra persona, amable y educada, como si efectivamente su larga experiencia de destaponador quedara reservada solamente a los momentos de trabajo intenso en todos esos rincones donde se trasegaba el comercio humano de la esclavitud. No quedó, por eso mismo, camino en La Española que don Luciano no supiera donde conducía. No quedó tampoco fuera de su conocimiento playa alguna, por más alejada que estuviera, ensenada, bahía, golfo o refugio que el médico no llegara a conocer palmo a palmo, porque para él la geografía de la isla, después de tantos años, con sus recovecos, bosquecillos, valles y andurriales perdidos, había llegado a ser un simple juguete. Leal a carta cabal, don Alvaro de Rejón le había echado el ojo no más alcanzar aquellas tierras promisorias y lo había dedicado exclusivamente al cuidado y la inspección de la principal fuente de sus ingresos, el mercado de negros que casi mensualmente su socio de Puerto Vigía, Pedro Resaca, le expedía como en fardos hasta las costas de La Española. Después, el propio Rejón se encargaba de repartirlos en haciendas y plantaciones, en ingenios y molinos, configurando un imperio a través del arco de islas caribeñas y los mares que las rodean, hasta llegar incluso al Itsmo y a México.

"Huele a muerto, mi amigo", comentaba don Alvaro de Rejón cada vez que el médico, algo asustadizo por la amistad que el indiano parecía prodigar a Camilo Cienfuegos, le llamaba la atención. "Huele a muerto. Como si tuviera el culo podrido, bromeaba don Alvaro con ironía. "Déjalo todo en mis manos y no te preocupes. Ya verás como de ésta sale escarmentado para siempre…".

Como antaño, como en los primeros momentos de la fundación de la ciudad, como en las postrimerías del siglo, las noticias recalaron de nuevo en Santo Domingo. Primero fue sólo un leve runrún que rondaba las cabezas enturbiadas de los perdedores que se reunían en los garitos de los puertos y embarcaderos, de los que nada tenían que perder porque nada poseían, sumidos como estaban en un calvario continuado y monocorde, sin voluntad y sin esperanza. Se levantó desde allí, desde los embarcaderos, para crecer como un rumor que corría de boca en boca en incesante remolino, replanteando situaciones, alumbrando viejos proyectos que habían quedado anclados y desencadenando pasiones casi olvidades. Al mismo tiempo, enervaba la somnolienta imaginación de los descontentos y fracasados que siempre habían pensado que la suerte para ellos no estaba en La Hispaniola, sino en las tierras firmes. Finalmente, alcanzaba incluso a los poderosos, como don Alvaro de Rejón, que habían sentido siempre la llamada de la aventura, una sed irrenunciable que penetraba más allá de cada uno de los poros de sus cuerpos y se enquistaba como una rémora en sus vísceras, creciendo después en ramificaciones que a veces llegaban a retorcer el corazón arrebatándoles la tranquilidad y tumbándolos en un interminable insomnio que se remontaba por encima de las noches y los días. Auscultaban, cada uno por su lado y según sus posibilidades, el aire. Husmeaban en la distancia el olor profundo del oro que llegaba hasta sus oídos con hipnótica melodía.

Volvía, pues, a hervir Santo Domingo. Volvía a hablarse sin pudicia de Eldorado, la terrible obsesión de todos los conquistadores españoles, el objeto supremo gracias al cual habían dado incontables vueltas a un inmenso y desproporcionado territorio que era imposible dibujar en los mapas o relatar en las crónicas, historia por la que, en el fondo, habían vuelto patas arriba un mundo desconocido. Regresaban, de tiempo en tiempo, como un retorno de presagios y fortunas, los rumores de la existencia del inencontrable Eldorado y se lanzaban a la mar expediciones mal pertrechadas de las que se perdían todos los indicios porque la leyenda era más poderosa que la ansiedad que al oírla se despertaba en los pechos de quienes se arriesgaban en la aventura, tras un espectro dorado. Suponían, o al menos así lo imaginaban los conquistadores españoles, que la ciudad más deseada y buscada del universo, aquel reino que brillaba escondido como una promesa de felicidad que algún día habría de cumplirse, encendía sus fuegos sagrados en un territorio secreto, encubierto, rodeado de obstáculos que lo hacían invisible a ojos humanos, camuflado en el centro de una selva de caprichos cuyo silencio evitaba toda posibilidad de profanación.

Desde el Istmo de Panamá (un infierno de revueltas, matanzas, intrigas, murmuración y duda) saltaban las noticias de las guerras intestinas que se habían comenzado a librar entre pizarristas y almagristas, discusiones y matanzas en las que habían vencido (al menos momentáneamente) los primeros, locuras que llevaban a cabo los españoles del siglo en un lejano país del sur, el Perú, cuya capital había sido idea absoluta del propio conquistador, Francisco de Pizarro, curtido en fracasos, sinsabores, viajes y trifulcas y que ya había probado el gusto de la gloria en México, junto a Hernando Cortés. Según registraban las lenguas de los más enterados, soñadores que archivaban en su imaginación las historias que corrían por todos los puertos hispánicos del Nuevo Mundo, alguien con gran poder de convicción había alcanzado a contarle la leyenda de la ciudad de Eldorado a don Gonzalo de Pizarro. Incluso algunos indígenas que habían entrado en su confianza juraban sobre dibujos que reproducían las tierras escondidas, el lugar exacto del santuario de los tesoros dorados. Eran sabios caciques, ancianos de sangre real, estirpe que había heredado tradiciones perdidas que dormían durante algún tiempo el sueño del olvido y regresaban después a las ciudades con visos de verosimilitud. Estaba, aseguraban, muy cerca de allí, en el Amazonas, en el interior de las selvas vírgenes que trepaban sus sombras hasta las faldas de las heladas cordilleras. O quizá más allá, traspasada la silueta de las montañas, acurrucado el lugar como una momia del pasado en el fondo de una maraña verde llena de lianas y raíces gigantes que se movían agarrotando el paso de los intrusos, entre ruidos de animales que sólo existían en aquellas selvas de leyenda. Era, en efecto, un santuario secreto, lleno de tesoros, un reino que no tenía parangón en el mundo, un territorio refinado y a la vez salvaje que no podía definirse exclusivamente con palabras. Un pueblo de oro donde tres mil artesanos, escogidos entre los más expertos de las silenciosas tribus de la selva, se dedicaban incansables a la fabricación de fastuosos muebles de oro macizo, cincelados con un arte y una ciencia que los españoles trataban de imaginarse por todos los medios de su osadía sin apenas conseguirlo. Reino cuyo Palacio Real era también de oro macizo, con cúpulas de oro transparente para que por ellas se filtrara la luz del sol y darle así a su interior una luminosidad que era beneficio de razas superiores que habían encontrado allí, en Eldorado, su paraíso terrenal. Una escalera de oro macizo, de incontables peldaños, abría la entrada del palacio dorado, donde se paseaban —atados por extensas cadenas de oro— los leones que sin duda eran los últimos guardianes de aquel reducto de fábula. Por fin, Eldorado, con sus casas de oro, sus murallas de oro, sus calles empedradas de oro, sus templos y adoratorios de oro macizo, sus mercados de oro, hasta sus chozas de oro, toda la ciudad rodeada por una formidables muralla de oro.

Don Alvaro Rejón, desde Santo Domingo, imaginó la fiebre que se había despertado como un soplo salvaje en la carne de don Gonzalo Pizarro, que no había recuperado la calma hasta que echó a andar con una expedición de ochocientos de los más audaces guerreros, ocho mil indios aborígenes cuyo miedo iba en aumento conforme penetraban las sombras de las selvas más cerradas, ciento cincuenta relinchantes cabalgaduras andaluzas y más de mil perros que habían sido amaestrados en la búsqueda, el husmeo y la caza de seres humanos; cifras, bagajes y pertrechos que acojonaban al indiano en las noches tropicales que pasaba sin pegar un ojo desde que la noticia había llegado a la ciudad de Santo Domingo. Era, en fin, una aventura que valía la pena porque su último objetivo estaba en el descubrimiento y la conquista de Eldorado, la ciudad sagrada de la Tierra Firme. El oro, al fin, se dijo don Alvaro Rejón.

Gonzalo Pizarro rodeó selvas, vadeó ríos que parecían extraños mares de agua marrón, subió cordilleras en las que el frío enfermó sus huesos por largo tiempo, entró en la oscuridad de selvas que amenazaban tragárselo junto con todos sus hombres y cuyos umbrales jamás habían pisado huellas humanas. Sintió el alarido de muerte que daban sus hombres, veinticuatro horas más tarde de haber sido picados por hormigas gigantes, apartando fantasmas de los que huían los indígenas, despavoridos como si hubieran visto al mismo diablo, cada vez que —agobiada la respiración de los españoles— el paso de las cabalgaduras se volvía más difícil. La fiebre, reptil insaciable que se movía entre sus vísceras sin dejar de dar latigazos, atizaba su ambición, reclamándole todos sus esfuerzos y toda su ansiedad. Volvió por undécima vez a vadear los mismos ríos, rodear las mismas tierras, enturbiarse en los mismos pensamientos y en las mismas ciénagas, en los mismos ensueños, invicto todavía y atormentado, convencido siempre de que pronto encontraría el país del oro. No encontró nada. Sólo una exuberante naturaleza que respondía a la búsqueda de la región soñada con sus múltiples laberintos y sus ritmos monocordes y misteriosos.

Desde que había comenzado a destaparse de nuevo el murmullo, don Alvaro Rejón se acercaba más por los puertos, silencioso y observador como siempre había sido su costumbre, pero un poco más ensimismado, de modo que pudiera evitar (por lo menos en un principio) las habladurías que sobre él corrían ya por las calles de Santo Domingo: que él mismo era el primero en dar pábulo a la existencia de Eldorado. Frecuentó los mentideros, las tabernas y los garitos en los que se hacinaban para contarse sus historias y fracasos los desheredados de aquel mundo que España había echado a andar a finales del siglo último. Allí, en un ambiente grasiento y tumultuoso, el murmullo hervía con vida propia, se radicalizaban las historias cobrando la dimensión de la leyenda. Una avidez desconocida dominaba ahora sus visiones, cansaba su mirada y le hacía rechazar repentinamente la vida muelle y fácil, la posición de hacendado y caballero que había encontrado en Santo Domingo, las amistades de alto rango y todas las demás relaciones importantes. Incluso (se confesaba) le estaba pesando ya demasiado la historia de amor que sostenía con Mademoiselle Pernod, un machihembraje que el tiempo se encargaba de aburrir y de presentarlo como lo que verdaderamente era para los notables de la isla: la relación barragana con una puta fina que era la dueña real de todos los burdeles de la ciudad. "Una puta, al fin y al cabo", razonaba para sí don Alvaro Rejón. Había dejado de conformarse —también— con los altos ingresos que el tráfico de esclavos africanos le reportaba. "Un negrero de mierda, al fin y al cabo", se reconcomía sumiéndose en el reproche y, ambicioso, recalcaba como final de su reflexión que en Santo Domingo se estaba provocando un infierno infestado de patanes, donde él —Alvaro Rejón— no estaba dispuesto a envejecer como todas esas piltrafas que se arrastraban limosneando después de haber sido importantes señores en épocas anteriores. Eldorado, con todos sus ribetes míticos, con todas las solemnes descripciones que de la sagrada ciudad hacían —hasta en sus más mínimos detalles— quienes era obvio que jamás la habían visto ni de lejos, se iba lentamente levantando en su imaginación, creciéndole en el pecho como una crisálida que pugnaba por salir del huevo y aletear su dormida ambición, trastocándolo todo, desorbitando su vida de caballero de bien y sus costumbres sedentarias, de hombre civilizadamente organizado.

Volver (pensaba) a la aventura era volver a revivir, quitarse todos aquellos años de encima, tiempos de calma que pesaban sobre su cabeza como superflua corona. Había que enseñar de nuevo los cojones y los dientes de filibustero a los que lo daban ya por apartado de los espejismos que, sin duda, existían más abajo, en las tierras del Perú, como la más palpable de las realidades. Y, sobre todo, estaba el oro, cuya única mención comenzó a enloquecerlo porque su posesión comenzaba también a ser una condición necesaria para él.

"La riqueza, don Luciano", explicaba al destaponador en aquellos momentos de los rumores, "sólo es despreciada por quienes no la poseen ni tienen en su mente poseerla jamás". La frase era, en efecto, un acertijo que traslucía el adelanto de sus propias ideas, que ya bullían ronroneando en su interior, la obsesión de montar él mismo una expedición hasta Eldorado, jugárselo por fin todo a una carta, pero por algo que mereciera la pena, desandar aquel callejón sin salida que se había vuelto pura monotonía, olvidarse del mercado de negros, del puteo y del trasiego de los licores alegres, de los modos falsamente cortesanos y lanzarse de nuevo a la aventura del vértigo, tras el sueño loco del inencontrable Eldorado. Al fin y al cabo, para eso había venido hasta el Nuevo Mundo y no para convertirse en un mercader que traficaba con negros africanos como si de cualquier otra mercancía se tratara. "El azúcar, mi amigo, no va a durar siempre", exponía a don Luciano Esparza. "El día menos pensado todo este mundo se vendrá abajo. Santo Domingo dejará de tener el esplendor que ahora demuestra y la riqueza se irá a otra parte. Así es la vida", reclamaba con suspiros de autoconvencimiento. "No hay que esperar a que esto suceda y nos agarre aquí, como avestruces con la cabeza debajo del ala, al pairo de lo que ocurra". Eran frases sueltas que preludiaban toda una filosofía de la nueva aventura, como escorzos textuales de un ideario más largo y amplio que la buena vida de Santo Domingo había anquilosado hasta en sus más mínimos mecanismos. Ahora resucitaban en don Alvaro de Rejón vengativamente. "Figúrate", decía de vez en cuando, aprovechando siempre la sorpresa que mostraba el rostro de don Luciano, "figúrate que lo encontráramos. ¡Todo para nosotros! ¡Qué locura!". No decía qué había que encontrar, para nada nombraba Eldorado, sino que rodeaba sus convicciones con pensamientos que poco a poco lo iban acercando a la visión deseada, una monomanía que también paulatinamente lo fue volviendo loco, mudándole la piel por dentro y por fuera. Llegó un momento en el que sólo hablaba de su sueño. Gesticulaba como un loco, cambiaba la voz cada vez que se refería a la ciudad sagrada. No se cansaba de recoger por escrito, en notas que luego guardaba celosamente, cualquier pequeño detalle, cualquier dato que parecía sin importancia, cualquier mínima información viniera de donde viniera, eso no le importaba. "Lo que importa es ir hacia adelante, aunque sea huyendo. De donde se viene me importa una mierda, don Luciano", se defendía ante el médico por su repentina conducta. Poco a poco se hacía su composición de lugar. Confrontaba las historias, buscando los puntos comunes de la leyenda, como si estuviera enjaulado en aquel espejismo de colores. El mismo se entretenía en dibujar mapas que reprodujeran lo más fielmente posible toda la geografía del inmenso mundo del sur. Sus ríos, sus valles, sus montañas, sus ciudades, sus pueblos ocultos o no, sus selvas y sus planicies desérticas donde los vientos se reunían en conciliábulo ululante, sus silencios y sus ruidos, sus gentes, sus fantasmas y sus demonios particulares. Enervado por la fiebre, despilfarraba su tiempo noche y día, olvidado de todo lo demás. Sólo abandonaba su mansión, que por su desenfrenado deseo se había convertido en un maremagnum de historias y planisferios apócrifos —inventados por su propia imaginación—, para revolver en la carroña de los puertos, preguntar siempre sobre Eldorado, recabar maniáticamente más indicios y volver a dibujar jeroglíficos y señales sobre los mapas, rebuscando el pueblo del oro, escarbando en las tierras escondidas como un toro poseído por un deseo demoníaco, buscando debajo de las palabras de los pescadores y de los marineros que decían haber andado alguna vez en los alrededores de las tierras perdidas. Rebuscaba en la expresión de los aventureros las claves extrañas que le abrieran paso en su imaginación a los castillos de oro con los que se despertaba soñando. Otrora su pasión había sido Mademoiselle Pernod. Ella, antes de llegar a poseerla, le quitaba el sueño arrimándole en las madrugadas un escalofrío febril y sudoroso. Ahora se repetía la sensación, pero la culpa era de Eldorado, las chozas de oro, las casas de oro, las murallas de oro, los palacios de oro, los ríos de oro líquido que bañaban la ciudad, las interminables selvas de oro de donde los selectos artesanos aborígenes sacaban en cubos también de oro el magnífico metal que luego convertían en infinidad de objetos de todos los tamaños: fetiches, idolillos, imágenes, altares, púlpitos, palios, reliquias dignas del culto, armaduras, yelmos, espadas, lanzas, empuñaduras, collares, relieves artísticos, áretes, cinturones, petos, espaldares, todo de oro, para el uso particular de los privilegiados habitantes de Eldorado, sacerdotes y dueños de la riqueza más grande del universo, que vigilaban el fuego sagrado que los dioses del continente les habían encomendado para su culto y salvaguarda. El oro total como norte, objetivo y religión. "Porque", explicaba a don Luciano, "está muy claro. El oro sólo llama al oro. Una vez que lo tienes en tu poder, el resto va viniendo hacia ti, tú lo atraes para siempre y él jamás te abandonará, Luciano, tenlo en cuenta, es así". La sola mención de la palabra oro, aunque fuera despreciativamente pronunciada, era objeto de agresiva defensa por parte de don Alvaro Rejón que se entregaba a diatribas interminables hasta vencer por cansancio a sus interlocutores, de modo que en Santo Domingo todo el mundo empezó a tomarlo por loco, por disparatado y charlatán. "Siempre dicen eso cuando uno tiene razones que la razón de los demás no comprende. Entonces van y se cagan en uno. Le echan por tierra su nombre y su prestigio, como si así demostraran que son superiores", decía defendiéndose. Era, efectivamente, un loco, un fardo a quien hacía andar el oro, cuya única palpabilidad estribaba por el momento en las palabras que, día a día, el viento se llevaba como si tal cosa.

Mademoiselle Pernod había llegado a conocerlo muy bien.

Sabía que lo había perdido, que poco a poco su pasión se había ido desinflando como si hubiera enfermado y ahora estuviera ya a punto de agonizar. Sabía que la fiebre del oro es, en ciertos insaciables ánimos, un mal incurable y esclavizador que, como una mujer disparatada por la pasión, exige cada vez más. Ella, la dorada, la Amada Invencible, que había sido doblegada por don Alvaro Rejón; ella, la diosa blanca, la más bella y real hembra de todo el Mar Caribe, que había transgredido todas y cada una de las leyendas que de su persona se contaban antes de la llegada de Rejón y que, después, había ido humillándose en cada acto, denigrándose en cada locura lujuriosa que don Alvaro inventaba; ella, Mademoiselle Pernod, que ya había encontrado en él su ciudad sagrada, que lo había lamido con su lengua rosada y suave hasta el fondo de sus entrañas, que había prestado todos los huecos profundos y esponjosos, todos los hoyos calientes para que Rejón desfogara en sus misterios siempre renovados todas las inconfesables pasiones que había contenido hasta conocerla; ella estaba ahora a punto de perder todos sus reinos prometidos, porque don Alvaro de Rejón ya tosía sólo con el recuerdo del polvo de oro que soñaba encontrar en las tierras firmes del sur, en un lugar difuso y loco pero más dorado que ella misma, en un país enloquecido que los españoles, a fuerza de pensar en él y de imaginarlo real, habían creado de la nada. Un país dorado por el que, para seguir la costumbre de la Historia, seguían conquistando, matando, soñando y descorazonándose. Olvidada de Rejón, la tristeza anidó en el cuerpo de Mademoiselle Pernod, que ya comenzaba a ajarse antes de tiempo. Abandonó por eso los dorados paseos vespertinos y se recluyó, como una novicia arrepentida de sus malos pasos, en su hacienda de las afueras de Santo Domingo, en cuya alberca seguían haciendo piruetas las sirenas y los manatíes amaestrados por ella para el amor. Sus ojos perdieron la brillantez que la habían hecho famosa y se fueron acuando, dañados por la cortina de tibieza y apatía que se había apoderado de ellos, mientras que el temblor de la melancolía y el miedo a quedarse sola la rondaban cada minuto, como si estuvieran profetizando desde entonces la marcha del amante hacia las tierras del sur y la fueran acostumbrando a su suave condición de soledad. Pasaba las noches entre suspiros y quejidos, recordando la fuerza del cuerpo de Alvaro Rejón en el momento de penetrarla hasta las estrellas.

Don Alvaro Rejón, por su parte, se ocupaba en menesteres menos frívolos. Desaliñado y sucio, con la obsesión de la ciudad del oro brillándole en la frente, alcoholizado y visionario, cumplía con su compromiso leyendo todo tipo de historias sobre Eldorado, confirmando sus notas, avanzando imaginariamente en las selvas que conducían sin remisión al santuario escondido. Durante el día, la muchedumbre hacía cola a la puerta de su mansión e incluso daban la vuelta a su casa. Uno a uno, parlanchines, truhanes, dicharacheros, charlatanes de toda laya y lenguaraces soñadores relataban sus historias y sus cuentos a cambio de unas cuantas monedas. Don Alvaro los oía imperturbable, sin que jamás el recelo acudiera a sus gestos. El, después, cuando estudiara solo, en las noches, con todas aquellas narraciones, sabría desbrozar la verdad de la mentira (que por el día pagaba a igual precio). Con eso se daba por contento. "Todos los caminos", se convencía a sí mismo absolutamente absorto en sus investigaciones, "llevan a Eldorado". Vibraba de locura. Impertérrito y solemne trataba de caballeros a todos los maleantes del Caribe que acudían a su casa a venderle información. Dialogaba en su mismo lenguaje con reconocidos bucaneros y con arruinados notables que llegaban hasta sus haciendas para convencerlo de que no siguiera adelante con su prodigioso envenenamiento. Todo fue imposible. Convicto y confeso del delito de soñar, sonreía a todos con la extraña lucidez que suele iluminar en sus primeras épocas a los profetas de la verdad, aunque la ciudadela de sus ensueños no fuera otra cosa que un esperpento dorado que actuaba sobre su mente con una influencia hipnótica insuperable.

Cuando Camilo Cienfuegos se atrevió a mirarlo a los ojos, se dio cuenta en el momento que don Alvaro Rejón estaba perdido para sus planes. Si algún día había alimentado la obcecada sensación de convencer para la causa del cisma a don Alvaro

Rejón, ahora era él mismo quien pensaba embarcarse en la aventura del caballero indiano. "Camilo, yo tengo mis propios planes. No me vuelvas a hablar de esa locura de la emancipación", le espetaba Rejón cada vez que el mestizo comenzaba a enumerarle la retahíla de argumentos favorables a la independencia del Nuevo Mundo. "Ahora que estamos a punto de volvernos ricos para siempre, tú sigues con tus ilusiones de mierda. Tú hueles a muerto, Camilo", ironizaba Rejón. Don Luciano Esparza temblaba en esos encuentros que acababan con la paciencia de Rejón, que optaba finalmente por echar a la calle al mestizo. Pero, como si se hubiera olvidado del desprecio cotidiano, Cienfuegos volvía a la carga al día siguiente. Regresaba a la mansión de don Alvaro y proseguía su evangelio, su labor de apostolado, como si no fuera con él aquel trato de criado o esclavo que el indiano le daba sin ninguna compasión. "Tú también estarás conmigo en el paraíso, Luciano", le decía Rejón al médico, que no podía comprender cómo la fiebre del oro había hecho tal mella en el semblante y en la inteligencia de su amigo negrero. En sus largas peroratas, el destaponador osaba por fin hablar con Rejón, intentaba hacerle caer en la cuenta de su locura, conocida ya por todas las callejuelas de Santo Domingo. "Tu comportamiento, Alvaro, es un escándalo, un desafuero que tu categoría no puede permitirse", esgrimía don Luciano Esparza.

—Vete a la mierda, matasanos. No me estés jodiendo ahora con esas bobaliconadas. Tú lo que tienes es un miedo que te cagas. Tú mismo lo has dicho. Lo único que hago es seguir al pie de la letra tus lecciones, carajo. En esta tierra la realidad supera a la ficción. Todo lo que las gentes dicen, más o menos, es verdad. Todo lo que dicen que existe, existe. Más allá o más acá de la fábula. Da igual. Existe. En alguna parte habrá que encontrarlo.

Una madrugada cualquiera, después de pasarse toda la noche chamuscando papeles viejos y hablando consigo mismo, don Alvaro Rejón, que en los últimos tiempos había entrado en una situación más que deplorable, dio un grito de júbilo. "¡Ya era hora, carajo!, ¡ya era hora!". Había llegado, de vuelta de Puerto Vigía, el embajador y mensajero de confianza que le había enviado a don Pedro Resaca, su socio. Don Pedro, dijo el hombrecillo, estaba también de acuerdo. El embajador era un contador de esclavos que le llevaba recados de un lado a otro de La Hispaniola y que le profesaba un oscuro afecto, mezcla de temor y de lealtad. Había sopesado Resaca lo que les podía producir el deseado encuentro con la ciudad sagrada. Y, por otro lado, su afirmativa contestación estaba directamente relacionada con el cansancio que finalmente había empezado a producirle la regencia sedentaria de Puerto Vigía. Era, pues, cuestión de reunirse cuanto antes en su hacienda de las costas venezolanas, donde Resaca comenzó sin más tardanza los preparativos de la expedición. Nada más oír al mensajero, don Pedro Resaca rompió también en gritos de júbilo: "¡Mierda!", dijo, "es lo que estaba esperando desde hace tiempo. Jugarme los huevos en una misma tortilla". Así levantó las ilusiones de peones, casi todos marineros que habían quedado varados sobre la playa de Puerto Vigía entregados al tráfico de esclavos, y de los mismos negros que, sin saber en el mundo selvático en el que se iban a meter, se mostraron al menos regocijados con la repentina fiebre que le había entrado a don Pedro, dueño y mayoral de Puerto Vigía. Atravesarían los llanos desérticos del interior, escalarían los Andes escorándose a través de los caminos que habrían de ir buscando en los mapas que don Alvaro traería consigo desde Santo Domingo y, sin duda alguna, llegarían a Eldorado. Corrió en Puerto Vigía un inaudito aire de revuelo: se iban todos. Desmantelaban un campamento que era más que eso, una ciudadela que don Pedro Resaca y sus gañanes habían convertido en inexpugnable, un lugar en el que entrar sin permiso equivalía a salir sin vida, un sitio respestado por la carroña bucanera que asolaba ya todos los mares antillanos. ¡Hasta aquel rincón de esclavos había llegado la fiebre del oro!

"Cuando usted llegue, señor, todo estará preparado para la gran marcha", comunicó devotamente el mensajero, también mestizo, barbilampiño y menudo, aquijotado de rostro y de cuerpo, con ojos como escondidos en el gesto cetrino.

Así que todo estaba preparado, proclamó para sí, triunfante, rebosando euforia, don Alvaro Rejón. En puerto esperaba ya la fusta de don Alvaro, dispuesta a zarpar en cuanto el indiano ordenara, con una tripulación ambiciosa que el mismo isleño había ido embarcando en la aventura, enloqueciéndolos a todos y prometiéndoles el paraíso. El día que se diera la contraseña a los iniciados, todos estarían en sus lugares, preparados para atravesar el Caribe y alcanzar, luego de sortear el arco de las islas que se extienden en el mar, la Tierra Firme de Venezuela. Efectivamente, había llegado el momento, se pensó también don Luciano Esparza, conquistado incluso a su pesar por la convicción y el ardor con el que don Alvaro de Rejón defendía sus tesis imaginarias. Descreído de todo lo demás, don Luciano había terminado por pasar por el aro del oro que el espejismo del isleño le había lentamente tendido mientras hablaba del santuario, de murallas que medían más de doce pies desde el suelo y poseían un grosor aproximado de cinco o seis pies de modo que difícilmente podían ser franqueadas, en el caso de vencer todos los obstáculos y alcanzar la ciudad sagrada. "¡Y son de oro, doctor, de oro puro! Tú dejarás para siempre esa profesión que te hace oler a mierda a todas horas. Te olvidarás del color del culo de los negros y vivirás una vida de rey, como conviene a tu categoría, carajo. Compraremos una isla que llenaremos de lujo. Levantaremos castillos y haciendas que no tendrán precio, que no se podrán comprar ni vender con el simple dinero de la Corona, ingenios que los siglos verán prosperar y crecer como un mundo aparte, el nuestro, el de los triunfadores", gritaba exaltado don Alvaro Rejón. Ahora, envuelto en esa misma efervescencia que no le abandonaba un instante, escupía al hablar, su boca se llenaba de espuma seca y blanca. "Está totalmente loco", pensó el médico destaponador y, convencido ya del todo —como entregándose—, "pero dice la verdad. El sabe donde está Eldorado". Escupiendo esa misma saliva del deseo que soplaba en sus pulmones, don Alvador Rejón extendió sobre la mesa de su despacho el resultado final de todos sus estudios: un mapa habilidosamente trazado, lleno de anotaciones y claves secretas, de números y letras de alfabeto. "No hay fallo, don Luciano. He recorrido paso a paso con mi imaginación el camino que ha de conducirnos a esa región perdida en la selva. No hay margen de error. ¡Está aquí!, ¡aquí!", exclamó entusiasmado señalando con el dedo índice que Eldorado estaba esperándolo en el lugar exacto donde él suponía que se encontraba el santuario. "No cabe ya ninguna duda", confirmaba. "¡Hasta los animales son de oro! ¡Liebres, lagartos, caimanes, pavos, llamas, serpientes, caballos, perros, loros, guacamayas, hormigas y escarabajos! Tú, mi amigo, no puedes imaginártelo como yo, ya que me he dejado los ojos en estos estudios y he vuelto a sentir a aquí, en mis cojones, ese vértigo dulce de la gloria que espera a los atrevidos, don Luciano". Recitaba como una cacatúa, de memoria. Pero don Luciano Esparza, en lugar de reconocerlo solamente como loco, se había dejado trastornar todas sus meninges, porque aquella fiebre insoportable se había convertido en la verdad absoluta que se metía como un gusano a hurgar en los testículos, en las entrañas, en el aire de los pulmones, arrimándole una temblequera incensante que lo hacía tartamudear mientras esperaba el momento de la partida. Era la miel de la ambición. Don Luciano nunca la había sentido antes de ahora o por lo menos nunca nada como aquel frenesí lo había acogotado tanto como para quitarle el sueño. Durante años, y no es que se arrepintiera ahora de eso, había despreciado esa bilis dulce que ahora lo escalofriaba a él también. No es que no creyera en nada. Se trataba, por el contrario, de puro pragmatismo. De pensar simplemente que él no servía para esos reclamos que necesitaban gentes de otra pasta y otras dimensiones. Don Alvaro Rejón, concedía finalmente el médico, lo había transformado.

Por su parte, Camilo Cienfuegos, el ensoberbecido mestizo, había caído también en la misma maldición, ganado por la euforia y la fiebre de don Alvaro Rejón. Ahí estaba, pues, en esta hora en las habitaciones más secretas del isleño de Salbago, como si se hubiera convertido en un hombre de toda su confianza y confidente, al fin, de todos sus proyectos. No se trataba, de todos modos, de olvidar para siempre la sagrada misión que la Historia le había reservado (levantar los ánimos de los conquistadores, de los mestizos descontentos, de los negros y los indios y sublevarlos contra la lejana Corona de España). Era sólo que estaba haciendo un lugar en sus propios dislates al sueño del señor de Rejón, una pequeña demora en los principios que se había trazado en su vida para poder por sí mismo, una vez que encontrara él también Eldorado, apalabrar un ejército que arrollaría a los realistas que se opusieran a su paso, desalojándolos de ciudades y fortalezas y arrojándolos al mar. Que naden hasta España, si pueden, pensaba el mestizo ensimismado en su nuevo sueño de oro. Un ejército (cavilaba) cuyas armaduras relucirían más que el sol, un ejércitos de miles de desheredados y caballeros, de ganapanes y nobles, de esclavos y señores; ejércitos que dispararían arcabuces de oro, que dispondrían de doradas piezas de artillería, de culebrinas y cañones de largo alcance hechos de oro, totalmente macizos y brillantes, soldados todos adalides invulnerables y victoriosos que recorrerían todos los caminos del Continente y los de las islas proclamando la libertad bajo un único estandarte hecho también con tejido de oro, en cuyo centro refulgiría vengativa y al viento una estrella de cinco puntas, como símbolo y madre de todos los futuros. Un ejército del que él, el irrevocable y rebelde mestizo, sería el único capitán, el único héroe y las multitudes que fueran recogiendo por las tierras liberadas habrían de aclamarlo a él, al libertador continental, que arrasaría por toda la mierda y la canalla que España había enviado al Nuevo Mundo, tal vez para deshacerse de ellos, mierda —al fin y al cabo— por la que corría la mitad de su sangre y la mitad de las heridas que alcanzaría en combate. Era su sino, una locura a su modo, a su imagen y semejanza. Pero en los ratos en los que su conciencia siempre despierta le remordía el corazón y la duda larvada salía a flote a los ojos de Cienfuegos, como una depresión que se apoderaba de él y lo desasosegaba desclavándole las ideas y sacándole los huesos de su sitio, en esos ratos de temblor que el mestizo conocía, temía y odiaba, se repetía para convencerse una frase que, siglos más tarde, pasaría de la leyenda a la verdad, como configuración de toda una nueva forma de vida: "La Historia me absolverá", se decía solemne sin permitir que nadie llegara nunca a escucharlo. Porque, como casi todos los visionarios, todos los mesías —falsos o verdaderos— que España no dejaría de parir por los siglos de los siglos (como si se tratara de una coneja maligna que largara al mundo exacerbadas herejías que ella misma pretendía condenar), Camilo Cienfuegos pensaba que el fin (la libertad soñada, que jamás verían sus ojos; la felicidad de los pueblos, que perseguía como don Alvaro Rejón y los españoles el oro) justificaba los medios, so inevitable pena de que el remedio (conformarse con el grito de protesta y envejecer en Santo Domingo como un parroquiano más, esperando una sublevación contra España que sólo se produciría mucho después de su muerte) sería peor que la enfermedad (lanzarse como un desesperado a la conquista del oro con el que armaría el ejército vencedor, el ejército libertador, el ejército entorchado que entraría bajo palio en la memoria de la Historia del mundo).

Ese mismo día, cuando se supo que el mensajero había regresado de Puerto Vigía, se celebraron las fiestas de despedida. Durante las horas de sol se cantaron innumerables responsos religiosos en la Catedral, pidiendo al Todopoderoso que guiara los pasos de los locos que iban tras las huellas del oro. Don Alvaro Rejón, a cambio, se mostró dadivoso, vendiendo la piel del oso antes de cazarlo, de modo que llegó a prometer que a su regreso a la ciudad de Santo Domingo habría de levantarse sobre las ruinas de aquel jorobado edificio sagrado una catedral nueva, hecha totalmente de oro, con piedras de oro que transportarían sus hombres desde las selvas continentales, con cúpulas de oro, cristales de oro, bancales y púlpitos de oro, altares de oro. Estaba loco, pero convencía a todo el mundo con su dorada locura. Se tiraron, en el aire limpio de toda la ciudad, cohetes y artificios pirotécnicos que nublaban la luz del sol, convirtiendo en espesa humareda todo el ambiente. Se brindó por la aventura, por el éxito de la expedición rejonista, por el fin victorioso de su osadía. Así corrieron por sus resecos gaznates alcoholes, aguardientes, orujos, guarapos y vinos de España. Se vaciaron toneles enteros de ron y de guindilla, de alcohol adulzado con miel, como si en lugar de celebrar una venturosa despedida se empezara a construir la casa por el tejado, como si ya hubieran regresado de Eldorado y desbordaran su alegría por las calles de la ciudad contándole a todo el mundo que la leyenda era cierta, que habían encontrado el santuario secreto del oro, el metal que brotaba en aquel sitio desde las profundidades de la tierra, en brillantes surtidores que echaban a los cielos un líquido dorado que las seculares civilizaciones habían buscado sin conseguir encontrarlo. Ellos, los españoles locos y alterados, lo lograron: habían enjaulado el mito, incluso. Ahítos y contentos, palpando con los dedos de la imaginación la leyenda del oro, acariciando los contornos de la fábula como si de un axioma se tratara, enfebrecidos y gritones, enardecidos, bullangueros y hacedores de su propio cuento, saciaron su sed de machos cabríos en el pupilaje de Mademoiselle Pernod. Rompieron las puertas, saltaron las tapias, penetraron como salvajes en las sombreadas estancias donde descansaba del

calor el puterío, violaron cuanta hembra —pública o privada—
se les puso por delante. Sólo les faltó prender fuego a la ciudad,
no dejar piedra sobre piedra, matar y masacrar a todos los que
se atrevían a negar la existencia de Eldorado. Como un tifón
humano, alardeaban en los patios de las casas de Mademoiselle
Pernod, desnudos completamente, entregados a la lascivia y al
despilfarro. Ni siquiera ese carnaval podría ser superado por los
piratas que más tarde arrasarían la isla, obligando a España a
firmar convenios oprobiosos que eliminaban su poder y su ga-
rra de la parte occidental de la llamada La Hispaniola. Don Alvaro Rejón, hoy más que ayer (pero menos que mañana) señor
de los señores, las había concedido patente de corso. El, en el
fondo, era el dueño consorte de los burdeles y del hembrerío
afable que despanzurraban en su honor. El, al fin y al cabo y en
cierto modo, era Monsieur Pernod, el amante de la Amada Invencible. Y él, el señor de Rejón, había proclamado día festivo a
todos los efectos, considerando su marcha como un presagio de
odiseas que dejarían chiquititas las gestas del Almirante y el
viaje del Descubrimiento. Desde ese día de locuras, como hay
de santos o de difuntos en el santoral cristiano, se nombró a
Santo Domingo la fecha de la marcha de la expedición como el
Día del Jodedero General.

Hasta la *madama* reina habían llegado los ecos de la ordalía.
Tensó todos sus músculos, pero no abrió la boca, porque siempre había dicho que el silencio era un arma cargada de futuro.
Dejaba que los demás le vinieran siempre con cuentos que, una
vez digeridos, archivaba en desvanes inencontrables. Sonreía
como máxima concesión a quienes le relataban los dimes y dire-
tes de Santo Domingo, pero evitaba por su parte todo comentario, de modo que nunca pudo saberse con certeza lo que opi-
naba Mademoiselle Pernod. Pero esta vez, cuando con exageraciones o no le estaban hablando de la orgía a fondo perdido que
don Alvaro de Rejón había organizado con motivo de su marcha en busca de Eldorado, descompuso el gesto y se le agrieta-
ron las carnes, crispados sus ojos de brillante cristal. Las cañas
ahora se volvían lanzas, la pasión amorosa tornábase odio hacia

el hombre que la había conquistado, que la había derrotado en todos los lances de amor, que la había bajado para siempre del pedestal de la gloria. Se quemaba en el recuerdo del hombre rubio de Salbago que había enloquecido repentinamente por una simple palabra que el viento había arrumbado hasta Santo Domingo: oro. Un eco, en fin, que acallaba y llegaba a anular todas las demás intenciones de aventura, que oscurecía epopeyas o gestas. Mademoiselle Pernod, recluida en sus lujosas habitaciones, entre perfumes de rosas y olores de limón, se convirtió en excepcional testigo de la locura de don Alvaro Rejón. Allí, en la penumbra de su recámara, llegaba hasta ella el murmullo sordo de los gritos de sus pupilas divirtiéndose con los rufianes rejonistas y la canalla innoble de los puertos dominicanos. Don Alvaro Rejón —ahora se daba cuenta de ello Mademoiselle— había sido la peor de sus perversiones, el peor de sus castigos, la sombra encubierta de todos los desastres que se avecinaban a sotavento, de frente, cuya primera sesión la estaba dando ahora, en pleno carnaval, la muchedumbre voraz que descuartizaba todos sus negocios, arruinaba sus muebles, despedazaba el orden de sus locales y se tiraban indiscriminadamente a sus pupilas, saltándose a la torera los grados y las distintas categorías que ella había impuesto con tanto ahínco en sus burdeles. "Todo se ha ido a la mierda por culpa de una tierra que no existe", atinó a pensar mientras las lágrimas le rasgaban las mejillas y se le desataban en el cuerpo todos los demonios que el almidón de don Alvaro Rejón, aplicado en irracionales dosis de pasión, mantenía aprisionados desde que la conquistó para siempre. De todos modos, no se resignaba a perderlo, insistiendo en la posibilidad de una vuelta a la razón por parte de su amante. Pensaba que, aunque fuera de la vista de la multitud, Rejón mantendría despierta una luz que le recordara cada uno de los misterios que habían descubierto juntos. Pero el capitán Rejón ya estaba en otro mundo, en otros viajes distintos a los revolcones que había dado en el lecho de Mademoiselle Pernod. Se había vuelto loco para siempre.

Camilo Cienfuegos interpretó, como siempre a su manera,

aquella masacre del orden dominicano, que no respetó ni siquiera al mundo distinto de las putas. Aquel revuelo de fiestas gratuitas y caprichosas locuras, pensaba el mestizo, eran un ensayo general, un adelanto pálido y primitivo de lo que sería su victoria final, la gloria eterna de la emancipación del Nuevo Mundo, la desaparición de la estirpe profanadora de antiguas culturas, de incomprensibles civilizaciones para sus avariciosas cabezas. Así, de este mismo modo desenfrenado, empezaría a entrar su nombre, el nombre de Camilo Cienfuegos, en la Historia que tanto amaba. Así, él, el mestizo demente, volvería a Santo Domingo, triunfante y aplaudido, montando una blanca cabalgadura y ataviado con armadura dorada en la que se irían dibujando sus victorias y sus hazañas. Estaba ahí, sentado en un rincón del garito, siguiendo paso a paso el delirio carnavalesco de don Alvaro Rejón, participando él también de aquella euforia. Iban pasando las horas, acercándose la tarde, el insoportable calor humedeciendo de sudor apestoso todo el loco ambiente en el que se bañaba en alcohol la muchedumbre. Oyó los gritos enloquecidos de don Alvaro Rejón ("¡Qué fiesta, carajo! Esto no es nada en comparación con la que celebraremos a la vuelta de Eldorado..."), vio la oronda figura del destaponador don Luciano Esparza, los mofletes enrojecidos del ron, surcados sus pómulos por infinidad de riachuelos rojizos que corrían a perderse en la espesura de la barba, las manos regordetas llevándose las copas a la boca insaciable, los ojos saltones, entregado todo él a la lujuria del momento, gritando también ("¡Mañana será otro día, mierda, otro día que alumbrará nueva vida!"), carcajeándose después de palmear con escándalo el culo de alguna de las putas de la Pernod que corrían entre las mesas perseguidas por los juerguistas.

Don Alvaro Rejón se le acercó en ese momento, cuando las horas de la tarde empezaban a languidecer y las sombras se iban adueñando de Santo Domingo. El momento exacto en que las gentes de buenas costumbres llegaron a pensar que la fiesta degeneraría en chapuza y violencia callejera, el momento exacto en que se suponía que Rejón y sus hombres se echarían a la calle y seguirían alborotando durante toda la noche, con pendencias y trifulcas que nada bueno hacían presagiar. Ahí se le acercó Rejón al mestizo. "Usted y yo tenemos pendiente un brindis, amigo mío", dijo don Alvaro. El mestizo, embromado por la euforia del ambiente, se sintió al instante halagado por el agasajo de don Alvaro Rejón. "Un brindis", repitió Rejón pasándole una enorme copa llena de ron hasta el borde. "¡De un tirón, mi amigo, de un tirón!". Cienfuegos, sonriente y dejando olvidadas las diferencias que siempre había mantenido con don Alvaro, ingenuo y entregado, se tragó de un sorbo el aguardiente que el caballero indiano le había llevado hasta su mesa. "Tiene un punto formidable", comentó entonces con escondida ironía don Alvaro. Cienfuegos notó cómo la llama atravesaba su gaznate, arañaba las paredes interiores de la tráquea, inflamaba a su paso los pulmones (que tocaba sólo de lado), incendiaba el estómago y originaba allá abajo un rumor de tripas revueltas que gritaban abrasadas. Pero él, a su modo, como siempre, mostraba sus dientes amarillentos, sonreía como mujer desnuda, golpeaba de jolgorio la mesa, aunque su respiración fuera dificultosa y subiera el sudor que aceleraría el ataque de asma.

Al poco rato, comenzaría a sentirse mal. Trastabilleando recorrería el local, medio asfixiado por el asma y el alcohol. "Huele a muerto", recordó don Alvaro Rejón al médico Esparza, que examinaba con desinterés manifiesto a Camilo Cienfuegos. "Huele a muerto, don Luciano. Se ha tragado medio litro de alcohol de madera sin apenas enterarse". Después ordenó a dos de sus leales sicarios que lo transportaran hasta la fusta y lo acostaran en su camarote de capitán y en cuanto sacaron de allí al mestizo dio por terminada la fiesta con la misma voz de mando y la misma autoridad que la había empezado. "Mañana, amigo mío", dijo a don Luciano Esparza, mientras caminaban los dos por el empedrado de las callejuelas que iban hasta el puerto, "se lo tragará el mar. A estas horas, Camilo Cienfuegos ya está muerto, acabado para siempre. De aquí en adelante, soñará en el fondo del mar". Luego guardó un reconcentrado y espeso silencio que don Luciano Esparza no se atrevió a romper. Murmuraba solo, mezclando los nombres de Cienfuegos, Mademoiselle Pernod, Pedro Resaca, Santo Domingo, México, Eldorado, Cuba, Puerto Vigía, Salbago, en un enloquecido caleidoscopio que por momentos aterrorizaba al médico. Don Alvaro rezongaba ininterrumpidamente, la barba rubia hundida sobre el pecho, las manos unidas a la espalda, los ojos turbios y turbulentos, perdidos entre el pasado, el presente y el futuro.

En la amanecida, ebrios de gloria, partieron los rejonistas desde Santo Domingo en busca de Eldorado, previo rumbo y parada obligatoria en Puerto Vigía. El viento no era del todo favorable para la navegación de la fusta. Soplaba dudoso, haciendo escorar a la embarcación, como si no quisiera que se alejara para siempre de La Hispaniola. Don Alvaro Rejón, con regusto a resaca en su estómago y en su paladar, de pie sobre el cuartel de popa, al viento la melena rubia y lanzados los ojos hacia el horizonte, recordó de pronto a Mademoiselle Pernod. ¡Tan despistado estaba con el hipnótico sueño del oro que ni siquiera se había despedido de ella! Pensó, en ese momento de lucidez que repentinamente angustia a los locos, en los lamentos de amor, en los crujidos de sus huesos cuando estallaba el líquido dentro de la hueca maravilla de Mademoiselle Pernod. Pero, inmediatamente, como si alguien le hubiera soplado al oído algo que le quedaba aún por hacer, gritó a sus hombres que acercaran a cubierta el cuerpo sin vida del mestizo Cienfuegos. "Huele que apesta. Echenlo al mar, antes de que nos pudra la Historia". El cuerpo de Camilo Cienfuegos chocó contra la cara del agua, se revolvió al pairo como si quisiera escaparse de las corrientes encontradas que luchaban por llevárselo hasta el fondo y, finalmente, se hundió sin estrépito desapareciendo para siempre de la vista de Alvaro Rejón. "¡Bastardo de mierda!", se dijo don Alvaro, los dientes contra los dientes, su mente como anclada en el rostro de Mademoiselle Pernod. Jamás llegó a saber que la *madama* estaba, en efecto, esperando un hijo suyo, de don Alvaro Rejón, en el preciso momento en el que el oro ocupó el lugar de ella en su corazón, también para siempre...

No encontraron nada que pudiera indicar la existencia del reino del oro, algún indicio que justificara las esperanzas que habían depositado en la expedición. Fue una marcha lenta y cansina, saturada de sorpresas, de contradicciones, de nerviosismos, enfermedades y deserciones. A lo largo de los meses —e incluso años— que duró el brillo del espejismo, anduvieron revolviendo las selvas, escudriñando como hurones en los más absurdos laberintos, persiguiendo determinados detalles que su imaginación equivocaba con presagios y cercanías del santuario dorado. Registraron, de este modo, toda la silenciosa hojarasca que los siglos habían amontonado en las tierras vírgenes del continente. En el ánimo de Rejón osciló más de una vez el vértigo al cruzar desfiladeros que los llevaban a valles sin salida alguna o al escuchar el sonoro silencio del viento de los desiertos ejerciendo su poder sobre los médanos en las noches oscuras y gélidas. Los cabecillas de la locura, los isleños Pedro Resaca y Alvaro Rejón, noche tras noche, envueltos en el frío polar de la desesperanza se reunían como brujos cuyo conocimiento no era, sin embargo, capaz del descubrimiento, de manera que parecía que poco a poco habían ido perdiendo su poder hasta encontrarse de frente con la blandura fatua de la nada, obcecados hasta la extenuación, convencido de que sólo ellos conocían los intrincados caminos encendidos de Eldorado que por ninguna parte aparecía. Giróvagos inútiles por espacio de tanto tiempo que incluso llegaron a perder la brújula de los meses y los años, desprovistos de toda referencia geográfica y atados a los momentos en los que habían salido desde Puerto Vigía, demostraban su total falta de cordura en cada comentario, en las impresiones y órdenes que transmitían a la incoherente cadena humana de la expedición.

—¡No importa el tiempo, carajo! —bramaba Alvaro Rejón, cada vez más hundidos sus ojos, perdidos en el espejismo, la mirada larga dirigida a la nada de sus revueltos pensamientos—. No importa nada. Lo único que importa es que vamos a encontrarlo. Más tarde o más temprano.

Un monótono silencio, al que después de tanto se habían ido acostumbrando, ayudaba a su ensimismamiento y desequilibrio. El mundo, tanto para él como para Pedro Resaca, había dejado de existir. Fuera de sus mapas primitivos, por los que se guiaban un día sí y al siguiente no, toda su sabiduría era pura intuición, medio ciegos tras la estéril expedición, perdido el diario que don Luciano Esparza había dejado al morir por agotamiento, en medio de gritos luciferinos y maldiciones que reclamaban una vuelta inmediata a la civilización. Pero Alvaro Rejón, conquistado ya por la selva, convertido en una alimaña más de aquel universo cerrado, hipnotizado por cualquier detalle que interpretaba siempre erróneamente, seguía especulando sobre sus mapas, rehaciendo caminos, cordilleras, ríos, ciénagas, valles, desiertos, pantanos, llanuras y pequeños oasis casi cotidianamente, dibujando sobre las siluetas de las selvas ya exploradas nuevas tierras, nuevas extensiones tomadas por la fuerza de la indestructible maraña vegetal que todo lo ensombrecía, a pesar de la enconada seguridad con la que Alvaro Rejón reconocía precipitadamente el lugar exacto de la ubicación del poblado del oro.

La indiada que había reunido en Puerto Vigía, durante los preparativos; los negros porteadores, cuyo vigor físico había encandilado a don Luciano Esparza hasta el punto de recogerlo como detalle importante en su diario entre sus propias exclamaciones de aprobación; los mismos españoles que, antes de entrar en lo desconocido y sometidos al mismo espejismo por las palabras de Rejón, se habían unido a la marcha sin oficio alguno pero esperando todos los beneficios, todos se habían convertido en enemigos potenciales que, el día menos pensado, comenzaron a mirarse como extraños, desconfiados los unos de los otros. Incluso los más perseverantes hacía meses que se habían cansado de la insistente leyenda que Alvaro Rejón les repetía día a día para que no se olvidaran nunca de la misión que los había llevado hasta aquel laberinto. Pero llegó el momento. Diezmados por mil raras enfermedades que dejaban con el culo al aire los conocimientos médicos de don Luciano Esparza, para quien todos los parajes de aquella geografía resultaban embrujados por espíritus que se divertían a costa del despiste de los expedicionarios, y ganados por el deseo de la deserción que se les había metido en el tuétano de los huesos como un virus que sólo se calmaría con la huida, los porteadores y los guías que decían conocer los jeroglíficos geológicos de la zona más terrible del universo, que les habían abierto paso a machetazos, eliminando yerbajos y atravesando terrenos baldíos, los abandonaron a su suerte, escapando cada uno en incierta dirección, pero con la convicción de salir del laberinto de palabras que había edificado la locura del español rubio, obsesionado para siempre con el santuario del oro.

—Por aquí ya hemos pasado, Alvaro —exclamaba desesperanzado Pedro Resaca—. Estamos dando vueltas como borrachos tontos. Estamos totalmente perdidos.

Diez veces por lo menos subieron y bajaron por las mismas escarpadas cordilleras, después que se acabaran las provisiones y que el agua escaseara a cada rato. Diez veces registraron los mismos poblados inmundos, habitados por aborígenes que los dejaban hacer, sin abrir la boca para soltar su extraño lenguaje, perplejos y asombrados ante la actividad y la prisa que aquellos dioses blancos imprimían en cada uno de sus gestos. Atravesaban así, al margen del tiempo, un túnel regresivo que los conducía a la más estricta edad de piedra, en regiones tan remotas que todavía no figuraban en los mapas y de las que Alvaro Rejón no había tenido ninguna noticia hasta verlas con sus propios ojos, empequeñecidos pero aún afiebrados y minuciosos como los de un entomólogo. Si estaban perdidos, mejor (piensa Alvaro Rejón), así no se les ocurriría escaparse a quienes continuaban aún con Resaca y él. Y en cuanto a Pedro Resaca (seguía hablándose Alvaro Rejón), le importaba una mierda el color de la queja que le preparaba todos los días con la intención de hacerlo volver atrás. Exactamente igual que había pasado por encima de la muerte de don Luciano Esparza, carcomido su cuerpo por el veneno de unas extrañas hormigas veinticuatro horas más tarde de haberlo picado, pasaría por encima de los lamentos de Resaca. El seguiría adelante, solo si fuera preciso, solo y acompañado por Yaquís, que lo conduciría finalmente hasta las puertas del paraíso de oro, la ciudadela dorada de las selvas. Que tomara Pedro Resaca (resolvía en su interior) ejemplo del indígena, carajo, que ni siquiera abría el pico para quejarse de nada, que los guiaba a través de senderos que exclusivamente él —conocedor de todos los secretos de la selva verde y cenagosa— sabía de su existencia. Era ya el tiempo en el que Alvaro Rejón se había refugiado, desde muchos meses atrás, en la misma madriguera mentirosa que el indio le había enseñado: la incesante masticación de las hojas de coca. Resaca sabía que era una terapia mentirosa, levantada por mantener despierto el espantajo de Eldorado, que flotaba en su imaginación como un buitre que lo atraía hasta la muerte, porque (siempre según Rejón) todo era cuestión de no dejarse dominar por la impa-

313

ciencia. La coca lo libraba del frío y del calor, del hambre y la sed, de los temblores del miedo y de los recuerdos, de la sensación de soledad que se adueñaba de él, del perceptible paso del tiempo y de los remordimientos que se enroscaban en su alma. Hacía que no le importaran los cambios de las estaciones, que cabalgara por encima de las geografías olvidado de las crecidas de los ríos, los vientos, de los temporales, y de las cortinas de agua que empapaban de humedad la densa vegetación selvática, de manera que cada vez que se daba de frente con el gran río o con cualquiera de sus descomunales afluentes, se engañaba a sí mismo. "Es el mar, Pedro, el mar. Hay que volver atrás, hacia el interior, hacia el santuario", esgrimía Rejón. Yaquís, mientras tanto, silencioso y acuclillado junto a ellos, observaba la escena aparentando desinterés. Era un viejo famélico, casi una visión fantasmal, cuyo único alimento era la maldita hoja verde que masticaba a toda hora con su podrida dentadura. La magia vegetal de Yaquís había hipnotizado a Alvaro Rejón, que ya sólo escuchaba los consejos intraducibles del indígena, haciendo oídos sordos de las quejas de Pedro Resaca. Ya era un viaje completamente inútil. Los tres, Rejón, Resaca y Yaquís no estaban yendo a parar a ninguna parte. Intérprete exclusivo de sus propias leyendas, perdidas en los más lejanos tiempos de sus antepasados, Yaquís (pensaba Pedro Resaca) devenía en impostor que imantaba los pocos pensamientos lúcidos que aún quedaban en Alvaro Rejón. Miraba a su alrededor, sudando y procurando deshacerse de la pesadez constante de la fiebre, para constatar desolado que ya no quedaba nadie, ni la morralla sin nombre que Rejón había trasladado desde Santo Domingo hasta Puerto Vigía, ni los esclavos negros que él mismo, Pedro Resaca, había reclutado de entre los más fuertes de la factoría, lugar ahora de ensueño que regresaba a su recuerdo en las noches de cansado insomnio, paraíso ya perdido para siempre. Escondía su amargura y se perdía en la memoria de la fortaleza de Puerto Vigía, revisando con triste deleite cada uno de los lugares que su trabajo en la costa venezolana había construido, para después, al instante de volver a la realidad, ahuyentar el solo pensamiento de alcanzar aquellas latitudes tan lejanas ya, geografías que ahora se le antojaban como único cielo. Retozaba en confusos pensamientos, en estribaciones siempre nebulosas, entreabriendo los ojos en un constante duermevela en el que, como una pesadilla que interrumpiera sus sueños, se intercalaba agobiante el inexistente Eldorado. "Aquí no hay sino mierda", concluía para sí, revolcándose en la rabia solitaria. De sobra sabía que conversar con Alvaro Rejón resultaba en esos momentos más una broma que una inutilidad. Y esas mismas noches, lo acuciaban innumerables espectros de negras bailando desnudas en su honor, con sus húmedos sexos rosados oscilando a la brisa del mar, fantasmas todos que recordaba uno a uno, cada cual con sus propias características, hembras que había catado con sumo placer en su paraíso particular de Puerto Vigía. Ahora regresaban hasta los bosques llenos de intrincaderas, mostrándole la lengua sensual jugando a serpiente viva sobre su falo, revolviéndose en las arenas junto a él que las penetraba con la facilidad y la felicidad de un dios irresistible. "Cuando sea mayor", gritaba entonces a sus mayordomos negros que gozaban con él de la orgía, "quiero ser mamporrero imperial. Nadie está más capacitado que yo para ese oficio". A su modo, ensimismado en la esperanza, pasaba las horas muertas arrebujado en los recuerdos de Puerto Vigía, reproduciéndose como por taumaturgia en su mente cada uno de los rincones de su hacienda que había cambiado por la dorada locura de Alvaro Rejón. ¡Ahora comprendía que aquel rincón de la costa venezolana era su verdadero santuario, su Eldorado, su sueño irrecuperable, su único proyecto de vida! Como en otros tantos momentos de su existencia en los que creyó que se encontraba al borde de la muerte, recorrió mentalmente las jornadas gloriosas, el viaje hasta Margarita, el salto posterior hasta Puerto Vigía, la lenta y difícil fundación de la hacienda, la tupida red de tráfico de esclavos que Alvaro Rejón y él habían llegado a montar en todo el Caribe, superaba montado en su cabalgadura andaluza los cañaverales de los alrededores hasta trepar a la llanura que se abría tras los riscos de Puerto Vigía, acercándose a la; plantaciones y a las chozas de sus mayordomos y mayorales, que le guardaban por entonces el respeto sólo debido a los dioses. Es que allí, en Puerto Vigía, era un dios de verdad, un dios que hablaba y se emborrachaba con los negreros que alcanzaban su escondite transportando el cargamento que él se encargaría de vender y distribuir por las Antillas. Entonces respiraba el aire puro de las playas cercanas y sonreía de placer abobado con sus propios recuerdos como secuencias que alegraban su avejentada jeta, picada por los insectos de las selvas y quemada por el sol y los fríos. Ahora volvía a la más absoluta de las pobrezas, mientras confundía el paseo de las cucarachas y los escarabajos voraces sobre su piel con las manos cálidas de las negras mujeres de color de su hacienda.

A lo lejos, en la semioscuridad de la noche, podía verse sin ninguna dificultad en el oasis en el que descansaban la línea difusa del inicio de las selvas, una inmensidad verde enmarañada en su propia vitalidad. Resaca obviaba aquella sombra, convenciéndose de que no volvería jamás a entrar en los interminables telares de los árboles gigantes que embrujaban cada uno de sus pasos que en aquel territorio se atrevieran a dar los intrusos. Resaca observa mientras tanto, desvaído y sin ganas de intervenir, el diálogo inútil en el que durante horas se envuelven aquellos dos locos, Alvaro Rejón y Yaquís, diagnosticando ambos sobre la tierra la inexistencia cercana de la ciudadela de oro. Sin ningún resentimiento, había perdido la manía de preguntarse el método que usó Alvaro Rejón para convencerlo y embarcarlo en aquella ruinosa expedición. Era verdad que los mapas de Rejón estaban perfectamente dibujados y los argumentos de su socio reclamaban la mayor urgencia en el proyecto, no cabía duda alguna. Pero ahora él, Pedro Resaca, había como traspasado los límites de la locura y regresaba a toda velocidad a su sano juicio. Si, en efecto, había actuado fuera de sí, ya no más. Ahora se imponía el final del utópico proyecto, antes de que Yaquís volviera a hipnotizar a Rejón y lo hiciera penetrar otra vez en las selvas, otra vez atravesando los mismos poblados, caminando como hormigas sin rumbo en territorios ocultos, sorteando invisibles obstáculos que probablemente se inventara el indiano, mientras los troncos milenarios de los árboles que tapaban el cielo y la luz del día los observaban con desdén. "Pura mierda", rezongaba Resaca, "mierda y nada que es lo mismo". Pero allí estaba, una vez más omnipresente y como si el cansancio no pasara por él, Yaquís, la personificación de un demonio que se negaba a morir, siempre mascando la coca, siempre garabateando el rumbo sobre las arenas del desierto, haciendo el teatro de inútiles sacrificios a deidades en las que sólo él creía. Era (pensaba Resaca) la encarnación de un brujo indio del altiplano, perfecto conocedor de todas las torpezas humanas, venido de la ultratumba, poseedor arrogante del dialecto de la convicción que ejercía machaconamente sobre Alvaro Rejón. Un chamán, en definitiva, que lanzaba sus garfios maléficos sobre los españoles que se aventuraban por las selvas del continente a la búsqueda de la región que sólo existía en la imaginación calenturienta de quienes no se quisieron acostumbrar a su papel de simples conquistadores y buscaban la gloria con un afán mezquino y estúpido que, más tarde o más temprano, los convertía en víctimas propicias para esas apariciones demoníacas como Yaquís, chupadores de sangre, murciélagos que no tenían vida fuera de las selvas y los desiertos de los alrededores. Esa era la trampa que le habían tendido los dioses infernales del continente, impostores a los que había que hacer desaparecer con oraciones, con hisopos y exorcismos que ahora no estaban a su alcance. Miraba de reojo el indio a Rejón, embebido en su influencia. Resaca lo veía mascar coca, envejecido como él y anonadado aún por lo que le quedaba del sueño del oro.

—Dice —le hablaba ahora Alvaro Rejón— que hay otra expedición por aquí. Que la huele en la distancia. Viene comandada por otro hombre rubio, Pedro, cuya crueldad ha pasado a ser conocida por todo el territorio de la selva. Lo han visto muchos deambular como una sombra, bebiendo en las orillas de los ríos y navegándolos con una balsa enorme con la que se desplaza buscando lo mismo que nosotros. ¡Tiene que ser un español, como nosotros, Pedro!

317

Resaca lo miró. Sus ojos titilaban entre la pena y el descreimiento total. "Si te digo lo que pienso, no me vas a hacer ningún caso. Prefiero callarme", contestó con sequedad.

—Pero Yaquís lo ve todo, Pedro, lo sabe todo...

—Creo que te está mintiendo. En cada palabra, en cada gesto, se esconde la mentira y la malicia. Te engaña con sus historias. Te tiene embrujado y no te das cuenta que ya lo hemos perdido todo. Absolutamente todo.

Alvaro Rejón se desesperaba, enloquecía aún más al escuchar la desesperanza de Resaca.

—Supongo —continuó— que te habrá descalabrado los mapas. Que te dibuja nuevos caminos que, ya lo ves, no nos llevan a ninguna parte, para envolvernos más en este laberinto de mierda, Alvaro. Y tú no te das ninguna cuenta de ello.

Alvaro Rejón lanzaba sobre él una mirada torva que encubría sus pensamientos. En su demencia, se decía que Resaca había creído muy poco o nada en el santuario de oro, que era él el verdadero gafe de la expedición, el hechizo que lo alejaba de Eldorado. Si Yaquís decía que otra expedición andaba rondando los mismos contornos que ellos, no sería Rejón quien lo dudara. Si decía que el capitán de tal expedición era un español rubio, pequeño de estatura, cojitranco y con ojos azules que despedían un brillo como de ascuas sacadas de las llamas del infierno, no sería él, Alvaro Rejón, quien iba a dudarlo. Yaquís lo sabía todo de aquellos parajes, era el descendiente de una raza perdida de sacerdotes, de una tribu de santones extinguida y liquidada por los propios conquistadores. Veía a través de los desiertos y las selvas. Su mirada era mucho más profunda y honda que la de cualquier ser humano conocido y husmeaba las presencias a muchas leguas de distancia. Y Pedro Resaca no creía en él. Que se fuera a la puta mierda Pedro Resaca (pensaba Rejón), un cobarde que ahora se volvía atrás, cuando estaban casi a las puertas del más importante descubrimiento del mundo. Resaca lo seguía con la mirada turbia. Veía sus aspavientos estériles, notaba su agitada respiración, su torpe caminar, poseído como estaba por el espíritu de la selva que Yaquís le había insuflado. Pensó entonces, en la mitad de una noche sin sueño, mientras a lo lejos ululaban cientos de rumores encontrados, en la huida. Por primera vez se planteó escapar de aquel marasmo que amenazaba con la muerte. Era la única posibilidad de salvación, que ahora acariciaba como un loco que fuera renovando sus ideas. Todas sus esperanzas estaban para siempre derrumbadas, anquilosadas a un lado de su vida. Se daba cuenta de que pronto llegarían los tres a una triple coincidencia que marcaba el fin de la discusión y de la marcha hacia parajes perdidos. Por un lado, Resaca tramaba la huida, pero cumpliendo antes la inexcusable condición de matar a Yaquís, para que se desinflara su cuerpo del aire maligno y su influencia saliera oliendo a azufre envenenado del cuerpo de Alvaro Rejón. Por otro, Alvaro Rejón alimentaba la misma tramoya de Resaca. Silencioso y tenaz, especulaba ya con la muerte de su compañero, incitado su ánimo por el propio Yaquís que telepáticamente lo había convencido para que se deshiciera de Resaca, como única condición para alcanzar el pueblo del oro, escondido en lo más oscuro de las selvas que él conocía perfectamente. Yaquís, como importante lado de aquel famélico e insólito triángulo, vigilaba con sus ojos de cincel los movimientos de los dos españoles locos, dibujando lentamente en sus rostros la muerte. También en sus movimientos más nímios, en sus pensamientos, llenándolos de desesperación y provocándoles la apatía en la que ahora parecían encontrarse. Era, por el momento, su gran victoria. Mascaba con lentitud apelmazante la yerba verde que lo mantenía despierto noche y día. Escupía sin parar un esputo verde que Resaca detestaba más que a la propia selva. Todo el pequeño oasis en el que albergaban estaba plagado de las huellas secas que dejaban los escupitajos del brujo. Y ahora le venía con el cuento de otro hombre blanco, supuestamente tan loco como ellos, un español cruel que despedía fuego de los ojos, que se arrastraba a trancas y barrancas por la inmensidad cambiante del continente siguiendo el curso del río grande, cargando sobre sus espaldas las muertes de sus propios compañeros y las de todos los habitantes de los poblados aborígenes que arrasaba a su paso. Otro fantasma que se había lanzado a la locura de aquel territorio, armado con hierro y yelmos, brillando en su mano izquierda la espada de los conquistadores españoles como si se aprestara a entrar en la batalla última para la que había nacido. Un español que se hacía llamar *Príncipe de la Libertad*, una especie de frase que se inventaba Yaquís para retener a Rejón en la búsqueda inútil del oro. Y, sobre su cabeza, como un péndulo que aletea peligrosamente y amenaza caer sobre el cuerpo, estaba aquella triple coincidencia a la que Resaca sabía que, cada uno por su lado, llegarían en muy corto plazo de tiempo. Había, pues, que matar a Yaquís, hacerlo desaparecer para siempre.

Notaba Resaca cómo los huesos comenzaban a pudrírsele y cada vez le costaba más trabajo entablar la más mínima conversación con Alvaro Rejón. Volver a la civilización, a cualquiera de las ciudades fundadas por los españoles allí mismo, en el Perú, volver a Quito, por ejemplo, o a Trujillo. O a Lima. A la mierda si fuera preciso antes de quedar instalados para siempre en aquel oasis maldito. Esa era su más clara obsesión ahora. Todos los días soplaba un viento que, mientras brillaba el sol, reventaba sus pieles ya renegridas. Pero, en la noche, el bramido se suavizaba para parecer cuchillo invisible y gélido que erizaba la epidermis y penetraba hasta la raíz del hueso. Allí, como siempre impertérrito, estaba Yaquís, moviéndose de un lado para otro, grabando nuevos caminos en su mapa mentiroso y, como siempre, vigilando todos sus movimientos, cada uno de sus pasos. A estas alturas, Resaca suponía que el viejo indio lo sabía todo sobre él, incluyendo sus intenciones de matarlo. Había escogido Yaquís un lugar apartado en el oasis, donde apenas llegaba el viento fuerte del desierto. Allí, al borde de la choza que se había fabricado con palmas vegetales, configuraba el mapa de Eldorado, levantaba las murallas de oro que cercaban al santuario utilizando arena, se aplicaba especialmente en las pirámides truncadas que eran sin duda los adoratorios y en el centro dejaba el espacio exacto para el mercado del oro. Todo como si fuera de verdad, pero en miniatura. La maqueta, cuadriculada perfectamente, estaba completa y Alvaro Rejón pasaba los días fascinado, los ojos fijos en Eldorado de juguete con el que Yaquís había logrado paralizarlo. Se traían entretanto conversaciones inaudibles, como susurros que de vez en cuando llegaban hasta Pedro Resaca, casi siempre tumbado en la sombra esperando inútilmente un atisbo de reacción en su compañero. Yaquís lo miraba desde lejos, señalándolo con desconfianza. Las mandíbulas del indio se movían a toda hora, de modo que en la distancia que lo separaba de ellos Resaca no podría asegurar si el viejo hablabla o no, o simplemente mascaba la coca. A veces, el anciano caía en un sopor del que despertaba a gritos, como si sus dioses o demonios le hubieran secreteado durante el sueño nuevos indicios de la situación y las características de la ciudad imposible. Sujeto a sus historias, reclamado por aquel sortilegio nefasto de imagen humana que lo mantenía atado al territorio de la muerte, Alvaro Rejón seguía creyendo a pie juntillas en las invenciones del viejo que les había regalado el infierno del continente. Pedro Resaca no recordaba bien el momento de la aparición del viejo Yaquís. Debió ser (pensaba ahora) un colgajo de esos que se pegaban a ellos a la salida de cualquier pobladucho. Cantidades considerables de indígenas los habían seguido, en los tiempos en los que aún podía considerarse una expedición a aquel sueño de la nada, a la hora de continuar adelante. Todos habían ido desapareciendo en cuanto vieron que no se les hacía ningún caso. O se quedaban perdidos o agotados en cualquier rincón escondido de las selvas. O regresaban al poblado echando mil maldiciones sobre los conquistadores y buscadores de oro. Siempre se repetía el mismo espectáculo y al final el resultado era también el mismo: el cansancio de aquellos andrajosos que dejaban de marchar como rémoras al lado de la expedición, una vez que se daban cuenta de que nada podrían conseguir de ellos. Yaquís fue un caso distinto, la excepción de la norma. Recordaba Resaca que se mantenía en la distancia, como vigilando siempre el camino. Durante muchas jornadas, siguió lentamente el itinerario de la expedición a pequeñas distancias que, poco a poco, iba acortando con discreción digna de encomio. Cuando se dieron cuenta Yaquís ya estaba integrado. Fue como si siempre hubiera formado parte de los expedicionarios. No sólo eso. Era también un experto guía en el que Rejón depositó toda su confianza. Después comenzó la dispersión de los expedicionarios de Eldorado. Se fueron primero los indios. Se enfermaban los negros y ellos mismos, los españoles, se veían desequilibrados por las fiebres, mientras que aquel hombrecillo inverosímil se movía entre las intrincaderas y los caminos salvajes como si hubiera nacido allí mismo, fiel al cumplimiento de una antigua tradición que Alvaro Rejón y Pedro Resaca no llegarían nunca a comprender. El, Yaquís, los enseñó a alimentarse con los yerbajos silvestres y a buscar el agua en el interior de las cañas. El, Yaquís, se fue convirtiendo en un demonio insustituible en aquel universo difícil y hostil. El, Yaquís, los acostumbró a no tener miedo de los ruidos monótonos de las selvas y a mantener a los animaluchos noctívagos lejos de los campamentos en los que vivaqueaban. Ahora Resaca estaba decidido a matarlo. No tenía ya la más mínima duda de que en el interior de aquel cuerpo habitaba un espíritu maligno que lo sabía todo, que todo lo vigilaba y cuyo objetivo final era la destrucción total de los intrusos y su estúpida expedición.

Ese día notó Resaca que Yaquís no le quitaba de encima su somnolienta mirada. De vez en cuando le sonreía maléficamente, con un mueca de falsa amabilidad, como si ya supiera que a la noche siguiente Pedro Resaca se atrevería e intentaría finalmente cortarle la cabeza. Dudaba de todos modos el español. Había oído siempre que esos brujos son indestructibles. Que aunque los descuartizara por la noche y la espada penetrara sus cuerpos deshaciéndolos, ellos recuperaban su imagen y la vida en poco tiempo, porque ningún poder tenían los humanos para eliminarlos. Ni siquiera cortándole la cabeza iban a desaparecer los demonios que estaban en Yaquís, porque no sólo tenían la fabulosa y mágica facultad de leer por anticipado el pensamiento de los demás, sino que ellos mismos eran inmortales, omniscientes, todopoderosos como los dioses de sus antepasados, de manera que si él, Pedro Resaca, nada más caer la espesura de las sombras de la noche sobre el oasis que les servía de refugio, osaba cortarle la cabeza al brujo, corría el riesgo de que Yaquís, decapitado y todo, moviera su cuerpo en pos de la cabeza y se la volviera a poner en su lugar. Así que todos sus mandobles serían inútiles, porque matar un fantasma era sencillamente imposible.

Resaca se conformó entonces con destruir los grabados, los caminos, las murallas, los palacetes y los adoratorios que el viejo había ido construyendo en miniatura junto al oasis, prefigurando Eldorado inexistente. Una furia desconocida lo ayudó a lanzar patadas sobre la maqueta de arena, a desbaratar la flamante obra de un artesano fuera de lo común. Como enloquecido, como si batallara con un ejército de más de mil hombres, Pedro Resaca se entregaba a la labor de destrucción con el mismo ahínco que, muchos años atrás, había levantado Puerto Vigía. Sentía que su cuerpo, en la lucha contra el mito de Eldorado, recobraba su vigor perdido. Lanzaba gritos desaforados de victoria y daba órdenes a las mesnadas invisibles de esclavos negros que obedecían incluso sus gestos y corrían hasta los últimos rincones de la leyenda prendiéndole fuego al santuario donde reposaba el dios del oro. Los surtidores de oro, los mercados, las calles lujosamente empedradas con el metal del poder, conocieron aquella noche de lujuriosa locura el hierro cruel y vengativo del conquistador español. Por todas partes, Resaca descabezaba indios cuya constitución física se parecía extraordinariamente a Yaquís. Los descabezaba, tal como tantas veces había soñado hacer con el viejo, pero ellos volvían a aparecer ante sus ojos corriendo despavoridos hacia los rincones más escondidos de los santuarios del oro. Sudaba Resaca en aquella batalla imaginaria, engalanado con su mejor armadura, llevando las riendas de su corcel blanco que relinchaba de júbilo cada vez que ardía una mansión del poblado de oro. Los negros de Puerto Vigía, aquéllos que habían sido extraídos a la fuerza de las Islas de Cabo Verde, daban rienda suelta a sus instintos contenidos hasta ahora. Saqueaban, violaban, despilfarraban Eldorado tan amado. Podían hacer lo que se les antojara con tal que en cada una de sus acciones la destrucción fuera su norte. Gritaban como perros rabiosos despedazando a los artesanos y destrozando a mandoblazos de sus espadas afiladas cuanto se les ponía por delante. Esa era su venganza. La venganza del conquistador español Pedro Resaca. Sobre la dorada mentira, Resaca levantaría ahora una nueva misión, un nuevo Puerto Vigía selvático y señorial. Fundaría una ciudad que llegaría a ser la más importante del Nuevo Mundo. Ahora tenía ahí delante, tratando de esconderse, huyendo por las esquinas, entre el fuego, despavorido como un niño, al verdadero Yaquís. Reconocía su caminar, su nublosa mirada lejana, sus temblores, sus mandíbulas siempre mascando la sustancia vegetal. Reconocía su cara. Era él, Yaquís. Que no lo mataran, mierda, ordenaba desde el caballo, que se lo reservaran a él, que ese viejo brujo merecía una muerte distinta. Había que quemarlo vivo, como mandaban los cánones del Santo Oficio con los herejes y los demonios, carajo. Que se desmigajara en pedazos y su cuerpo chamuscado fuera pasto de los buitres del desierto. Sería un espectáculo grandioso, el triunfo resonante del conquistador español profanando las cuevas de oro en los lugares más recónditos de la selva. Ya no habría más nombre que el suyo, el de Pedro Resaca, unido a la crueldad legendaria del español. Del otro capitán cojitranco no se volvería a oir hablar. Su nombre, Pedro Resaca, quedaba en las selvas, envuelto en la violencia y en la guerrera hazaña de domeñar a los demonios de Eldorado. Veía ahora la pira ardiendo, mientras el caballo relinchaba de placer y él gozaba con la visión de Yaquís revolcándose entre las llamas, sus ojos glaucos proclamando la muerte definitiva de la leyenda que los brujos se habían inventado gracias a la estúpida ambición y la soberbia de los españoles. Ardía, pues, Eldorado en plena selva y en los sueños de Pedro Resaca, capitán de un ejército de negros salvajes que violaban y saqueaban toda la ciudadela sagrada hasta dejarla reducida a cenizas. Todo el poder de Yaquís era puro humo elevándose en columnas por encima de sus cabezas hasta un cielo azul y nuevo que alumbraba un día distinto, un día alejado de sinsabores y obsesiones, porque la fiebre del oro había terminado para siempre.

Se despertó entumecido, como si efectivamente hubiera mantenido una lucha a muerte con Yaquís y su imperio de oro. Volcado de bruces sobre la destruida maqueta, Resaca trataba de hacerle un sitio a la lucidez en su memoria. Miró con curiosidad hacia el interior de la choza del viejo brujo. No vio a nadie. Yaquís se había esfumado. Un poco más allá, inmóvil y con el pecho hundido por la pena, estaba Alvaro Rejón hipando impertinentemente, desconsolado y lloroso, hablando consigo mismo, tirándose de los pelos en un ataque de epilepsia y rabia que le hacía mezclar sus sueños dorados con su tiempo de estancia en Santo Domingo, su verdadera época dorada. Mientras intentaba levantarse, Resaca sólo pudo oír una de las frases que Rejón lanzaba a los aires: "Has sido capaz de destruirlo, has sido capaz, te has atrevido...", repetía ensimismado Alvaro Rejón. Pedro Resaca alcanzó a comprender entonces que estaban desconocidos, que sus cuerpos habían ido poco a poco descoyuntándose, encorvándose, encogiéndose. Que sus cabellos ya no lucían la brillantez de la juventud y la altivez perdida. Desnudos y llenos de dolores, derrumbados por los años que habían pasado inútilmente revolviendo selvas y desiertos, se miraban ahora el uno al otro, reconociéndose de nuevo en medio de aquella ruina. En toda esa temporada jamás habían visto a otro español que surcara aquellas latitudes y, salvo el cuento que les había echado Yaquís sobre el conquistador rubio que navegaba como un fantasma por las orillas del río y atravesaba el continente en busca de Eldorado, no recordaba tener otra noticia de sus contemporáneos, la estirpe de los conquistadores españoles a la que pertenecían. Resaca, empero, sostenía en su interior que Alvaro Rejón no habría de regresar jamás del todo a la cordura. Fue tan fuerte la fiebre que por muy largo que fuera ahora el brazo del olvido siempre quedarían residuos de delirio enquistados en los intestinos, endilgándole recuerdos que en la vejez llegaría a confundir con la realidad. Ahora pasaría una larga temporada entenebrecido entre remordimientos, reflexionando en voz alta, rememorando un pasado que sólo había existido en su imaginación y en sus febriles e interminables monólogos, en discusiones consigo mismo en las que se maltrataba tomando su voz la modulación animal de los sonidos de Yaquís, recorrido por temblores histéricos que terminaban siempre en un llanto disparatado. Yaquís lo había endemoniado con sus mitos dorados y ahora le era ya prácticamente imposible vivir sin aquel yerbajo de la coca, mascar aquella hoja verde que era el único oro que había encontrado en la larga expedición. Ahora se trataba (piensa Resaca) de tener paciencia, de que por sus propios medios Alvaro Rejón comenzara a recuperarse y a olvidar sus fantasías para poco a poco irse acostumbrando a la realidad de la que tantos años ambos habían estado ajenos. Miró de nuevo a Rejón. Sus cabellos habían enfermado, tomando un color pajizo y sucio. La piel del rostro lucía decrépita y ajada, llena de pequeños orificios y tumores, cicatrices tal vez de pequeñas mordidas de insectos o huellas de la mordida del sol. Sus ojos se movían en sus cuencas con laxa lentitud, perdiéndose su mirada en horizontes donde ya sabía que nada iba a encontrar, salvo el pasado irrecuperable que empezaba a reconstruirse cruelmente en su memoria.

Llegaron a la Ciudad de los Reyes en los puros huesos, ahuyentados de todos los poblachos que a su paso habían ido encontrando. Eran la viva imagen de la miseria que venía empujada por los vientos del desierto hasta caer rodando en una ciudad que había fundado Francisco Pizarro sólo un puñado de años antes. Alcanzaron los límites de Lima cuando sobre ella cabalgaba un huracán de considerables proporciones, que lanzaba a los aires y en cegadores puñados las arenas de los médanos que se movían por los alrededores como seres vivientes. Marchaban, desde hacía mucho tiempo, guiándose sólo por las mínimas indicaciones de las gentes que iban encontrado a su paso. Ya no preguntaban por el santuario de oro, sino por el mar, el mar del que habían huido durante todo el tiempo de la expedición. Habían navegado entre la calima que se les metía por todos los poros del cuerpo y que cercaba la ciudad cayendo sobre ella y enturbiando la visión y ahora, al fin, olisqueaban como perros en celo la proximidad del mar, la humedad que les alcanzaba de lleno los pulmones trayéndoles un sabor distinto a la boca, acercándolos otra vez a la presencia de las aguas, como una promesa de recuperación para sus depauperados cuerpos. Exhaustos habían salido del oasis, que ya sólo recordaban vaga y difusamente y caminaron hablando siempre de cualquier cosa que les distrajera de sus penurias, Alvaro Rejón sin dejar nunca de masticar la coca, Resaca levantándole el ánimo, haciéndolo caminar hacia el mar, entusiasmándose ambos mientras se contaban planes futuros que de antemano sabían que ya no eran capaces de llevar a cabo. Eran unos completos ancianos, piel decrépita sobre famélicos huesos encorvados y una agobiante respiración abriéndose paso con dificultad en sus enfermos tejidos corporales.

No se habían dado cuenta del todo, pero entre levantar Puerto Vigía y el trecho enorme que habían recorrido en busca de la ciudadela sagrada del oro, entre realidades exageradas por la imaginación y sueños de entelequias que no habían cuajado en nada, entre las vueltas y revueltas que habían dado a cordilleras y llanuras, a ríos y bosques, a valles y desiertos, había transcurrido toda una vida, una época entera en la que el mundo siguió transformándose por una vereda distinta a la que ellos habían denodadamente buscado. Eso sí. Tenían muchísimo que contar, pero a esas alturas del siglo y de sus propias vidas era casi imposible que nadie creyera en sus mapas y en sus historias descritas con un lenguaje siempre ambiguo y lleno de crípticas profecías que querían silenciar su fracaso. Sólo eran ensueños de mendigos a los que la vida había ido doblegando, conservándoles sólo la facultad de ir por el mundo predicando sus doctrinas mentirosas, como si se tratara de verdaderos rastrojos arrojados al fuego. "Hay cosas que no pueden ser y además son imposibles", se repetía Rejón cada vez que se enfangaba en sus recuerdos. No sabía a ciencia cierta si la experiencia de Eldorado había sido verdad o si era mentira la etapa dorada de su estancia en Santo Domingo.

De todo lo había despertado tajantemente Pedro Resaca. De todo. Cuando le gritó que estaban acabados, acabados para siempre, Resaca ensordeció por un instante la llantina imparable de Rejón.

—Acabados y hechos pura mierda. No importa que te las des de loco, cabrón. Convéncete de una vez que tenemos que salir de este rincón en el que estamos metidos gracias a Yaquís y a tus fantasías.

Rejón lo miró absorto, con ojos de Alvaro perdido, como si exactamente en ese momento empezara a recapacitar en un letargo de siglos en el que voluntariamente o no se había sumergido desde la época de las fiebres doradas. Sus gestos volvían a ser los de un niño mimado a quien se le ha arrebatado el juguete precioso. Su figura la de un triste y pobre anciano que se desdentaba poco a poco, perdidas todas las esperanzas, sin ningún acicate ya que lo mantuviera atado a la vida, temblequeante a cada sílaba su voz olvidada de la rotunda claridad de antes. "¿Y los mapas, Pedro?,", preguntó esperando una respuesta esperanzadora. Resaca volvió a hacerle el gesto de desprecio que repetía para ordenarle callar. "¿Y el oro, Pedro?, ¿qué hacemos con el oro?", volvía a preguntar tembloroso.

—No hay oro, Alvaro —contestó Resaca con toda la contundencia que le quedaba. Agarró entre sus manos un puñado de la arena gruesa de la superficie del oasis y se la enseñó—. Sólo arena, mierda y soledad —dijo finalmente.

Observaba con una mezcla de pena y cariño a Alvaro Rejón que, aun dándose cuenta de las cosas, seguía negándose a ver la realidad de la ruina en la que se habían convertido los dos.

—Entonces, ¿somos un par de fracasados? —volvió a preguntar con timidez, un fino hilo de voz incoherente descolgándose de sus labios.

—Eso es, Alvaro. Un par de fracasados. Un par de escorias al borde de la muerte —terminó por decirle Pedro Resaca.

Volvió a mirar a los cielos, señalando los garabatos y las maniobras de acercamiento que los gallinazos hacían en el azul del oasis como si estuvieran ya, por anticipado, oliendo la carroña del festín en el que los dos estaban a punto de convertirse. "Ahí los tienes, Alvaro. Esos espantajos que ves ahí arriba, sobrevolándonos, no son un sueño. Son la realidad que nos espera como no salgamos de aquí pronto y nos marchemos de este infierno de mierda", le dijo a Rejón.

Pero ahora estaban ya en Lima. Llenos de polvo, pequeñas y antipáticas motitas de diminuta arena que se mezclaban con el sudor y la humedad sucia. Como si una mano protectora los hubiera devuelto con vida, echándolos otra vez a la civilización, estaban en la llamada Ciudad de los Reyes, un poblado que desde su fundación había sido un constante escenario de discusiones, levantamientos, intrigas y peleas entre los mismos conquistadores españoles. Una ciudad en el que el rumor de las insidias era la moneda común de sus habitantes, divididos siempre en dos bandos: los de arriba (los conquistadores y su lenguaje plagado de maquinaciones y rebeliones) y los de abajo (los indios a quienes habían profanado, sumiéndolos en un silencio que se limitaba a observar la perpetua pendencia de los conquistadores). Una ciudad que muchos años más tarde sería apodada *la horrible*, como el mejor piropo que indiscutiblemente despreciaba la retahíla de arrumacos dedicados a través de los siglos por los notables e incesantes viajeros que se llegaban hasta ella movidos por el deseo de visitarla. Prácticamente en los confines del mundo (no en vano habría de llegar el día en el que los españoles refrendarían el dicho "de aquí a Lima" para expresar metafóricamente una distancia insalvable), veían y hablaban, caminaban y se sostenían como entre nubes, pero con más paradójica claridad que nunca. Pasaban por su lado —lanzándoles miradas displicentes y despreciativas, como si vieran en ellos a indios o simples esclavos— engalanados caballeros españoles, guerreros ya reposados que hacían todo lo posible por revivir allí, al otro lado del mundo, sus sueños cortesanos, remedando costumbres de las que sólo habían oído hablar a los visitantes que bajaban desde el Istmo de Panamá. Existía ya, desde los tiempos de su fundación, un ambiente que miraba al pasado, una suerte de cortina que contenía muchísimos secretos reflejados en el silencio de la indiada, como si la Ciudad de los Reyes estuviera cargada de una enérgica fluorescencia guardada en tumbas y cementerios, como un largo silencio de milenarias melodías que continuarían por los siglos escondiendo las claves interpretativas de otro imperio, de otra civilización, otra religión profanada por los insaciables hijos de la conquista. En los ojos de los indios podía distinguirse con facilidad el reflejo del miedo como una constante que habría de perdurar en el tiempo. Pero la profundidad de la mirada escondía en sus mentes un poder aún más exquisito y superior al de los levantiscos conquistadores que se peleaban entre sí hasta exterminarse. Ellos, los conquistadores de Pizarro, habían venido hasta allí, desde Jauja, buscando un lugar más amable y un clima mucho más llevadero. Allí, junto al cauce del río Rimac, se habían asentado los españoles, en un rectángulo de ciento diez y siete manzanas que habían de ser divididas cada una en cuatro solares, dejando —para no romper la costumbre— un espacio libre para la plaza mayor, alrededor de la cual se levantarían las casas de los gobernadores, los cabildos y los palacios del poder de la iglesia, vigilante siempre con la herejía, conteniendo sus sospechas, con su venganza de fuego extendiéndose por doquier. Fueron, en principio, no más de sesenta y nueve vecinos. Era, en el momento de la llegada de Alvaro Rejón y Pedro Resaca, un lugar clareado, airoso y llano, con una tierra que al menos en apariencia había colmado la sedentaria ambición de los pobladores españoles que miraban, desde la lejanía de un aire difícilmente transparente, la costa y el azul del mar como un cristal adormilado.

Recalaron allí, como lebreles después de una cacería infructuosa, buscando los garitos que se apiñaban en los alrededores de los embarcaderos. Sin saberlo, estaban ya de vuelta de todo, escapados de todo, y el mundo había empezado a ser para ellos una aventura demasiado ancha y ajena. Habían quedado, según lo que sus ojos estaban viendo, para los restos. Sobraban ciertamente en el universo y nadie conocía sus nombres ni eran tenidos en cuenta como otrora. Lima para ellos, con sus calles limpias y las chozas repetidas —de barro y de una sola planta, con sus techos de adobe y barro—, era una ciudad extraña, a medias entre un orientalismo solo entrevisto e imaginado en los libros de viajes y la desmesura con la que los españoles levantaban palacetes y mansiones que predecían, desde entonces, la inimaginable relevancia que llegaría a tomar aquel lejano paraje.

"Estamos en el fin del mundo", decidió Alvaro Rejón, reflexionando ante la visión que le abría la ciudad. "Aquí no pintamos una mierda", se quejaba ante el obstinado silencio de Pedro Resaca. Tumbado enteramente sobre la húmeda arena de la playa, la brisa cayéndole a plomo acariciante sobre el rostro y salándole la piel, Pedro Resaca sentía placer sólo al respirar el aire marino, como el lugar ejerciera una influyente tranquilidad en su ánimo. Apenas prestaba atención a las palabras de Alvaro Rejón, siempre pronunciadas entre chasquidos y chasquidos de sus encías que mascaban la coca. Las aguas limpias del mar le refrescaban los pies y, por primera vez en mucho tiempo, Pedro Resaca sintió sobre su mente el verdadero lujo de la libertad: permitirse pensar por sí mismo lo que haría con los pocos años que le restaban por vivir.

—Será el fin del mundo —dijo despaciosamente Resaca—, pero yo ya no me muevo de aquí. Me quedo aquí para siempre. Hasta que me pudra.

Para entonces, Alvaro Rejón lucía mejorando de aspecto, había olvidado por completo la obsesión del oro y la leyenda mordisqueada por la mentira. Había quedado atrás, como envuelta en telas herrumbrientas que el tiempo se había ido encargando de desdibujar, la memoria de Mademoiselle Pernod y la ciudad de Santo Domingo. Era, pues, verdad, que estaban acabados. Que, después de tanto tiempo y tantas vueltas, eran pura sombra de ambiciones que se habían ido desperdigando a retazos en el pasado, trozos perdidos de un universo soñado que jamás habían tentado con sus manos. Esa era la historia. Eran ya un par de ancianos indefensos e histriónicos que deambulaban por las callejuelas de los puertos sirviendo de recaderos, alimentándose de lo que por caridad le obsequiaban los marineros jóvenes a cambio de los cuentos que Alvaro Rejón, el cuentero para ellos, les relataba en los ratos de ocio y aguardiente.

"Pero todo eso, amigos", sonreía masticando la hoja de coca Rejón, "todo eso es mentira. No existe", se limitaba a terminar así cada una de sus extensas narraciones. "Son historias que se inventa la ambición del hombre para engañarse y pasar la vida soñando con hacerse rico".

Los marineros, como después los de Cartagena de Indias en la breve estancia antes de su regreso a la isla de Salbago, lo oían divertidos, aplaudiéndole sus visajes, sus mimos, sus detalles de cuentero, los cambios de voces que ejecutaba como un actor varios personajes. Apenas tenían en cuenta las historietas. Lo animaban a seguir, estudiando la reacción del viejo que era todo un espectáculo.

—Tú los cuentas como si fueran de verdad —le decían para envanecerlo—. Parece que tú eres uno de esos que se perdió con el loco Aguirre en busca de Eldorado.

Luego, cuando notaban cansancio en la voz de aquel anciano prematuro, cuando el acento y la cadencia se iban desentonando y oscureciendo, lo dejaban que se entregara a su vicio, de modo que así recuperara sus fuerzas. Después, le decían animándolo, tendrás que contar de nuevo la historia de las sirenas del Caribe y cuando le enviaron a Felipe II la manatina con su embajador y todo. O la historia de la puta que hacía el amor con los zapatos dorados de tacón alto.

Que contara también la historia del rebelde que quería emanciparse de la Corona del Imperio, que la contara también.

Que lo contara una y mil veces, que eran cuentos muy divertidos y él los sabía echar muy bien, como nadie, como si alguna vez hubieran ocurrido.

Alvaro Rejón enseñaba en una sonrisa sus estropeados dientes. Pedía paciencia. Mascaba con celeridad la goma verde, lanzaba al suelo el escupitajo y, recuperadas las fuerzas, soltaba otro de sus cuentos, delicias de un pasado muy cercano para los conquistadores de aquella otra parte del mundo...

Desde las alturas de las tierras de las medianías cercanas al Real de Salbago, Alvaro Rejón empequeñece los ojos para hacer más visible la perspectiva de la ciudad. Un creciente desinterés por todo lo que le rodea lo amilana y adormila, como si la vida no fuera ya con él.

No le importa en absoluto el contumaz asedio con el que el bucanero holandés Vandelores había decidido castigar a la isla, desde muchas jornadas atrás, con el objetivo de doblegarla por el aburrimiento y el hambre. El aburrimiento era, en definitiva, la traducción que el holandés hacía del cansancio. Dudaba sin embargo el pirata del hambre, como medida resolutoria. Fajador empedernido que no ceja en conseguir el empeño largamente deseado de conquistar el Real de Salbago y colocarlo bajo pabellón holandés, Vanderoles ha desplegado su flota cortando el paso de las entradas y salidas a la mar. El bloqueo, supone, puede producirle el éxito esperado porque Salbago está a punto de desfallecer y capitular ante las fuerzas del pirata europeo, hombre por otro lado cultivado en la literatura de viajes y experimentado en la madre de todas las victorias, la paciencia. Había llegado a las costas de Salbago en multitud de ocasiones. Había deseado, con un calor que licuaba sus carnes interiores, poseer la isla como puede poseerse a una mujer de sangre real, a una princesa prohibida, amada en la clandestinidad de los tiempos marítimos, querida en silencio en las largas horas de la soledad del corredor de fondo. Tenía grabada en su mente la silueta lejana de Salbago y en todas sus correrías, a lo largo y ancho de los océanos, se hacía voz y comentario de su fijación: conquistar aquella tierra de nadie que Dios había anclado como un huérfano en medio del Mar Tenebroso.

Cabeza de Vaca es un desdichado y casi inexperto capitán que tiembla ante la realidad que le devuelven sus ojos cada vez que mira hacia la rada: un formidable despliegue de poder naval balanceándose sobre las aguas que rodean Salbago, un cántico anticipado de victoria entonado por el quehacer apasionado de aquel tozudo holandés de altiva mirada, pecho al viento, cuyo único ojo sano tiene fijas todas sus complacencias en la tierra que Cabeza de Vaca cree administrar para la Corona de España. Como en un museo en acuarela, estáticos, ligeramente atizadas por el viento sus velámenes a medio recoger, los barcos que componen la flota de Vanderoles acechan con fiereza cualquier movimiento que se realiza en la ciudad. Vanderoles sabe que se ha ganado a pulso, por propio derecho y mérito, ser considerado como el más odiado y temido de los enemigos de la isla. Su tenacidad se ha convertido en obsesión desde que, en el primer asedio a Salbago, perdiera el brazo derecho en certero disparo de la artillería que casi llegó a costarle la vida. Fue un accidente, dijo, pero la memoria se le quedó trabada en aquellos fortines que habría de derrumbar por la fuerza de su empeño; en aquella Catedral siempre a medio construir y de la que, prometíase a sí mismo, no dejaría piedra sobre piedra ni fantasma sobre fantasma.

Desde entonces, el brazo de Vanderoles, que había caído al mar en la batalla y que apareció en las arenas amarillas de las playas del Real como un trofeo de guerra que los dioses marinos donaban a la valentía de los insulares, era mantenido en formol por el maestre de campo Cabeza de Vaca, Gobernador efectivo de la isla, y exhibido como símbolo de resistencia y victoria sobre el holandés protestante en las procesiones, actos religiosos y otros acontecimientos y celebraciones civiles. El brazo del pirata, pues, se había convertido en un amuleto necesario para Cabeza de Vaca, convencido de que su pertenencia impediría la entrada del holandés errante en la ciudad y su posterior saqueo. En el ánimo de Vanderoles, por el contrario, creció el rencor como un relámpago inapagable que martillaba sus deseos poniéndolos al rojo vivo, un fuego que atenazaba cada uno de sus pensamientos, de sus ideas, de sus proyectos, un fuego que se había encendido en sus entrañas y juró no cesar de atizarlo hasta que él mismo pisoteara la ciudad y pasara a degüello a hombres, mujeres y niños, toda esa población ensoberbecida ante las dificultades que el holandés le imponía.

Alvaro Rejón existía al margen, como un anacoreta que se alimentaba de unos yerbajos cuyas semillas había transportado desde el Continente. En una cueva de las medianías había montado su hogar, su última casa, quizá para ver mejor cómo una venganza sideral caía sobre la tierra quemada terminándola de arrasar. Cuando oyó los primeros cañonazos desaborlando los edificios de adobe del Real, le pareció que el fin del mundo se estaba acercando poco a poco, tal como siempre había intuido. Por entonces, sumido en la abulia más desesperante, Alvaro Rejón rememoraba su vida hecha pedazos, los viajes que ahora le parecían mentira, las aventuras que se habían fosilizado y cobraban difuso volumen en la memoria. Dudaba de la veracidad de su existencia, doblegado por la coca y la desesperanza. Allá arriba, en las medianías, había plantado demarcaciones enteras con la hoja verde y se comportaba como un apóstol de una nueva religión que tenía, como fundamental mandamiento, estar pegado de la masticación de la hoja a toda hora. "Se ve el mundo de colores, como en los sueños", esgrimía ante los catecúmenos que se acercaban clandestinamente a recibir sus enseñanzas. "Enyerbado uno le encuentra solución a todo", argumentaba.

Ni siquiera se inmutó cuando vio los primeros humos provocados por los bombardazos que caían sobre la ciudad. Al principio fue el golpe. Luego el fuego comenzó a extenderse sin cesar por el Real causando la muerte a sus habitantes y haciendo huir despavoridos hacia el interior a los ciudadanos que sobrevivían a la embestida cruel del pirata holandés. Ahí estaba él, Vanderoles, anunciándole al mundo una conquista anticipada de la que ya no podía escaparse Salbago. Ahí estaba, buscando la recuperación imposible de su brazo, ejerciendo la venganza como contribución a la historia que luego harían los expertos sobre las piraterías y los asedios a la isla. Veía absorto, entusiasmado por la perfección en el despliegue sobre el campo de batalla, correr a sus hombres y dirigirse directamente a los lugares clave del Real. Observaba lleno de euforia, sobre los planos que sus ingenieros le habían dibujado, los triunfos que iba consiguiendo poco después de haber iniciado el ataque final. Creía escuchar los gritos de la población, hundiéndose en ella las espadas de la historia que él protagonizaba. Era, pensó, un espectáculo hermoso el del fuego desmoronando toda una ciudad enclave del Imperio español. Valía la pena, pensó, haber perdido un brazo y un ojo con tal de hoy ver aquellas escenas de triunfo que consagrarían su memoria para toda la eternidad.

¿Corría la sangre por las callejuelas de la ciudad de mierda?, preguntaba. Corría, señor, corría, le contestaban sus consejeros más cercanos a los que ahora no se dignaba ni mirar, hipnotizado ante el asalto y la humareda que las culebrinas y los cañones de su flota descargaban sin cesar sobre las fortificaciones del Real. ¿Veían los avances, cómo se acercaba la victoria final en aquel día reluciente, con un sol esplendente alumbrando el final de aquella ciudad española? Lo veían, señor, lo veían también entusiasmados, maravillados del orden y del concierto que las tropas extendían sobre la ciudad a punto de ser tomada por completo.

Vanderoles pensó entonces que era la hora de saltar a tierra y ordenar con su propia voz el asalto final del símbolo, la Catedral que le había enturbiado su mente en el recuerdo, la Catedral como objeto supremo de la venganza.

Alvaro Rejón observaba canturreando el espectáculo. En la lejanía de perspectiva, a algunas millas de distancia, quintaesenciado hasta la médula, quizá esbozando una sonrisa de estupidez que lo alejaba aún más de la realidad, el espectáculo del fuego y el humo lo excitaba como si estuviera en un sueño y regresara a los mejores días de su época dorada de Santo Domingo. "Mademoiselle Pernod", recordó cabalísticamente, como si la mágica pronunciación de aquel nombre le abriera recuerdos de toda índole, memorias distorsionadas de toda su existencia y lo relajara poco a poco sumiéndolo en un sopor placentero y enervante al mismo tiempo. "Mademoiselle Pernod", repitió empecinado, tratando tal vez de hacer presente la imagen de aquella diosa tropical y blanca que lo había adormecido y calentado como nadie. Ahora volvían a repicar los bombardazos y los humos se elevaban ya en una inmensa pira que por momentos le quitaban toda la visión de la ciudad.

El Real estaba en llamas y la Catedral iba a empezar a ser asediada. Vanderoles había supuesto con muy buen tino que allí, en el recinto sagrado, Cabeza de Vaca decidiría resistir hasta la muerte que se les echaba encima. Ahora, en los alrededores de la Plaza de Armas, el pirata Vanderoles ordenaba la toma definitiva de la Catedral, en tanto que sus tropas perseguían a la población por los andurriales de los alrededores de la ciudad y los condenaban a la muerte. Rodaban las cabezas y en todos los rincones aparecían cuerpos descabezados precisamente, porque esa había sido la orden del bucanero holandés: no sólo que no se pudiera decir jamás que había quedado una piedra en pie, sino que las cabezas de los salbagueños habían sido separadas de sus cuerpos, incluso después de muertos, como venganza por la tozudez de aquellas gentes que se creían con derecho a una resistencia que ya no les correspondía.

Alvaro Rejón no podía ver la matanza: en todas las esqui-

337

nas, en todos los interiores de las casas, los cuerpos descabezados eran luego pasados a fuego, inmersos en el jolgorio los asal-
tantes y chamuscados después de muertos los salbagueños, sus
cuerpos reducidos a cenizas en las hogueras que en todas partes
habían ordenado levantar los capitanes del almirante holandés
Vanderoles. El pirata vestía ahora, en los preludios del más resonante de sus triunfos, sus mejores galas, sus condecoraciones
reales que proclamaban toda una vida curtida por las aguas marinas y los soles solitarios, toda una existencia corsaria que lo
había aventado hasta la gloria más excelsa. Sus cabellos canos, a
pesar de estar todavía en la flor de la juventud, denotaban una
experiencia poco común, una madurez desorbitada para su
edad y un afán visionario que siempre se salía con la suya.

Los primeros fuegos que prendieron en las murallas de la
Catedral de Salbago trajeron el júbilo a los holandeses y llenaron de horror a los pocos salbagueños que se habían escapado
del Real huyendo por las laderas y escondiéndose en los bosques cercanos. Hasta allí, al menos de momento, no llegaría el
fuego dantesco que se levantaba ahora en el mismo centro del
Real, profanando la sagrada Catedral de Salbago, donde tantos
esfuerzos, afanes y dineros habían metido los ennoblecidos de
la isla y los obispos que se fueron sucediendo en la sede episco-
pal del Rubicón. Ardía como paja seca la Catedral, chisporrote-
ando las maderas de los bancales y los altares, caminando las
hilachas de fuego hasta alcanzar los más oscuros rincones, las
sendas perdidas, las criptas, las escaleras ciegas, los secretos
fantasmales de la Catedral. Ahora resonaban gritos por doquier, como risas histéricas de murciélagos seculares que allí
habían anidado desde los tiempos de la fundación, espectros
que no iban a recuperar jamás su justa imagen humana, que
trataban a toda costa de sobrevivir después de la muerte. Era la
memoria reseñada en los anales de Juan Rejón, Gobernador
que fuera del Real de Salbago y fundador de la ciudad; era la
historia cruenta del Inquisidor Hernando Rubio adherida a las
costras de las paredes sagradas como formando parte de su propia esencia; era la sensatez fuera del tiempo del maestro arqui-

tecto Herminio Machado o la frente siempre alta del rebelde Pedro de Algaba; era el primero de los fantasmas que habitaron en la Catedral, el primero de los seres ultraterrenos que paseó su sombra por las naves de la iglesia y levantó rumores en los habitantes de Salbago: el insólito recuerdo del maestre de campo Martín Martel; era, también, aunque el recinto sagrado repudiara su memoria, el bamboleante recuerdo de la mora Zulima, joven y esplendorosa como la hierba al crecer en un prado acariciado por la brisa; era Maruca Salomé y un eco de ladrido de perro feroz que se extendía y levantaba por entre la llamarada espesa que arrasaba la Catedral para convertirla en nada. Era Salbago, la historia consumida de un ciclo que había empezado en los albores de la época de los descubrimientos y terminaba ahora, en manos del pirata holandés Vanderoles, sometida a espantoso y definitivo degüello.

Como pavesas negras sobrevolaban los fantasmas de la historia de Salbago el fuego enorme que envolvía la Catedral del Real. Hacían piruetas en el aire, esbozando un quejido inaudible y apagado por los gritos de triunfo de los vencedores. Ya no había más piezas de ajedrez llenas de telarañas sobre ningún palacio de ningún Gobernador. Ya no más otra conquista de verdad que no fuera llevada a cabo por el maníaco Vanderoles, almirante de una inexistente marina, condecorado falsamente por reyes que jamás habían existido. Ya no más la memoria de otra matanza que no fuera ésta. Ya no más Salbago, ni Rejones, ni Cabezas de Vaca, ni escapes al Continente, ni *razzias*, ni Inquisiciones católicas implantadas por mor de los tiempos en los que en el Imperio no se ponía el sol. Ahora el sol era también testigo de cargo de la humareda y de la llamarada que envolvía Salbago, los conquistadores nuevos sufragando su triunfo, celebrando su paciencia, los fantamas de más de un siglo de historia sucumbiendo a las llamas a las que ellos habían condenado a tantos seres. Ahora, Salbago y su memoria quedaban limitadas a eso, a pavesas que huían hacia el cielo semejando golondrinas chirriantes o vencejos que intentaban un último y estertórico alarido.

Alvaro Rejón lo veía todo entre brumas. Los ojos no alcanzaron, sin embargo, a llorarle en el momento en que los hombres de Vanderoles se lo encontraron en los andurriales de las medianías hecho un pingajo borracho. Sin tardanza cortaron la cabeza del indiano y la separaron de un cuerpo en el que sólo era posible ver la piel adherida a los huesos. Y, después, siguieron su camino de conquistadores triunfantes, prendiendo fuego a cuantos caseríos se encontraban a su paso. Vanderoles lo había ordenado así y de ese modo obedecían los piratas, revolviendo toda la isla y toda la ciudad en busca de un brazo en formol que nunca encontrarían. El sol seguía brillando en los altos del Imperio. Un calor inaguantable aplastaba las tierras de Salbago. Un calor que hacía brotar aguas hirviendo desde las profundidades de las tierras insulares.

INDICE

Primera parte

AB URBE CONDITA... 13

Segunda parte

LOS REINOS PROMETIDOS.............................. 197

El autor quiere hacer constar que escribió este libro con ayuda de una beca a la creación literaria concedida por el Ministerio de Cultura de España.

Esta
primera edición
de
LAS NAVES QUEMADAS
libro escrito en
Las Palmas, Las Rozas y Ciudad de México,
entre enero de 1979 y septiembre de 1981,
compuesta con Garamond 10 sobre 11 puntos,
se terminó de imprimir en los talleres de
Gráficas Instar s/a, Constitución, 19, Barcelona
en febrero de 1982

BARCINONE
IDUS MART.
MCMLXXXII